EEN PLAATS OM TE BLIJVEN

Voor mijn moeder,
met liefde

EEN PLAATS OM TE BLIJVEN

VANESSA DEL FABBRO

Mozaïek, Zoetermeer

Dit boek op een leeskring bespreken?
Kijk voor discussievragen op
uitgeverijmozaiek.nl

Ontwerp omslag Bas Mazur
Layout/dtp binnenwerk Gerard de Groot

Vertaling Dorienke de Vries-Sytsma
Oorspronkelijk verschenen bij Steeple Hill Books, New York, USA
onder de titel *Sandpiper Drift*

ISBN 978 90 239 9249 3
NUR 340

© Engelstalige versie 2006, Vanessa del Fabbro
© Nederlandse vertaling 2007, Uitgeverij Mozaïek, Zoetermeer

Meer informatie over deze roman en andere uitgaven van Uitgeverij Mozaïek vindt u
op uitgeverijmozaiek.nl

Een

an weerszijden van de steile weg waarlangs ze zojuist omhoog waren gereden, golfden de koppies in dofbruine, stoffige plooien omlaag. Monica stapte de huurauto uit en sprong op een groot rotsblok voor een beter uitzicht. Ondanks de beschermende zonnebril deed het scherpe licht pijn aan haar ogen.

'Henry, moet je dit zien!' riep ze naar haar cameraman, die nu nog op de achterbank lag te slapen, maar straks de beelden zou maken bij de reportage die haar debuut in de televisiejournalistiek moest worden – een reportage over het stadje aan haar voeten, nog bijna helemaal aan het gezicht onttrokken door een zee van bontgekleurde bloemen.

'Gewoon bougainvillea's!' riep Henry uit, toen hij naast haar op het rotsblok was komen staan. 'Alsof ik die nog nooit eerder gezien heb!'

In een lawine van kersrood, gebrand oranje, helder roze en zonnig geel tuimelden de bonte struiken over hekken, muren en poorten, deden veranda's doorbuigen onder hun gewicht, kropen langs boomstammen omhoog om zich te nestelen in de takken en slingerden zich om telefoonkabels. De hoofdstraat werd geflankeerd door palmbomen, maar ook hier was de bougainvillea alomtegenwoordig. De zinken daken van de huizen waren groen, blauw en rood geverfd en de weerkaatsing van de zon deed het hele stadje oplichten in een warme gloed, bijna een stralenkrans.

'Het is net alsof je in een boot met glazen bodem over een koraalrif vaart,' zei Monica en Henry mompelde iets instemmends.

Het panorama kwam voor hen als een volslagen verrassing. Sinds hun vertrek uit Kaapstad hadden ze anderhalf uur lang niets anders gezien dan pollen stoppelig onkruid met bruine bloemetjes en struiken met sprietige, leerachtige blaadjes. 'Fynbos,' had Henry met behulp van Monica's reisgids vastgesteld, wat Afrikaans was voor 'fijn struikgewas'.

Een rotswand aan de westkant van het stadje scheidde het land van de Atlantische Oceaan. Aan de grote, grillig gevormde en gevaarlijk overhellende rotsblokken was te zien dat de oceaan er niet altijd zo kalm bij lag als nu. Voordat hij was weggedommeld, had Henry nog verteld dat de oceaanbodem hier bezaaid lag met door zeewier overwoekerde scheepswrakken, die dienden als paaigrond voor tonijn, snoek en de grote witte haai. Ten noorden van het stadje strekte zich landinwaarts een baai uit in de vorm van een reusachtig vraagteken. Het was eb en de modder van de drooggevallen wadden glinsterde in de zon.

Monica en Henry stapten weer in en begonnen aan de afdaling. De grond vertoonde hier witte vegen van blootliggend kalksteen en Monica draaide het portierraampje op een kiertje open om de haar onbekende, maar prettige geur van citroengras op te kunnen snuiven. Een kiertje, meer niet, ook al leek haar angst op deze idyllische plaats ongerijmd. De herinnering aan de spiegelende zonnebril en de zweetdruppels op het kaalgeschoren hoofd van de man was echter net een hardnekkige vlek die zich niet liet wegboenen. Hij had haar in haar auto overvallen, neergeschoten en voor dood achtergelaten; haar kreupele rechterbeen was er het blijvende gevolg van. Dit alles was al meer dan twee jaar geleden en bovendien had het zich afgespeeld in Soweto, de uitgestrekte voorstad van Johannesburg, maar toch bonsde bij iedere autorit de angst nog in haar bloed.

Langs de hoofdstraat van Lady Helen liepen greppels vol helder, snelstromend water. Het was een winkelstraat, waarvan de stoep langs de etalages compleet overschaduwd werd door een zinken overkapping. Om de zoveel meter stonden potten met roze en oranje geraniums. Voor de supermarkt zaten twee witharige mannen op een bankje de krant te lezen, met aan hun voeten een haveloze hond. Even verderop zat een vrouw op een uitgespreide deken, de benen recht vooruit, met om zich heen een uitstalling van kralensieraden en haarspelden. Onder dekking van een dunne, gehaakte sjaal gaf ze een baby de borst.

'Wat raar,' zei Henry ineens hoofdschuddend. 'Je ziet nergens rommel slingeren.'

Hij had gelijk: er was nog geen sigarettenpeukje te bekennen. Het stadje lag er even glimmend bij als een goed verzorgd huis.

Monica kreeg ondertussen de indruk dat vele van de winkels in feite kunstgalerieën waren. In de etalages zag ze voornamelijk aquarellen van de omgeving, maar ook levendige abstracten, staaltjes volkskunst, weelderige stenen sculpturen en zwart-witfoto's. Bij het eetcafé van Mama Dlamini hingen de mensen schouder aan schouder aan een hoge bar.

'Laten we even stoppen,' stelde Henry voor, maar Monica probeerde de geur van sterke koffie te negeren en zei: 'Dokter Niemand verwacht ons.'

Niemand. Een vreemde naam, maar echt Afrikaans.

Ze had het bord van het ziekenhuis al gezien en laveerde met haar auto nu voorzichtig langs een met brandhout volgeladen ezelwagen. De man op de bok tikte aan zijn verschoten zwarte fedora, floot naar de ezel en tikte hem met de leidsels op de rug. Het beest sloeg met zijn kop alsof hij het begreep en hervatte toen onverstoorbaar zijn regelmatige sukkeldrafje.

De hoofdstraat liep uit op een park, dat zich over een afstand van ongeveer vierhonderd meter langs het strand uitstrekte. De palmbomen vormden een natuurlijke afscheiding tussen het keurig gemaaide gras en het witte zand. Midden in het park was een openluchttheater aangelegd, het toneel laag, de tribunes gevormd door met gras begroeide treden. Daarachter bevond zich een rotstuin vol vuurrode aloë, de roze speldenkussentjes van suikerbos en de tere, rode bloempjes van Afrikaanse hei.

Ze passeerden de begraafplaats en Monica minderde snelheid, niet alleen om Henry gelegenheid te geven zijn haar nog even te kammen, maar ook om haar ogen de kost te geven. Er stonden niet veel grafzerken; de meeste graven waren gemarkeerd met een stapeltje stenen. Het terrein was omgeven door een gietijzeren hekwerk, versierd met tierlantijnen en sierschildjes, met als toegang een dubbel booghek met afschrikwekkende punten erbovenop. Het verbaasde Monica dat voor de omheining blijkbaar kosten noch moeite waren gespaard, terwijl er maar zo weinig grafstenen te zien waren. Had de begraafplaats misschien een historische betekenis? Hoe dan ook, het gaf haar een onbehaaglijk gevoel, zo'n begraafplaats direct naast het ziekenhuis.

Het ziekenhuis van Lady Helen was vroeger een boerderij geweest, wat nog te zien was aan de brede, overdekte veranda, de gladgeschuurde betonnen vloer, de zware voordeur met glas-in-loodramen en de grote bronzen klopper. Op de veranda stond een riempiebank, waarvan de gekruiste leren banden na jarenlang gebruik slap waren gaan hangen. Op het canvas kussen lag een rossige kat te slapen. Toen Henry zich kreunend uitrekte, deed het dier even een oog open, maar daarna sliep het onmiddellijk weer door.

Monica liet de bronzen klopper vallen. Er ging een minuut voorbij zonder dat er iemand kwam opdagen. Binnen klonken luide, opgewonden stemmen.

'Probeer het nog eens,' zei Henry.

Monica deed het, maar nog steeds zonder resultaat.

Henry duwde de deur open en stak zijn hoofd naar binnen. 'Hallo!'

'Ga maar aan de linkerkant zitten,' riep een vrouwenstem terug. 'Ik ben zo bij u.'

Aan de buitenkant mocht het gebouw dan net een boerderij lijken, hierbinnen roken ze toch meteen dat ze in een ziekenhuis waren. De lucht wekte Monica's herinnering aan haar eigen ziekenhuistijd. Toen ze op de overvolle zaal weer bij bewustzijn was gekomen, had ze die doordringende geur onverdraaglijk gevonden.

Er stoof een jongetje langs hen heen, dat de deur opensmeet en de veranda afsprong. Uit een kantoortje aan de andere kant van de wachtkamer kwam een verpleegster tevoorschijn, die hem nakeek. 'Hij haalt het nooit,' mompelde ze, terwijl ze de deur weer sloot. Even wenste Monica dat ze toch eerst een kop koffie bij Mama Dlamini hadden gehaald, zodat ze pas na deze klaarblijkelijke crisis zouden zijn gearriveerd.

'Neem me niet kwalijk,' zei ze. 'Ik ben op zoek naar dokter Niemand.'

'We zitten net met een spoedgeval,' zei de verpleegster. 'U zult even moeten wachten.'

'Geen probleem,' zei Henry; hij koos een bureaustoel uit de gammele verzameling stoelen langs de muur en maakte het zich gemakkelijk.

Monica nam plaats op een keukenstoel met een harde, rechte rug en legde de tas met de opnameapparatuur aan haar voeten. De reportage voor het actualiteitenprogramma *Van dichtbij* zou haar meesterproef worden. De verslaggeefster voor wie ze inviel, had besloten na haar zwangerschapsverlof niet terug te keren en de redactie was nu op zoek naar een permanente plaatsvervanger. Als de keus op Monica viel, zou ze haar geliefde baan als radioverslaggever moeten opgeven, maar zo lang ze zich kon herinneren had ze er al van gedroomd om bij de televisie te werken. Ook het hogere salaris was meer dan welkom, zeker nu ze onlangs de twee kinderen van haar overleden vriendin had geadopteerd: Sipho en Mandla, haar jongens. Ze noemde hen geen zonen, en zou dat waarschijnlijk ook nooit gaan doen. Zo lang ze leefden, zouden ze Ella's zonen blijven.

Eigenlijk had Monica voor deze reportage een heel ander onderwerp in gedachten gehad: de redding van de krokodillen van Lake Saint Lucia, die na al die maanden aanhoudende droogte met behulp van helikopters uit het droogvallende meer zouden worden gehesen. Nadat ze dit idee tussen neus en lippen door tegenover een cameraman had laten vallen, had een van haar collega's halsoverkop een ticket naar Durban geboekt en vervoer naar het schiereiland Nibela geregeld. Daarna was er op de redactie een brief gekomen, geadresseerd aan Monica persoonlijk, met een uitnodiging om de nieuwe brandwondenkliniek van het plattelandshospitaaltje in Lady Helen te komen bekijken. In de brief gaf dokter Niemand ruiterlijk toe dat hij door middel van de televisie-uitzending de benodigde fondsen bij elkaar hoopte te krijgen om de kliniek draaiende te houden. Zijn eerlijkheid had Monica geraakt.

Nu kwam de verpleegster naar haar toe. 'Als u straks klaar bent bij dokter Niemand, zou ik u dan een ogenblik kunnen spreken?'

'Natuurlijk,' zei Monica.

'Hé, dit zou een geweldige dolly-shot kunnen worden!' riep Henry ondertussen. Hij reed met stoel en al door de wachtkamer, de camera balancerend op zijn schouder. De verpleegster keek naar hem alsof hij een onhandelbare leerling was. Blijkbaar was het nieuw voor haar dat iemand niet ineenkromp onder haar scherpe blik, want na een poosje trok ze haar gezicht in een misprijzende plooi en verliet het vertrek.

De voordeur ging weer open. Het jongetje kwam terug, buiten adem en met een wilde blik in zijn ogen. Hij trok een vrouw met zich mee die een mannenoverhemd over haar nachtjapon droeg. Ze haastten zich door de wachtkamer; de vrouw struikelde bijna, maar het jongetje vertraagde zijn pas niet.

Tien minuten later kwam een man in een groen schort de kamer in en stak zijn hand uit. 'Monica Brunetti, veronderstel ik? Ik ben Zach Niemand.'

Monica ging staan om hem de hand te schudden. 'Aangenaam kennis met u te maken.' Ze wees naar Henry, die met twee pennen op de vensterbank zat te drummen. 'Dit is Henry Radebe, mijn cameraman.'

De dokter was meer dan 1.80 meter lang en met zijn donkere stekeltjeshaar had hij wel iets weg van een militair. Hij droeg een klein brilletje met rechthoekige glazen, dat hij nu afzette om in zijn roodomrande ogen te kunnen wrijven.

'Het spijt me dat ik vanochtend niet veel tijd voor u heb. We hebben zojuist een patiënt verloren. Hij was een zieke ram aan het verzorgen en toen hij een druppelaar uit zijn tas wilde halen, werd hij gebeten door een slang. Was vast in de tas gekropen voor een beetje schaduw. Aan de beschrijving van de jongen te horen was het een zwarte mamba.' De dokter schudde zijn hoofd. 'Het joch had zijn moeder nog net op tijd hier om afscheid te kunnen nemen. Ik moet nu met de familie spreken en een aantal zaken regelen. Zuster Adelaide zal u de brandwondenafdeling laten zien.'

Monica was onder de indruk van de manier waarop hij zijn kans om in de schijnwerpers te komen opgaf, alleen omdat een kleine jongen zijn vader en een vrouw haar man verloren had. Ze schudde hem opnieuw de hand en bedankte hem voor de uitnodiging om naar Lady Helen te komen.

Zuster Adelaide was achter in de dertig, van gemiddelde lengte en tamelijk gezet. Haar witte jurk spande om haar lichaam, wat de indruk gaf dat ze nog maar onlangs flink was aangekomen, maar als het al ongemakkelijk zat, was dat aan zuster Adelaide niet te merken. Integendeel, ze bewoog zich vloeiend en gracieus en leek bijna door de kamer te glijden.

Via de achterdeur leidde ze hen over een armetierig grasveld-je naar het eerste van een allegaartje aan bouwketen. Onder het praten waren haar handen voortdurend in beweging, waardoor de ontelbare zilveren armbanden die ze droeg langs haar armen heen en weer rinkelden. Henry kon zijn ogen niet van haar afhouden en Monica moest hem eraan herinneren dat het tijd was om zijn camera in orde te maken. Zelf zag ze meteen dat ze de charmes van zuster Adelaide in haar voordeel kon gebruiken. Met haar lange, ingevlochten haar en haar bescheiden glimlach was ze oneindig veel foto-genieker dan de overduidelijk uitgeputte dokter Niemand.

Het was de bedoeling dat ze na het interview een aantal op-names van patiënten zouden maken en de reportage zou worden gecompleteerd met een stel buitenopnames van het ziekenhuis. Het leek een klus van niks, maar toen zuster Adelaide hen bij de eerste patiënt bracht, schrok Monica hevig. Ze had niet verwacht hier kinderen te zullen aantref-fen. Waarom had ze in vredesnaam nagelaten dokter Nie-mand de voor de hand liggende vragen al telefonisch te stel-len tijdens het voorbereidingsgesprek? En waarom had ze stilzwijgend aangenomen dat hier alleen volwassenen zou-den liggen? Natuurlijk vond je op een brandwondenafdeling ook kinderen!

Het meisje leek haar te observeren, maar toen Monica dich-terbij kwam, sloeg ze als teken van respect haar ogen neer.

'Dit is Zukisa,' vertelde zuster Adelaide. 'Haar naam betekent "Heb geduld". Ze heeft derdegraads brandwonden van haar borstkas tot aan haar knieën. Sinds haar aankomst heeft dit engeltje nog geen traan gelaten.'

Monica stak haar hand uit om het meisje over haar hoofd te aaien, maar toen ze de angst in Zukisa's ogen zag, bedacht ze zich.

'Kokend water,' zei zuster Adelaide en voorkwam daarmee Monica's volgende vraag. 'Ze was de pap voor het avondeten van de familie aan het koken en struikelde over een vaatdoek.'

Monica keek naar het ingezwachtelde figuurtje en voor haar geestesoog verschenen de kinderen in het park vlak bij haar huis, ondersteboven aan het klimrek, een randje van hun gladde, roze buikje nog net zichtbaar onder hun felgekleurde T-shirt.

'Waar was haar moeder dan?' vroeg ze; ze realiseerde zich meteen hoe beschuldigend het klonk en nam zich voor deze zin eruit te knippen.

Zuster Adelaide schudde verdrietig het hoofd. 'Ze was mosselen aan het zoeken om die te verkopen aan het restaurant van de golfclub. Geserveerd in wittewijnsaus kosten ze daar tachtig rand. Moet je je voorstellen! Daar kan ik de boodschappen voor de hele week van doen. Zukisa's vader werkt in een visconservenfabriek in Kaapstad. Hij komt alleen de weekenden thuis, maar dat is tenminste vaker dan toen hij nog in Johannesburg in de mijnen werkte. Daar woonde hij in barakken samen met honderden andere mannen uit het hele land.'

'U kent het gezin blijkbaar goed,' merkte Monica op.

Zuster Adelaide leek verbaasd. 'Lady Helen is niet groot, dat zult u nog wel merken.' Ze streelde de arm van het meisje. 'De huidtransplantatie is heel goed gelukt. Zukisa zal er littekens aan overhouden, maar zal niet beperkt zijn in haar bewegingen en een normaal leven kunnen leiden.'

Ze keek naar het kind en zei iets in het Xhosa. Het was beslist iets bemoedigends, want er brak een brede glimlach op het gezicht van het meisje door. 'Ik heb haar verteld dat we vanavond gebakken lever met uien eten,' verduidelijkte zuster Adelaide. 'Het is haar lievelingsmaal.'

'Cut,' zei Monica en Henry liet zijn camera zakken.

Met tegenzin liet ze Zukisa achter. Ze had het meisje graag

iets gegeven, maar wat? Sinds ze van het ene op het andere ogenblik moeder was geworden, vergoot ze hete tranen bij de televisiebeelden van uitgemergelde baby's in Angola of Mozambique. Ze liet bij ieder kruispunt muntjes vallen in smekend opgeheven handjes, hoewel ze in het verleden haar raampjes altijd hermetisch gesloten hield en zich ermee had verzoend dat er nooit genoeg zou zijn om de miljoenen hongerige monden in Afrika te voeden. In het winkelcentrum glimlachte ze meelevend naar de moeders die met het schaamrood op de kaken hun krijsende peuters in bedwang probeerden te houden. Mandla had die fase immers ook doorgemaakt. Had ze zich vroeger groen en geel geërgerd aan mensen die hun kinderen meenamen naar een restaurant of bioscoop, tegenwoordig knikte ze hen vol begrip toe, alsof ze deel uitmaakten van een soort zusterschap. 'Welkom in het andere kamp,' had een vriendin met drie kinderen tegen haar gezegd, toen ze de jongens had geadopteerd.

Ze interviewden nog een andere patiënt, een jongen die verbrandingen in zijn gezicht had opgelopen door het spelen met vuurwerk.

Toen ze vertrokken, was dokter Niemand net bezig een tweeling ter wereld te helpen en volgens zuster Adelaide had het geen zin om daarop te wachten. Als er zich verder geen spoedgevallen voordeden, waste en kleedde de dokter de pasgeborenen het liefst zelf. Monica stelde zich voor hoe die boomlange dokter de piepkleine luiertjes om zou doen en hoe zijn reusachtige handen de rompertjes over de schoongewassen lijfjes zouden schuiven. De doktoren die ze in het ziekenhuis van Soweto had meegemaakt, hadden nooit tijd om hun patiënten zulke liefdevolle aandacht te geven, ook al hadden ze dat gewild, en dat laatste was volgens haar niet vaak het geval. Dokter Niemand leed duidelijk aan slaapgebrek en toch verrichtte hij hier de werkzaamheden die eigenlijk tot het takenpakket van een verpleegster behoorden. Ze besefte dat zijn zorgzame werkhouding haar

dan wel uitzonderlijk voorkwam, maar dat die in feite typerend was voor Lady Helen. Iedere patiënt of klant die achter
jou zat te wachten, was een bekende die je morgen en overmorgen opnieuw zou tegenkomen. Wat moest het heerlijk
zijn voor een kind om in zo'n hechte gemeenschap op te
groeien, waar iedereen wist hoe je heette en om je gaf!
Ze schudde de dagdromerij van zich af. Televisieverslag-
gevers ontleenden hun inspiratie aan de meedogenloze
machinerie van de grote stad. Om aan hun materiaal te
komen wroetten ze in de modder en waren ze gespitst op de
uitslaande brandjes als gevolg van de onvermijdelijke wrij-
ving op plaatsen waar miljoenen mensen op een kluitje
moesten leven. Als ze met deze reportage over Lady Helen
een vaste baan op de redactie van *Van dichtbij* veroverde,
zoals ze vurig hoopte, dan was Johannesburg de plaats waar
ze wezen moest.

Het vliegtuig zette de landing naar Johannesburg Internatio-
nal Airport in. Monica tuurde door het raampje naar de wir-
war van glas en staal van de wolkenkrabbers in de verte en
onwillekeurig gingen haar gedachten terug naar het stadje
vol bougainvillea's en palmbomen. Geen zinnig mens zou
het in zijn hoofd halen om de stoepen in Johannesburg vol
te zetten met potten geraniums of wat voor bloeiende planten dan ook. Ze zouden er de volgende dag al niet meer
staan. Was het niet triest dat de inwoners van deze stad – zeg
maar gerust: van het hele land! – elkaar niet konden vertrouwen, zelfs niet als het ging om zoiets onbeduidends als een
geranium?

oen Monica thuiskwam, was het bijna middag. Er was net een onweersbui langsgetrokken, zonder dat er overigens een druppel regen was gevallen. In de wijk waren de tuinlui massaal bezig de paarse jacarandabloesems van de trottoirs te harken. Iets anders hadden ze ook niet te doen; de gazons, die normaal gesproken om deze tijd van het jaar dik en groen waren als gevolg van de zomerregens, lagen er nu vergeeld bij. Wie zijn grasmaaier tevoorschijn haalde, reed hem al snel weer naar binnen, vol afschuw over de stofwolken die hij opwierp.

Een van haar buren had schrikdraad op de tuinmuur aangebracht; dat was de zoveelste al. Haar moeder zou het goedkeurend hebben gadegeslagen; het was veel discreter dan de glasscherven die je hier en daar zag. Op alle huizen hingen bordjes met de naam van de een of andere beveiligingsmaatschappij. Zodra er een alarm afging, kwamen binnen een paar minuten de Koreaanse auto's van de medewerkers met gierende banden de hoek om. De politie was overbezet, en dan was een paar honderd rand per maand geen hoge prijs voor je gemoedsrust. Natuurlijk bleef altijd de mogelijkheid bestaan dat je werd overvallen bij een oprit naar de snelweg, zoals Monica was overkomen, of gewoon als je je auto uitstapte om het tuinhek open te doen, zoals een paar maanden geleden was gebeurd met een echtpaar twee straten verderop.

De kersrode bougainvillea die Monica's moeder vijftien jaar geleden had geplant en die inmiddels boven de tuinmuur uitstak, zag er verlept en verpieterd uit. Als gevolg van de verplichte waterbesparende maatregelen bezat de plant nog maar een schim van haar vroegere glorie. Monica kon het niet opbrengen haar moeder te vertellen dat de tuin op sterven na dood was. In haar brieven naar Italië vermeed ze zorgvuldig iedere opmerking over het weer. Ze wist dat haar moeder via de media toch niets over de droogte in Afrika zou vernemen; het was nu eenmaal geen wereldnieuws. Misschien dacht de rest van de wereld wel dat Afrikanen zo aan droogte gewend waren dat ze er geen last van hadden, maar het was Monica een raadsel waarom zij met minder water toe zouden moeten kunnen dan andere mensen.

Haar vader had zich meteen weer thuis gevoeld in zijn grondig gerenoveerde geboortehuis in het stadje aan de noordwestkust van Italië. Haar moeder liet zich er niet zo over uit, maar Monica had het gevoel dat het in haar geval wel anders lag. Het was altijd haar vaders droom geweest ooit met zijn gezin terug te keren naar de stad waar hij vandaan kwam, maar uiteindelijk had hij zowel zijn zoon als zijn dochter achter moeten laten.

De automatische garagedeur ging achter Monica dicht en ze schakelde de motor uit. Eigenlijk was het de auto van haar moeder; haar eigen auto was na de overval weliswaar teruggevonden, maar pas nadat hij was gebruikt bij een gewapende overval op een supermarkt. Hij zat vol kogelgaten en haar vader had hem verkocht.

Monica tilde net haar koffer uit de achterbak, toen de keukendeur met een klap opensloeg en Mandla joelend kwam aanrennen. 'Je bent er weer, je bent er weer!'

Ze ving hem op in haar armen. 'Heb je me zo gemist?'

Het driejarige jongetje knikte. 'Ik moest tomaten eten van Francina.'

Monica lachte. De tomatenplanten droegen dus vrucht. Francina, sinds onheuglijke tijden de huishoudster van de familie, had ze expres in potten gezet, zodat ze niet onder het sproeiverbod hoefden te lijden.

'Tomaten zijn heel goed voor je,' zei Monica tegen het kind, maar hij leek niet onder de indruk.

'Waar is Sipho?' vroeg ze.

Mandla slaakte de overdreven diepe zucht van een veelgeplaagd echtgenoot. 'Die zit te lezen.'

Monica droeg hem naar de keuken, waar Francina achter het fornuis stond. Ze draaide zich om voor een begroeting, veegde haar handen aan haar schort af en vroeg: 'Hoe ging het?'

Monica zette Mandla neer en gluurde onder de deksels. 'Uitstekend. Ik zal de band mee naar huis nemen zodra de montage klaar is. Ruik ik het trouwens goed?'

Francina duwde haar opzij om weer te kunnen gaan roeren. 'Klopt, polenta.' Ze schudde haar hoofd. 'Wij zwarten eten het al honderden jaren als pap, en jullie blanken geven het een buitenlandse naam en denken dan dat het een sjiek gerecht is.'

Monica begon te lachen. Ze zei maar niet dat haar voorouders in Italië het eveneens al honderden jaren hadden gegeten, al werd polenta bereid met geel maïsmeel, terwijl pap altijd wit was.

'Je kunt Sipho beter uit zijn boek halen voordat hij scheel gaat kijken,' zei Francina. 'Ik wou dat hij zo af en toe eens buiten speelde. En dit joch hier' – ze tilde Mandla op en kneep hem in zijn dikke wangen tot hij piepte – 'zou het liefst helemaal nooit binnenkomen.'

'Zorg dat Mandla je niet helemaal uitput,' had Ella in haar laatste instructies gezegd, toen ze in Monica's slaapkamer op sterven lag. 'Het is een drukteschopper, net zoals ik vroeger. En Sipho is vaak veel te serieus. Je moet hem af en toe aan het lachen maken.'

Monica had beloofd eraan te zullen denken en niet lang daarna waren Ella's benauwde, hortende ademstoten weggestorven en was er een diepe stilte over de roze slaapkamer gedaald. Het was geen herinnering die Monica probeerde weg te duwen. Integendeel, iedere dag hernieuwde ze haar belofte dat ze goed voor de kinderen van haar vriendin zou zorgen. Dit was haar levensdoel geworden.

Francina klapte in haar handen. 'Het eten is klaar. Handen wassen, jullie twee, en vraag Sipho of hij ook aan tafel komt, goed?'

'Wat een mooie armband heb je daar, Francina,' zei Monica, en kwam dichterbij om de piepkleine bronzen olifantjes die slurf aan staart Francina's pols omcirkelden eens beter te bekijken. 'Heb je die nieuw?'

Afgezien van een paar gouden oorknopjes droeg Francina nooit sieraden. Wat kleding betreft hield ze er zo haar eigen opvattingen op na: zelfgenaaide vormloze jurken met hoogsluitende kraagjes, mannensportschoenen en een hoofddoek. 's Zondags ging ze naar de kerk in haar rood-met-zwarte koorkleding. Ondanks die weinig flatteuze kleren had de huishoudster met haar uitstekende jukbeenderen, haar adelaarsneus en gave huid iets koninklijks over zich. Alleen was er iets vreemds met haar linkeroog, dat star voor zich uit staarde zonder te knipperen. Niemand, behalve haar familie en haar dorpsgenoten, wist dat haar ex-man Winston haar een keer zo'n aframmeling had gegeven dat de artsen haar oog moesten vervangen door een glazen exemplaar. Na die gebeurtenis had Francina gezworen dat ze nooit meer een man in haar buurt zou dulden en om hen niet in verleiding te brengen probeerde ze bewust er niet al te aantrekkelijk uit te zien.

'O, die armband is niks bijzonders. Als je nu niet opschiet, is de polenta zo dadelijk een blok beton.'

Monica liet het erbij en ging op zoek naar Sipho, die in de woonkamer opgerold op de sofa een natuurtijdschrift lag te lezen. 'Is het interessant, lieverd?' vroeg ze, terwijl ze hem een zoen gaf.

Hij draaide het tijdschrift om, zodat ze de foto van de grote haai goed kon zien. 'De wetenschappers in dit artikel zeggen dat het niet goed is om haaien te voeren,' vertelde hij. 'Daardoor gaan ze mensen associëren met voedsel en dat is gevaarlijk.'

Associëren. Het was een hele mondvol voor een tienjarige, maar volgens zijn onderwijzer was Sipho zijn leeftijdgenoten ver vooruit en zeer waarschijnlijk was hij hoogbegaafd. Hij was er uiteraard nooit op getest, omdat daar in het huidige schoolsysteem geen geld voor beschikbaar was. In de dagen van de apartheid, toen blanke en zwarte kinderen elk hun eigen ministerie van Onderwijs hadden, waren begaafdheidstesten uitsluitend voor blanke kinderen. De zwarte kinderen mochten al blij zijn als ze een eigen tafeltje hadden. Nu er nog maar één ministerie van Onderwijs was, ging de meeste overheidssteun naar kinderen van wie de ouders te arm waren om de schoolkosten te betalen. Monica wist dat ze iets zou moeten verzinnen om te voorkomen dat Sipho zich op school ging vervelen.

Na het eten waste Francina af; daarna ging ze, vroeger dan gewoonlijk, naar haar kamer. Monica nam aan dat ze nog een kledingstuk moest afmaken. Haar moeder had Francina haar oude naaimachine gegeven en nu was ze aan een stuk door aan het naaien: tentjurken voor zichzelf of mantelpakjes voor haar vriendinnen. Voor de kwaliteit en de prijzen van confectiekleding had ze geen goed woord over. 'Die mensen moeten ook eten,' probeerde Monica haar telkens weer uit te leggen, maar Francina bleef erbij dat ze de vrijemarkteconomie maar niks vond.

Voor Sipho waren de waterbesparende maatregelen een bron van schaamte. Hij was al in geen jaren samen met zijn broertje in bad geweest, maar nu zat er vanwege de dreigende boete niks anders op. Monica mocht de badkamer niet in, dus stond ze voor de deur te luisteren, terwijl Sipho de etensresten uit Mandla's haar spoelde en mopperde omdat hij niet stilzat. 'Maak jezelf dan ook niet altijd zo smerig!' hoorde ze hem wanhopig uitroepen, toen Mandla begon te protesteren tegen het hardhandige geschrob.

Nadat ze de jongens in bed had gestopt, raapte ze nog wat autootjes op die Mandla had laten slingeren en deed ze in de speelgoedkist. Het squadron modelstraaljagers dat met vislijn aan het plafond was bevestigd, vormde het enige bewijs dat deze kamer ooit van haar broer was geweest. De kleuren van de gevechtsvliegtuigjes waren verbleekt en de emblemen van de Zuid-Afrikaanse luchtmacht waren aan de hoekjes losgeraakt. Ze had de mobile naar de garage willen verbannen, maar Mandla lag er graag naar te kijken als hij 's ochtends al vroeg wakker was. Het was een soort gedenkteken – wat nogal ironisch was als je bedacht dat Luca was omgekomen tijdens de vervulling van zijn militaire plichten.

Nooit zou Monica het perzikkleurige dons vergeten op de bovenlip van de politieman die met het bericht van Luca's dood aan de deur kwam. Haar vader had net de melkflessen voor de volgende ochtend buiten gezet en stond met zijn pyjama al aan te luisteren naar de tiener die hem vertelde dat ze hun best deden alle stukjes van Luca's lichaam bij elkaar te zoeken. Hij nam de brief aan waarin hij werd bedankt voor de dienst van zijn zoon en hield er een brandende lucifer bij, zonder aandacht te schenken aan zijn vrouw die hem krabbend, schoppend en bijtend te lijf ging.

Francina nam de brief uit het koekblik en las hem voor de zesde keer. Ze beschouwde zichzelf als een verstandige vrouw, ook al had ze maar vier jaar lagere school gehad en geen universitaire studie kunnen doen zoals Monica. Haar wijsheid bleek vooral in alledaagse zaken en als je het haar vroeg, had je daar veel meer aan. Ze mocht dan maar één oog hebben, met het andere kon ze feilloos zien of iemand stond te liegen, ja of nee. Al voordat ze op de markt het wisselgeld in handen kreeg, wist ze of de koopman haar zou bedriegen en ze voelde het meteen als mensen over haar oog stonden te smoezen. Een hond die een trap krijgt van een onbekende overwint zijn angst en achterdocht na verloop van tijd, maar een hond die geschopt wordt door zijn baas heeft voor de rest van zijn leven het vertrouwen in de mensheid verloren.

Het waren gewone, eenvoudige zinnen. Geen uitweidingen, geen overdreven woorden als *heel erg* of bijzonder; goed beschouwd stond er geen woord te veel in. In een opwelling telde ze ze allemaal – het waren er precies honderd. Had de briefschrijver zichzelf een limiet gesteld? Ondanks zichzelf had Francina bewondering voor de manier waarop hij al die informatie in honderd woorden had weten samen te persen.

De brief sprak niet over gevoelens en dat stemde haar dankbaar; zodra mannen over hun gevoelens begonnen, moest je uitkijken, want dan wilden ze nog maar één ding. Het was eigenlijk een heel formele brief, die evengoed aan een oudtante gericht had kunnen zijn, en dat was maar goed ook, want een ander soort brief had Francina niet geaccepteerd. Alleen het woordje 'hart' zou al voldoende geweest zijn om de brief niet verder te lezen en hem in de prullenmand te gooien.

Toen ze hem had ontmoet bij het concours voor kerkkoren in Ermelo, had ze er helemaal niet aan gedacht hem te vragen wat voor werk hij deed. Als ze niet in de toiletruimte was geweest op het moment dat haar koor vanuit het conferentieoord naar de kerk vertrok, zou ze hem waarschijnlijk niet eens hebben gesproken, maar nu ze alleen was achtergebleven had ze de aangeboden lift dankbaar aanvaard. Zelf was hij komen terugrijden omdat hij zijn dirigeerstokje was vergeten; nooit zou hij zijn koor met de hand dirigeren.

Ze vouwde de brief op en deed hem terug in het koekblik, waarin ze ook haar spaarbankboekje bewaarde, samen met een afbeelding van de kruisiging, haar identiteitsbewijs dat ze nodig had om te kunnen stemmen en de kralenketting die haar moeder haar had gestuurd nadat Winston het hele dorp – inclusief haar vader – ervan had weten te overtuigen dat hij haar had geslagen omdat ze het met een andere man hield. De kralenketting was versierd met kleine schildjes die dienden als bescherming tegen geweld. Zo had haar moeder haar duidelijk gemaakt dat zij geen geloof hechtte aan Winstons verklaring en dat ze hoopte dat haar dochter veilig zou zijn, zo in haar eentje in die verre stad.

Francina zette de televisie aan voor het journaal. Het was Monica's oude toestel, afkomstig uit de flat waar ze had gewoond voordat ze weer in haar ouderlijk huis trok. Deze tv was veel groter dan de oude draagbare van vroeger en bovendien was het een kleurentoestel. De afgelopen twee jaar, sinds Monica weer thuis was uit het ziekenhuis, was er veel veranderd. Eerst waren de vragen gekomen. Was Francina getrouwd? Waar kwam ze vandaan? Hoe kwam het dat ze geen kinderen had? Eerst had Francina zich er alleen maar aan geërgerd. Ze was voor de Brunetti's komen werken toen Monica negen was, en als die het twintig jaar lang zonder al die informatie had kunnen stellen, zou ze dat de komende twintig jaar ook wel overleven. Maar Monica hield vol en uiteindelijk vertelde Francina haar alles wat ze weten wilde. Nu hing het artikel dat Monica over haar had geschreven aan de muur, boven de ladekast waarin Francina haar spullen bewaarde; borden, messen en vorken bovenin, etenswaren in de middelste en kousen en sokken in de onderste la.

Het journaal was bijna helemaal gewijd aan de Afrikaanse voetbalcompetitie. Ze hoopte maar dat hij geen sportfanaat was, zoals zo veel andere mannen. Zelfs de mannen van de kerk konden over niets anders praten dan over voetbal. Ze werd er altijd een beetje zenuwachtig van, als ze het ene moment uit volle borst stonden te zingen en het volgende

moment in een verhitte discussie over de doelpunten verzeild raakten.

Na het concours was hij in de eetzaal naar haar toe gekomen. Zijn moeder zou erg teleurgesteld zijn omdat zijn koor
alweer niet had gewonnen, dacht hij. Francina had erin toegestemd dat hij bij haar aan het tafeltje kwam zitten, deels
omdat ze zich in het vertrouwde gezelschap van drie van
haar koorzusters bevond, en deels omdat je een man die
over zijn moeder vertelde beleefd moest behandelen. Ze kon
echter niet verklaren waarom ze daarna ook nog een wande-
lingetje met hem had gemaakt, maar ze was blij dat ze het
had gedaan en voelde zich achteraf nogal dwaas omdat ze
een van haar vriendinnen had gevraagd hen te schaduwen.
Hij had haar gevraagd waar ze vandaan kwam, waar ze op
dit moment woonde en of ze het daar naar haar zin had en
niet één keer had ze hem erop betrapt dat hij naar haar oog
gluurde op de manier die ze van beleefde mensen inmiddels
gewend was.

Ze was er zeker van dat er geen volgende brief zou komen
als ze deze niet beantwoordde. Hij was er de man niet naar
om louter voor het plezier van de jacht achter een vrouw
aan te zitten. Zou ze Monica durven vragen haar te helpen
bij het schrijven van een bedankje voor de armband? Nee, ze
zou het helemaal zelf doen en als ze vervolgens nooit meer
iets van hem hoorde omdat hij haar grammatica te simpel
vond en haar spelling lachwekkend, dan was ze zonder hem
beter af.

Dat was waar ook – ze had helemaal vergeten Monica in te
lichten over Sipho's proefwerk. Francina had dat voor hem
ondertekend omdat Monica weg was, waarop de onderwijzeres hem ervan had beschuldigd zelf een handtekening te
hebben verzonnen. Het domme mens! Waarom zou een jongen die allemaal tienen haalde de handtekening van zijn
ouders willen nabootsen? Ze moest Monica ook nog vertellen dat Mandla, terwijl zij de was ophing en hij de zak met

knijpers voor haar vasthield, plompverloren had gezegd dat hij zijn moeder had gezien. 'Waar dan?' had ze zo nonchalant mogelijk gevraagd. 'In de wolken, toen we met het vliegtuig uit Italië kwamen,' was zijn antwoord en hij had er een beetje verbaasd aan toegevoegd dat ze veel dikker was dan op de foto die hij in zijn kamer bewaarde. Francina had slechts geknikt en gezegd dat in de hemel niemand meer ziek was.

Het lukte Monica niet zich op haar reportage te concentreren. Toen ze naar Lady Helen moest vertrekken, waren ze net drie dagen terug van het bezoek aan haar ouders in Italië en ze had nog geen kans gezien om bij te slapen. Ze waren 's nachts vanuit Milaan teruggevlogen. Sipho had elf uur lang aan een stuk door geslapen, maar met Mandla had ze voortdurend het gangpad op en neer moeten lopen.
Ze had zich van tevoren veel zorgen gemaakt over de manier waarop haar vader op de jongens zou reageren. Natuurlijk had hij altijd gehoopt ooit nog eens kleinkinderen te krijgen, maar zeer beslist geen zwarte. Dat was dan ook de reden waarom hij zijn vrouw niet had vergezeld bij haar eerste bezoek. Het deed hem pijn dat zijn dochter in Afrika was gebleven, terwijl blanken daar zo overduidelijk ongewenst waren. Waren ook de Fransen, de Belgen, de Engelsen, de Italianen en de Portugezen niet vertrokken? Daarom moesten ook de blanke Zuid-Afrikanen niet langer willen blijven. Monica had hem niet aan zijn verstand kunnen brengen dat deze mensen, anders dan de immigranten, over het algemeen geen Europees paspoort hadden. 'Waar had ma heen gemoeten, als ze niet met jou getrouwd was?' Hij had maar wat gegromd. De Afrikanen hadden zijn zoon vermoord en zijn dochter neergeschoten. Hij wilde met dit hele vervloekte continent niets meer te maken hebben, en dat Monica uit vrije wil bleef, was iets wat hij nooit zou gaan begrijpen.
Sipho en Mandla waren dol op haar vader en Monica voelde

zich schuldig omdat ze zich bezorgd had afgevraagd hoe hij de jongens zou behandelen. Natuurlijk had hij zijn tekortkomingen, maar tegen kinderen zou hij nooit onvriendelijk zijn, en zeker niet tegen wezen die hun eigen moeder hadden zien sterven. Hij vond het leuk om voor hen te koken – pasta, gnocchi, polenta en worstjes – en straalde van plezier als ze een tweede portie wilden. Ze had het tevreden aan zitten te kijken; voor een Italiaan was voedsel de beste manier om zijn liefde te tonen.

Ze sloeg haar schrijfblok dicht en begon de stapel post te sorteren, waarbij ze een brief van Sipho's school ontdekte. De directeur wenste haar te spreken. Het was dringend, maar verdere bijzonderheden ontbraken. Het was onmogelijk dat Sipho zich had misdragen. Misschien maakten ze zich op school zorgen omdat hij niet zo sociaal was als andere kinderen. Misschien wilden ze hem een klas laten overslaan. Ze legde de brief in haar dagboek en deed het licht uit. Als ze niet uitgerust was, deugde ze nergens voor.

Het ouderschap bracht een hoop onrust met zich mee, maar toch beschouwde Monica zichzelf niet als alleenstaande ouder. Francina was er immers. Ze vormden een vreemdsoortig koppel, maar de samenwerking liep gesmeerd. Francina was bazig, net als Ella was geweest. Hoewel Francina grote moeite had gehad met de aanwezigheid van Ella, omdat die een van 'die ANC-lui' was en bovendien aan de gevreesde 'vermageringsziekte' leed, had ze van het begin af aan hartstochtelijk van de jongens gehouden. Monica wist niet wat ze zonder haar had moeten beginnen.

Als ze drie jaar geleden had geprobeerd zich een voorstelling te maken van haar leven nu, had ze er faliekant naast gezeten. God had haar leven geleid op een manier die niet eens bij haar was opgekomen, maar deze weg bleek veel meer voldoening te geven dan het pad dat ze oorspronkelijk voor zich had gezien.

Drie

Tegenover de deur die toegang gaf tot het kantoor van de schooldirectrice hing een grote ingelijste foto van een Afrikaanse savanne. De warme, geelbruine tinten vormden een sterk contrast met de glimmende grijze tegeltjes, de plastic kamerplanten en de zwarte vinylstoelen in de wachtkamer. Monica vroeg zich af hoeveel kinderen hier al naar de visarend hadden zitten kijken, vol verlangen om samen met hem hoog boven de parasolvormige acacia's en de eindeloze grasvlakten te kunnen zweven.

Een belsignaal kondigde de morgenpauze aan en de gangen en trappen van het drie verdiepingen tellende schoolgebouw liepen vol leerlingen. Het gegil en geschreeuw drong door de gesloten ramen van de wachtkamer heen. Monica ging staan om een beter zicht te hebben op de menigte die uitwaaierde over het sportveld. Jongens in grijze korte broeken, witte overhemden en blauwe stropdassen schrokten de inhoud van hun lunchtrommel naar binnen om zo snel mogelijk te kunnen gaan spelen, wat leek in te houden dat ze in een zo groot mogelijke groep zo hard mogelijk heen en weer renden. De meisjes, met blauwe overgooiers over hun witte bloesjes, zaten in kringen op het gras of twee aan twee op de betonnen trappen van de zitkuil. Voor zover Monica kon zien trokken blanke en zwarte kinderen

27

gewoon samen op. Ze kon Sipho nergens ontdekken en vroeg zich af of ze hem misschien moest zoeken bij de jongens die elkaar in de verste hoek van het veld achternazaten.

'Mevrouw Pringle kan u nu ontvangen,' zei een stem achter haar en Monica volgde de jonge secretaresse het kantoor in.

De vrouw die daar opstond om haar een hand te geven was halverwege de vijftig en stevig gebouwd. Haar grijze haar droeg ze op schouderlengte. Ze had een marineblauw pakje aan, was zwaar opgemaakt en had een paar eenvoudige pareltjes in haar oren. De secretaresse deed de deur weer achter zich dicht en Monica nam plaats in de leunstoel die haar werd aangeboden. De directrice ging op de sofa ertegenover zitten.

'Wilt u misschien thee, mevrouw Brunetti? Het is er net tijd voor.'

'Graag,' zei Monica.

De directrice schonk een kopje vol en gaf het haar aan. 'Ik weet dat u zo naar uw werk moet, dus ik zal het kort houden.'

'Als het over dat proefwerk gaat,' viel Monica haar in de rede, 'dan moet ik u meteen zeggen dat Sipho dat niet zelf heeft ondertekend. Ik was voor mijn werk een paar dagen weg en dus heeft onze huishoudster haar handtekening gezet.'

'O,' zei de directrice en roerde in haar thee, 'dat was niet de reden waarom ik u graag wilde spreken, maar toch zou er een verband kunnen zijn. Begrijp ik goed dat de jongens een nacht alleen met de dienstbode thuis geweest zijn?'

'Dat klopt, maar dat is heus verantwoord. Onze huishoudster is een volwassen vrouw,' zei Monica, ineenkrimpend onder haar eigen verdedigende toontje.

'O,' zei de directrice weer en nam een slokje. Toen zette ze haar kopje neer en vervolgde: 'Misschien dat u deze regeling wilt heroverwegen wanneer ik u vertel wat Sipho heeft uitgehaald.'

Monica voelde zich kwaad worden en deed snel een schietgebedje om geduld. Als er een probleem was met Sipho, moest ze deze vrouw laten uitspreken en zich niet laten verleiden tot een onverkwikkelijk twistgesprek.

'Sipho drukt zich tegenwoordig regelmatig,' zei de directrice en nam een grote hap van haar kokosmakron.

'Wat bedoelt u?'

De directrice wapperde met haar hand voor haar mond om aan te geven dat ze eerst haar mond leeg wilde eten.

'Wat bedoelt u?' hield Monica aan.

De vrouw tegenover haar veegde haar mond af. 'U hoeft niet meteen zo ongerust te zijn. Kinderen spijbelen al zolang de wereld bestaat.'

'Het is hier op straat anders niet veilig voor een jongen alleen,' zei Monica. 'Waarom hebt u me niet meteen de allereerste keer gebeld?'

Het bleek dat Sipho al zes keer niet in de les was verschenen. Dat gebeurde meestal direct na de morgenpauze en omdat hij na de middagpauze altijd weer present was, had de directrice het even aangezien voordat ze met Monica contact opnam.

'Ik dacht dat hij thuis misschien problemen had,' verduidelijkte ze. 'Ik weet dat de stakker zijn moeder heeft verloren en zijn nieuwe thuissituatie is nogal – laten we zeggen: onconventioneel.'

Monica kon haar oren niet geloven. Dacht deze vrouw nu echt dat zij zou geloven dat Sipho's welzijn haar ter harte ging, terwijl ze hem ondertussen grote risico's liet lopen? Voor het eerst van haar leven miste Monica een echtgenoot, die in deze situatie het heft in handen had kunnen nemen. Nee, zo mocht ze niet denken! Het was de directrice die suggereerde dat ze als ouder tekortschoot en daar hoefde ze zich niets van aan te trekken. Het belangrijkste was Sipho zelf te vragen wat er gaande was.

Met een kopje thee en een boterham met kaas ging Francina aan de keukentafel zitten. Ze had gestoft en gestofzuigd, de badkamer geurde naar bleekwater, de keuken glom je tegemoet en het wasgoed aan de lijn was al bijna droog. Over een kwartier zou ze Mandla wakker maken en samen met hem Sipho van school gaan halen. Ze had dus nog meer dan voldoende tijd om de brief te lezen. Hij moest haar onmiddellijk hebben teruggeschreven, want ze had haar brief pas een week geleden gepost. Dat was een record, ook al was Dundee maar drie uur rijden hiervandaan. 'Voorkom hiv,' waarschuwde het poststempel. Met de keukenschaar maakte ze de envelop open en knipte de postzegel zorgvuldig uit om die voor Sipho te bewaren. Zou hij haar brief te eenvoudig en te kinderachtig hebben gevonden?

Toen ze de brief uit had, nam ze een grote slok thee en wuifde zichzelf koelte toe, want ze had het plotseling warm. Hij wilde haar bij de volgende zangwedstrijd graag opnieuw ontmoeten en dan mee uit nemen naar een plaats die ze zelf mocht kiezen. Geen sprake van, dacht ze meteen. Een correspondentievriendschap was prima, maar samen uitgaan? Ondenkbaar! Ze zou hem terugschrijven dat ze er de vrouw niet naar was om door de stad te zwalken.

Aan de andere kant: dat zou hem beslist kwetsen en dat zou het einde van de relatie zijn, als je het al zo mocht noemen. Misschien moest ze Monica eens om raad vragen. Die was weliswaar op haar eenendertigste nog vrijgezel en dus bepaald geen kenner als het om mannen ging, maar ze was in ieder geval slim genoeg geweest om die afschuwelijke Anton kwijt te raken. Francina had Monica's vroegere vriend nooit gemogen. Vaak praatte hij in haar bijzijn onbekommerd over privézaken, alsof ze een kamerplant was, of een huisdier.

Het beste moment om met Sipho te praten, dacht Monica, was waarschijnlijk nadat ze samen haar reportage op televisie hadden bekeken. Ze had Francina gevraagd iets langer te blijven en Mandla naar bed te brengen. Op die manier hadden zij en Sipho het rijk alleen.

Ze verzamelden zich voor de televisie, Sipho op nog geen meter afstand van de beeldbuis op de keukenstoel die hij altijd speciaal ging halen als er iets van belang te zien was, Mandla bij Francina op schoot en Monica op de sofa samen met Ebony, de vijftien jaar oude kat die het grootste deel van de tijd in de keuken lag te zonnen. Zodra de openingstune van het programma klonk, begon Mandla opgewonden op en neer te wippen. In beeld verscheen de skyline van Johannesburg bij nacht en uit een onzichtbare typemachine ratelde de titel *Van dichtbij* in blokletters onder aan het scherm.

De aflevering van vandaag werd gepresenteerd door Thandi, een schoonheid met lange vlechten en een keurig Brits accent, wat Francina haar gebruikelijke commentaar ontlokte dat je nou nooit eens Zulu's op tv zag, alleen maar ANC-mensen.

De eerste reportage ging over de redding van de krokodillen van Lake Saint Lucia. Die leverde hartverscheurende beelden op, omdat de dieren op sommige plaatsen in de dikke modder zaten vastgekoekt. Het was opwindend om vanuit de helikopter mee te kunnen kijken hoe ze omhoog werden gehesen. Monica had zich van tevoren gerealiseerd hoe spectaculair het zou kunnen worden en bij de aanblik van een ademloos kijkende Sipho slikte ze met moeite de wrok weg jegens de collega die met haar idee aan de haal was gegaan.

Haar eigen verhaal kwam daarna. Het ziekenhuis leek veel kleiner dan in haar herinnering, ondanks de kriskras geplaatste systeembouw achter het hoofdgebouw. Zuster Adelaide bleek ook op tv een stralende persoonlijkheid. Zelfs Francina zat geboeid te kijken en wist voor deze ene keer niets te zeggen.

'Wat is de prognose voor dat meisje?' informeerde Sipho.

Weer zo'n groot woord, maar hij kende het al sinds hij tijdens het ziekbed van zijn moeder had besloten dat hij arts wilde worden als hij groot was.

'Dat gaat de verpleegster zo dadelijk vertellen,' zei Monica en toen zuster Adelaide inderdaad uitlegde dat Zukisa's brandwonden volledig zouden genezen, brak er een tevreden glimlach door op Sipho's gezicht.

Henry had een paar prachtige sfeeropnames gemaakt van een laaghangende zon boven de blauwgroene koppies, en van de palmbomen en de bougainvillea's die langzaam vervaagden terwijl de auto zich verder en verder van het stadje verwijderde. Het gele licht wierp een warme gloed op de zinken daken en beschilderde de grond met donkerpaarse schaduwen, waardoor Lady Helen meer op een pastelteke- ning leek dan op een echte stad.

Na Monica's slotcommentaar begonnen Francina en de jongens spontaan te applaudisseren en deze waardering van haar belangrijkste critici deed haar enorm plezier, want vanzelfsprekend was die niet. Haar reportage over straatkinderen had indertijd slechts een ijzige stilte opgeroepen en nadat de jongens naar bed waren, had Francina haar gevraagd hoe ze het in haar hoofd haalde de kinderen met zoiets te confronteren. Dit was het enige opvoedingsvraagstuk dat af en toe leidde tot botsingen tussen hen tweeën. Monica vond het belangrijk dat de jongens een maatschappelijk geweten ontwikkelden en daarom moesten ze volgens haar op de hoogte zijn van het onrecht in de wereld. In haar jeugd had men de schaduwzijde van haar land zorgvuldig voor haar verborgen gehouden en zo was ze opgegroeid tot een naïeve, wereldvreemde en bij tijden ronduit egocentrische jonge vrouw. Pas door het gedwongen langdurige verblijf in een zwart ziekenhuis en de hartelijke vriendschap van Ella was ze zichzelf gaan leren zien door de ogen van anderen.

'Wil je nog even hier blijven?' vroeg ze Sipho, toen die haar welterusten wilde zeggen. Ze wachtte tot Francina samen met Mandla was verdwenen en zei toen: 'Je doet het heel goed op school. Francina vertelde dat je weer een tien hebt gehaald voor een rekenproefwerk.'

'Ja, maar het was niet zo moeilijk,' zei hij, bescheiden als altijd.

'Mis je je moeder erg, lieverd?'

Hij knikte ernstig. Ze breidde haar armen uit en het jongetje dat zichzelf al veel te groot vond voor geknuffel liet zich gewillig door haar omhelzen.

'Ik mis haar ook. Weet je nog wat dominee Wessels tegen je zei?'

Weer knikte hij. Sinds Monica de jongens had geadopteerd, kwam de predikant regelmatig op bezoek. Vaak liet hij Mandla paardjerijden op zijn rug en met Sipho voerde hij serieuze gesprekken over sterrenkunde en natuurbeheer, maar tevens vertelde hij beide jongens uitvoerig over God. Afgezien van de gymleraar was hij de enige man in het leven van de kinderen en Monica was dankbaar voor zijn bemoeienis.

'Vertel me eens, lieverd, is er iets waar je eigenlijk heel graag met je moeder over zou willen praten?'

Bij wijze van antwoord liepen Sipho's ogen vol tranen.

'Denk je dat je het ook aan mij zou durven vertellen? Ik zal mijn best doen om net zo goed te luisteren als zij.'

Hij moest er even over nadenken, maar toen gooide hij er ineens alles uit: dat de kinderen hem altijd 'de professor' noemden, omdat hij bij iedere vraag zijn vinger opstak en steeds het goede antwoord wist en omdat hij alleen maar tienen haalde; dat ze hem pestten op het plein omdat hij tijdens het tikkertje spelen altijd als eerste de klos was. Een van de andere zwarte kinderen had hem uitgescholden voor 'klonkie', een scheldnaam voor iemand van gemengd bloed, en dat alleen omdat zijn pleegmoeder blank was. Vanwege dit alles was hij zich met een boek in het uiterste hoekje van het plein gaan verschuilen, zo ver mogelijk bij de andere kinderen vandaan. Zo had hij ook het gat in het hek ontdekt. Toen hij zich erdoorheen had gewurmd, kwam hij tussen een groepje acaciabomen terecht, waar hij rustig kon zitten tot de bel ging. Maar toen hij merkte dat niemand zijn afwezigheid opmerkte, bleef hij er steeds vaker tot na de middagpauze zitten. Zijn klassenlerares zag hij alleen tijdens het eerste en laatste lesuur en daarom had die niet in de gaten wat er gebeurde. Geen van de andere leraressen maakte er ooit een opmerking over.

'Ik lees altijd in de encyclopedie of in een natuurtijdschrift,' legde hij uit, alsof dat een volkomen acceptabel alternatief was voor alle leerstof die hij met zijn gespijbel misliep.

Het probleem was dat hij op eigen houtje waarschijnlijk inderdaad meer leerde, dacht Monica, maar hij was nu eenmaal leerplichtig en bovendien maakte ze zich grote zorgen over wat hem zou kunnen overkomen. De bosjes op de koppies achter de school boden vaak een slaapplaats aan mensen die naar de stad waren gekomen om werk te zoeken – 's nachts zag je overal de kookvuurtjes opvlammen. Ze verdrong de gruwelijke scenario's die voor haar geestesoog opdoemden en dwong Sipho de belofte af dat hij het nooit meer zou doen.

'Ik zal wel met je klassenlerares praten over dat pesten,' zei ze, maar dat veroorzaakte een hevig protest.

'Alsjeblieft niet!' pleitte hij. 'Dan gaan ze me ook nog voor baby uitschelden.'

'Weet je nog wat Jezus heeft gezegd over het toekeren van de andere wang? Zou je dat kunnen opbrengen, denk je?'

'Ik zal het proberen.'

Ze drukte hem stevig tegen zich aan. 'Goed zo. En als je weer eens ergens mee zit, moet je het echt tegen me zeggen. Je moeder zou alleen maar blij zijn dat je niet alleen met je zorgen blijft rondlopen.' Tot haar genoegen beantwoordde hij haar omhelzing.

Nadat ze hem had ondergestopt en Mandla nog een nacht-

zoen had gegeven, hoewel die al onder zeil was, trof ze Francina in de woonkamer. Ze zat een natuurprogramma te kijken, maar zette meteen de televisie uit. 'Is het opgelost?'
'Nou, ik denk niet dat hij het nog eens zal doen, maar dat lost het probleem niet op.'
'Nee, dat is waar.'
'Is met jou alles wel in orde?' vroeg Monica.
'Ja, hoor. Nou, nee eigenlijk. Mag ik je iets vragen?'
'Natuurlijk,' zei Monica, blij dat Francina haar in vertrouwen durfde te nemen. Maar toen deze haar het hele verhaal vertelde over de man in haar leven en de brieven die hij haar schreef, kon ze nog maar een ding denken: ze gaat weg.
'Wat moet ik volgens jou doen?' vroeg Francina een beetje zenuwachtig.
God, vergeef me mijn egoïsme, bad Monica in stilte. Francina is een bijzondere vrouw, die wel wat waardering verdient. Ze dwong zichzelf tot een glimlach. 'Met hem uitgaan, natuurlijk.'
'Ik zie dat je een "maar" inslikt.'
Monica lachte nerveus. 'Het is alleen dat ik niet zou weten wat ik zonder jou moet beginnen.'
Francina greep naar haar hoofd. 'Nou loop je wel heel hard van stapel.'
'Ik weet het, ik weet het,' gaf Monica toe. Ze wilde er eigenlijk bij zeggen dat iedereen haar in de afgelopen jaren had verlaten: Anton, haar ouders, Ella – maar ze zweeg. Ze wilde niet in dezelfde emotionele chantage vervallen als haar moeder. Francina bedankte haar voor de goede raad, maar haar gedachten leken ver weg en Monica had alweer spijt dat ze zich niet had ingehouden.

Toen ze de volgende ochtend op haar werk kwam, lag er een briefje op haar bureau. De eindredacteur van *Van dichtbij* had gebeld met het verzoek of ze even langs wilde komen zodra ze een minuutje over had.

'Goed stuk, dat van gisteren,' zei Aidan, een van de presentatoren, toen hij op weg naar de opnamestudio langs haar bureau liep.

'Bedankt.'

'Hé, Brunetti,' riep Vusi over de scheidingswand van zijn werkcel heen. 'Fantastisch werk. Jij boft maar, terwijl wij hier als hamsters in een kooitje zitten.'

Monica keek de zaal rond, naar de planken die doorbogen onder het gewicht van de banden, naar het prikbord vol spotprenten, vertrouwelijke mededelingen en vakbondsregels, en plotseling bekroop haar de weemoed bij de gedachte dat ze een hoofdstuk in haar carrière ging afsluiten. Ze zou deze baan missen, en haar collega's ook, maar dat was de prijs voor de verwezenlijking van haar droom.

Jan keek op zijn horloge en reikte achter zich naar zijn blauwe jasje dat over de rugleuning van zijn stoel hing. Monica stond op.

'Hand erop?' Hij stak zijn hand uit. Die voelde klam aan.

'Vergeet niet wat ik over je toekomst heb gezegd,' zei hij, terwijl hij haar zijn kantoor uit loodste.

Ze knikte.

Hij opende de deur naar het trappenhuis. Jan ging nooit met de lift. 'Tot ziens!' zei hij en liet de deur met een klap achter zich dichtvallen.

Terwijl ze van de elfde verdieping naar beneden suisde, bekeek Monica zichzelf eens goed in de spiegelende liftwanden. Ze zag bleek. Een oproepkracht voor als ze mensen tekortkwamen? Dat had ze niet verwacht, maar haar reportage over Lady Helen was Jan zwaar tegengevallen en volgens hem dachten alle redacteuren en producers er zo over. Waarom had ze de leidinggevende arts niet geïnterviewd? Waar bleef de vergelijking met andere brandwondenklinieken en het min of meer verplichte commentaar op de toestand van de nationale gezondheidszorg? Op deze manier had het verhaal geen enkele diepgang gekregen. 'Je moet je onderwerp altijd breder trekken,' had Jan gezegd. 'Vanuit het specifieke naar het algemene.' Zo luidde de vuistregel voor *Van dichtbij*. Ze hadden het alleen maar uitgezonden omdat ze niets anders op de plank hadden liggen. 'We zijn geen pr-bureau.'

Voor de functie waarop Monica had zitten vlassen, hadden ze nu iemand van buiten aangenomen, een vrouw die voor een reclamebureau werkte en in Londen was opgeleid. Hoewel Monica haar niet kende, had ze de achternaam herkend als die van een vooraanstaande familie in de politiek en onwillekeurig moest ze denken aan de woorden van Francina. Jan moest de herkenning in Monica's ogen hebben zien oplichten, want hij had er snel aan toegevoegd dat Nomsa, in tegenstelling tot Monica zelf, geen enkele opdracht zou weigeren, ook niet als ze daarvoor naar een minder veilige locatie moest.

Het was een goedkope steek onder water – Jan zelf was vader van drie kinderen en zette nooit een voet buiten zijn kantoor – maar toch nam Monica het hem niet al te kwalijk. Ze wist dat hij ook alleen maar probeerde zijn baan te behouden. Dan nog had hij gewoon eerlijk kunnen zijn, in plaats van haar werk af te kraken. Maar misschien was hij wel eerlijk geweest? Had ze zich toch te veel laten leiden door haar verlangen om dokter Niemand te helpen met de financiering van zijn ziekenhuisje?

Schoorvoetend ging ze terug naar de radioredactie. Veel liever was ze naar huis gegaan om haar gezicht te verbergen tegen Mandla's zachte kinderhuid. Hij zou haar onverwachte aanwezigheid opvatten als een teken dat ze een uitstapje gingen maken. Buiten spelen vond hij heerlijk, maar ze konden hem alleen overdag naar buiten laten gaan en dan nog hielden ze hem dicht bij huis. Goed beschouwd was het een schande dat hij zijn complete jeugd achter een moest doorbrengen. Wat had Ella ook alweer ge dat voor vrijheid als onze kinderen niet meer alleen in het park kunnen spelen, als we voortdurend over onze schouder moeten kijken wanneer we op klaarlichte dag naar de winkel gaan en als we na zonsondergang de deur beter niet meer open kunnen doen als er geklopt wordt?'

Monica belde naar Sipho's school en gelukkig had die zijn belofte gehouden dat hij er niet opnieuw tussenuit zou knijpen. Dat was een stap vooruit, maar het probleem was daarmee nog niet opgelost.

Terwijl ze op de automatische piloot de berichten bewerkte die ze had verzameld voor de komkommertijd die binnenkort zou aanbreken, kon ze de gedachte niet van zich afzetten dat Francina waarschijnlijk bij haar weg zou gaan, nu ze haar antipathie jegens de mannen blijkbaar overwonnen had. Weer vroeg ze zich af wat ze zonder haar huishoudster zou moeten beginnen. In de twee jaar die sinds de overval waren verlopen had ze geleerd dat het geloof in God haar door moeilijke tijden heen droeg. Dat was een harde les geweest die veel tijd had gekost, maar de moeilijke weg was nu eenmaal de beste leermethode. En daarom bad ze nu of God haar wilde leiden als ze haar best deed voor haar gezin het goede te zoeken.

Vier

en veelstemmig refrein van Halleluja's galmde
door de minibus. Het vlakke, grauwe landschap
vol asbergen en mijnschoorstenen maakte plaats
voor heuvels, eerst nog zacht glooiend, maar al spoedig gol-
vend als een zee in de storm. Zonder adempauze zette het
koor een nieuw loflied in, deze keer in het Engels. De voorbereiding op het concours in Pongola was in volle gang. Op
dit moment waren ze op weg naar het genoemde stadje, dat
het centrum was van de suikerbietenteelt, aan de grens met
Swaziland.

De stad waar ze nu doorheen reden, was ooit de culturele
hoofdstad van een welvarende gemeenschap van Afrikaner
boeren, maar heden ten dage moest je moeite doen om nog
ergens een blanke te vinden. Francina vroeg zich af waar ze
allemaal gebleven waren.

'Ja, ik geef mijzelf aan U,' jubelde het koor. Het was het volgende gezang in een marathon die ze zouden volhouden tot
de minibus hen ongedeerd had afgeleverd bij de slaapzaal
die voor de duur van het concours hun onderkomen zou
zijn. Taxibusjes als deze kregen voortdurend lekke banden
of kwamen in botsing met de vrachtwagens die ze op de
smalle landwegen met grote snelheid probeerden te passeren. Je zag het voortdurend op het nieuws: het asfalt bezaaid

met kartonnen koffers en dozen, blikken voedsel, pakken koekjes en gloednieuwe kinderschoenen. Als ze dat zag, gingen Francina's gedachten naar de kinderen die in hun dorpjes gespannen zaten te wachten op een vader of moeder die nooit meer terug zou komen.

Om deze tijd van het jaar had het heuvellandschap een prachtige aanblik moeten bieden, maar vanwege de droogte was alles verschroeid. Koeien en geiten graasden zo dicht langs de weg dat Francina hun ribben kon tellen.

Ze naderden het volgende dorp en de chauffeur minderde vaart. De school ging juist uit en op de zandwegen en voetpaden die her en der tussen de heuvels verdwenen, wemelde het van de kinderen. De meisjes droegen witte rokjes en zwarte hesjes, en de jongens witte overhemden en zwarte broeken – kort als ze nog op de basisschool zaten, lang als ze naar het voortgezet onderwijs gingen. De kleinere jongens renden elkaar blootsvoets achterna over de rotsachtige bodem. De oudere jongens droegen sportschoenen en liepen in een bedaard tempo, om indruk op de meisjes te maken. Voor een winkel die was opgetrokken uit in de zon gebakken stenen zat een stel mannen op omgekeerde olievaten naar de radio te luisteren en de langslopende meisjes te begluren.

Francina dacht aan de man die ze tijdens de zangwedstrijd opnieuw zou ontmoeten. Waarom had hij eigenlijk zo'n belangstelling voor haar? Er liepen genoeg jonge meisjes rond. Dacht hij soms dat ze geld had? Dan zat hij er lekker naast! Diep in haar hart had ze graag iets bijzonders willen naaien voor hun afspraakje van vanavond – iets met subtiele figuurnaden erin – maar ze had toch weer voor haar kooruniform gekozen. Ze wilde hem op geen enkele manier aanmoedigen. Mannen haalden zich zo gemakkelijk van alles in hun hoofd. Je zou denken dat ze er wel eens genoeg van kregen, met al die halfnaakte meisjes op posters in de bushokjes, in tijdschriften en op de televisie, maar nee, ze leken daardoor de smaak juist extra te pakken te krijgen.

Ze zou nooit begrijpen waarom mannen hun levendige fantasie niet voor nuttiger zaken gebruikten. Het land had genoeg problemen om iedereen handenvol werk te bezorgen. Neem alleen het probleem dat zich nu aandiende: een tweede taxibusje had hen vlak bij de bocht ingehaald en daardoor een tegemoetkomende auto van de weg gereden. Gelukkig hadden er geen kinderen of dieren gelopen.

Het koor zette met verdubbelde energie het volgende lied in. Francina was van plan na afloop van het concours haar eigen dorp te bezoeken, een extra rit van vier uur door de binnenlanden van KwaZulu-Natal. Nadat Winston het hele dorp had weten te overtuigen van haar ontrouw, had het vijf jaar geduurd voor ze er weer een voet had durven zetten. Onder normale omstandigheden zou haar man haar mee naar huis hebben genomen, en vervolgens zouden beide families samen hebben geprobeerd de huwelijkscrisis tot een oplossing te brengen of de voorwaarden te bepalen waaronder de scheiding zou plaatsvinden.

Als bij de Zulu's een scheiding de schuld is van de man, mag die man zelf beslissen of hij zijn vrouw en kinderen iets meegeeft; in sommige boerengemeenschappen wordt een enkele koe al als redelijke vergoeding beschouwd. Een gierige man geeft zijn gezin helemaal niets, maar regelt een nieuwe echtgenoot die de zorg voor het gezin kan overnemen. Als de scheiding de schuld is van de vrouw, dan verdelen de beide families de *lebola,* de bruidsschat, die eerder door de man is betaald. De man krijgt er een deel van terug en een ander deel gaat naar de familie van de vrouw als bijdrage in de kosten voor de opvoeding van de kinderen die uit het huwelijk zijn geboren. Maar ook al was het huwelijk van Winston en Francina op de traditionele manier gesloten, het einde ervan was bepaald niet traditioneel. Terwijl ze officieel aanwezig hoorde te zijn bij het familieberaad waar werd besloten dat een scheiding het beste was, lag ze in het ziekenhuis met een dik verband om haar hoofd.

Haar vader had het niet over zijn hart kunnen verkrijgen haar te verstoten toen ze weer thuiskwam, maar ze wist heel goed dat hij ook nooit zou proberen haar naam te zuiveren. Zo stom was hij niet. Na de dood van zijn vader was Winston dorpshoofd geworden en hij kon Francina's vader straffeloos zijn land ontnemen, in elkaar laten slaan of nog erger.

Drieëntwintig jaar lang had ze gedaan of ze het gefluister niet hoorde. Drieëntwintig jaar lang had ze zich verstopt zodra Zijne Majesteit in de buurt kwam. Dat moest nu maar eens afgelopen zijn! Het incident was iets uit een ver verleden, al beten haar volksgenoten zich erin vast als een schurftige teef in een bot. Wat zou er gebeuren als ze nog eens voorgoed naar haar dorp zou moeten terugkeren? Haar vader had ooit eens gezegd dat hij geen dochter had, maar als hij haar nodig had, zou ze teruggaan om voor hem te zorgen. Bij de Zulu's rustte de plicht om voor de ouders te zorgen op de schouders van de jongste zoon. Dingane en zijn vrouw Nokuthula deden het uitstekend, maar als ze hulp nodig hadden, was Francina beschikbaar. Kwade tongen zouden beweren dat ze dat deed om een deel van de erfenis te bemachtigen, die volgens het gebruik aan de jongste zoon toeviel, maar ze zou geen cent aannemen.

Het nachtverblijf bevond zich in een zijstraat, vlak naast de basisschool waar de volgende dag het concours zou plaatsvinden. Een grote menigte kinderen stond toe te kijken terwijl de chauffeur de koffers een voor een van het dak van de minibus tilde. Francina grabbelde naar de snoepjes die ze voor haar neefjes had meegenomen en de kinderen klapten als dank twee keer in hun handen voordat ze de zoetigheid met beide handen aanpakten.

Iedere kamer bevatte tien bedden. Francina koos het bed dat het dichtst bij de deur stond, zodat ze niemand zou storen als ze vanavond pas laat terugkwam. De koorleden hingen hun uniformen op de haakjes naast de bedden en omdat het allang tijd was voor de lunch, gingen ze daarna ergens in het stadje iets eten.

Toen Francina later die middag in de ruimte bij de damestoiletten in de spiegel controleerde of haar hoofddoek goed zat, werd ze betrapt door een van haar medekoorleden. 'Je bent zeker in de war,' zei deze. 'De wedstrijd is morgen pas, hoor!'

Francina vond het over het algemeen prettig dat de vrouwen van het koor met elkaar meeleefden, maar voor één keer wenste ze dat het anders was. Er zat nu niets anders op dan te bekennen dat er zo dadelijk een man zou komen opdagen, die haar mee uit eten wilde nemen. In een mum van tijd was ze omringd door koorleden die allemaal wilden weten of dat dezelfde stille man was met wie ze na het vorige concours een eindje was gaan wandelen. Toen ze dat bevestigde, knikten de oudere vrouwen goedkeurend, maar de jongere leken teleurgesteld en stelden voor dat zij dan naar de snackbar aan de overkant zouden gaan voor een milkshake. Waarom zou Francina de enige zijn die uitging?

Francina wilde liever niet buiten wachten, uit angst dat ze dan te gretig zou lijken, maar de angst dat ze hem aan iedereen zou moeten voorstellen won het van haar terughoudendheid.

Hij was tien minuten te laat. Niks ten nadele van de Afrikaanse tijdsbeleving, maar tien minuten was te lang voor een dame die in een vreemde stad op straat moest staan wachten, zelfs al was het nog maar net zes uur en nog even licht als midden op de dag. Dit voorspelde niet veel goeds! Het nachtverblijf waar hij met zijn eigen koor verbleef, was maar drie straten verderop. Ze besloot hem nog vijf minuten te geven en dan weer naar binnen te gaan.

Net toen ze het wilde opgeven, kwam hij aanrennen. Hij droeg een pak en ze had er plotseling spijt van dat ze zich niet speciaal voor deze gelegenheid had gekleed.

'Het spijt me, Francina,' zei hij onmiddellijk. 'Ze hadden mijn pak verstopt in de veronderstelling dat ze leuk waren.'

Dus hij had ook de nodige plagerijen te verduren gehad.

'Ik had dergelijke kwajongensstreken moeten voorzien. Op dit soort reisjes zijn het net opgewonden kinderen.'

De moed zonk haar in de schoenen. Ze hoefde hem al niet meer naar zijn beroep te vragen. Hij praatte als een leraar en het kon niet anders of hij zou haar saai vinden. Ze was heus niet dom, dat wist ze wel, maar ze kon haar intelligentie niet zo fraai verpakken als hij.

'Heb je al een keus kunnen maken waar we gaan eten?'

Ze vroeg zich zenuwachtig af of het restaurantje dat ze tijdens een ommetje had gezien hem zou bevallen. Het serveerde slechts twee of drie verschillende gerechten per avond, maar al de hele middag liep het water haar in de mond bij de gedachte aan de rundvleescurry van vandaag.

De jonge serveerster wierp een blik op Francina's uniform en wees hun een tafel vlak naast een lawaaierig groepje dat luidkeels van gedachten wisselde over het concours van morgen. 'Zouden we daar misschien mogen gaan zitten?' vroeg Francina's begeleider en wees naar een tafeltje dat wat meer afgezonderd stond, achter in het restaurant. Het meisje haalde de schouders op en verplaatste hun bestek.

De curry was precies zoals Francina zich had voorgesteld: romig en goed gevuld, en net voldoende gepeperd. In een winkelcentrum in Johannesburg had ze ooit een curry gegeten die haar het zweet had doen uitbreken, maar deze was precies goed. Zou de Zuluvrouw die hier in de keuken stond haar het recept willen geven? Sipho, Mandla en Monica zouden er dol op zijn! Misschien was het toch niet zo'n goed idee. De serveerster leek niet al te behulpzaam en het laatste waar Francina vanavond op zat te wachten was geharrewar. Tot haar opluchting stelde ze vast dat de man tegenover haar met smaak zat te eten. Zijn ingevallen wangen hadden haar zorgen gebaard, maar iemand met zo'n gezonde eetlust kon niet ziek zijn.

'Ik zou het fijn vinden als je me bij mijn voornaam noemde, Francina.'

Dat had ze nog nooit gedaan, omdat ze zich altijd beperkte tot reageren op wat hij vroeg of vertelde. Met een glimlach bedacht ze dat Monica hem alleen kende als 'de man'.

'Vind je het soms een rare naam?' vroeg hij verslagen.

'Nee, echt niet, eh, Hercules.'

Hij legde zijn mes en vork neer en veegde zijn mond af aan het papieren servet. 'Het is echt een titanenstrijd om zo te heten.'

Hij leek een antwoord van haar te verwachten, maar ze had geen idee waar hij het over had. Blijkbaar voelde hij haar onrust aan, want hij probeerde haar vlug op haar gemak te stellen. 'Mijn vader was kok op een privékostschool en kwam altijd thuis met allerlei wetenswaardigheden die hij in de eetzaal van de docenten had opgevangen. Je zou kunnen zeggen dat ik het resultaat ben van een klassieke opleiding.'

Het was Francina een raadsel waarom hij in lachen uitbarstte, maar ze lachte hartelijk mee. Ze had de naam opgezocht in Sipho's encyclopedie en vond het wel grappig dat deze lange, knokige man zonder greintje vet op zijn botten genoemd was naar een Griek die eruitzag als de blanke versie van een Zulukrijger.

'Vertel me eens iets over je werkgeefster,' zei hij, toen ze uitgelachen waren. 'Je lijkt erg aan haar gehecht.'

Francina knikte bevestigend. 'Toen ik bij de familie kwam werken, had ik nog nooit zo'n humeurige negenjarige gezien als Monica. Maar ze is behoorlijk bijgetrokken.'

'Heb je er wel eens aan gedacht ontslag te nemen?'

Francina vroeg zich bezorgd af of hij zich nu al dingen in zijn hoofd haalde. Hij had haar nog niet aangeraakt en zelfs niet in haar ogen gekeken alsof hij daar iets zocht wat hij verloren was. Dat deden de mannen in haar favoriete soaps altijd wanneer ze iets van een vrouw gedaan wilden krijgen.

En de vrouwen trapten er altijd weer in.

'Mijn ouders worden oud. Als zij me nodig hebben, ga ik weer bij hen wonen.'

Hij knikte. 'Mijn moeder woont bij mij in.' Hij haalde een foto uit zijn portefeuille en liet die aan haar zien. 'Dit is mijn vrouw.'

Onmiddellijk duwde Francina haar stoel achteruit en stond op.

'Mijn overleden vrouw,' zei hij haastig. 'Sorry. Ga alsjeblieft weer zitten.'

Ze deed wat hij vroeg, maar dacht onwillekeurig opnieuw dat hier niets goeds van kon komen.

Zijn vrouw was vijftien jaar geleden gestorven aan malaria, vertelde hij nu, en hij was sindsdien nooit meer met een vrouw uit geweest. Francina bekeek de foto aandachtig. De vrouw stond tegen een boom geleund en keek niet recht in de camera, omdat de zon in haar ogen scheen. Ze had kuiltjes in haar wangen en vertoonde een schuwe glimlach.

Het kwam er nu op aan wat ze zou zeggen, want daaruit zou Hercules opmaken of ze al of niet in hem geïnteresseerd was. Kon ze maar terug naar haar kamer om even rustig na te denken! Dat zou echter op een afwijzing lijken en zover was ze ook nog niet. *Je moet snel beslissen, Francina*, zei ze tegen zichzelf, *laat nou maar eens zien dat je inderdaad zo slim bent als je altijd dacht.* Was het een goed teken dat hij vijftien jaar lang niet met een vrouw was uitgegaan, of was dat juist een beetje vreemd? Was ze zelf ook niet meer dan twintig jaar alle mannen uit de weg gegaan? Dat was natuurlijk wel iets anders; mannen konden niet leven zonder een vrouw. Was hij misschien anders dan andere mannen? Hij had zelfs nog niet eens haar hand gepakt. Als ze nu wegging, liep ze misschien de enige man die te vertrouwen was voorgoed mis. En waarom zou hij niet nog steeds van zijn vrouw mogen houden? We houden ook nog steeds van onze ouders of grootouders, wanneer die zijn overleden. De vraag was alleen of hij nog liefde overhad.

'Francina,' zei hij rustig, 'zou je liever weg willen gaan?' Het was alsof hij haar gedachten had gelezen.

Plotseling had ze het akelig warm. Hij boog zich naar haar toe en verwachtte duidelijk een antwoord. Voor het eerst was ze in staat hem recht in de ogen te kijken. Ze waren donker en vriendelijk en er lag zo veel zorg in dat ze hem ineens geruststellend op de hand had willen kloppen.

'Nee,' zei ze. 'Ze hebben hier verse mango's met ijs als toetje.'

Toen Francina de volgende ochtend met de rest van het koor op hun beurt zat te wachten, ritselde het gefluister door de rijen.

'Dat is hem, de vriend van Francina. Wat een aardige man, vind je niet? En zo serieus!'

Er werd instemmend gemompeld, maar een van de meisjes zei: 'Het is net een giraffe,' en veroorzaakte daarmee een explosie van gesmoord gegiechel.

Hercules ontvouwde zijn inklapbare dirigeerstokje en hief zijn armen, in afwachting van de eerste tonen uit het oeroude orgel.

Is hij nu mijn vriend of niet? piekerde Francina ondertussen. *Wanneer noem je iemand je vriend? Na een afspraakje en de belofte van een volgende ontmoeting? In dat geval is hij nu mijn vriend,* besloot ze, en ze verborg de glimlach die ze niet kon tegenhouden achter haar hand.

Aan het eind van de dag, toen Hercules naar het podium liep om de oorkonde van de eerste prijs in ontvangst te nemen, draaide Francina zich om naar de meisjes die zo hadden zitten giechelen en knikte hen veelbetekenend toe. Deze keer zaten ze allemaal met de mond vol tanden.

Vijf

'O, Heer, waak over dit voertuig,' bad Francina in stilte, toen ze de volgende dag in de minibus stapte die haar naar het dorp van haar ouders zou brengen.

De overige koorleden waren meteen na de zondagochtenddienst weggegaan, maar Hercules had haar nog gezelschap gehouden totdat hij rond het middaguur met zijn eigen koor had moeten vertrekken. De avond ervoor hadden ze geen kans gekregen om nog even met zijn tweeën te zijn, allereerst vanwege het feestelijke diner voor alle deelnemende koren waarmee het concours werd afgesloten. Vervolgens was de dirigent van het koor dat als tweede was geëindigd tijdens het dessert het toneel opgeklommen en had iedereen nogmaals aan het zingen gekregen. Het resultaat was zo oorverdovend, dat Francina even had gevreesd dat de buren de politie zouden bellen. Dat was gelukkig niet gebeurd; een mens had ook wel een hart van steen moeten hebben om koud te blijven onder dat hartstochtelijke gezang. Halverwege het tweede lied had ze een blik geworpen op de plaats waar Hercules zat. Hij had haar blik beantwoord en ze hadden even warm naar elkaar geglimlacht, terwijl ze zonder enige verlegenheid uit volle borst bleven zingen.

Nu perste ze zichzelf in de enig overgebleven stoel op de

middelste bank van de minibus en keek met argusogen of de chauffeur er wel aan dacht haar koffer op het dak te laden. De andere passagiers zaten te slapen, sommigen geleund tegen het raam, anderen met hun hoofd op hun tas. Een luide groet maakte haar aan het schrikken. De dame op de achterste bank droeg een zonnebril en Francina had niet gemerkt dat ze wakker was.

De minibus hotste over de zandweg, langs de curiosamarkt waar ze met Hercules na de kerkdienst overheen had geslenterd. Onwillekeurig ging haar hand naar de kraag van haar jurk, waar de kralenbroche zat vastgespeld die hij voor haar had gekocht. De broche stelde een kameleon voor. 'Als aandenken aan ons samenzijn van de afgelopen dagen,' had hij gezegd, waarop ze had geantwoord dat ze dat nooit zou vergeten, broche of geen broche. Ze hoopte maar dat Hercules zelf geen kameleon zou blijken. Nee, dat kon niet. Ze had te veel mensenkennis om zich zomaar door een losbol te laten inpalmen. Hoogstwaarschijnlijk was hij precies zoals hij zich voordeed: een vriendelijke, serieuze man die een groot verdriet met zich meedroeg.

De chauffeur geeuwde aan een stuk door en Francina overwoog om een lied te gaan zingen, maar toen ze de slapende gezichten om zich heen zag, zag ze er maar van af. Grote kans dat ze haar uit het voertuig zouden smijten en dan moest ze wie weet hoe lang in de berm zitten wachten. Monica had vrij genomen om op Sipho en Mandla te passen en Francina had beloofd uiterlijk dinsdagavond terug te zijn.

Ik vraag me af hoe het met ze gaat, dacht ze glimlachend.

Ze namen de afslag naar de weg die hen in het noordelijke gedeelte van de Vallei van Duizend Heuvels zou brengen. Francina gaf de chauffeur een stuk kauwgom, in de hoop dat dit hem wakker zou houden. Hij keek naar haar in zijn achteruitkijkspiegel en grijnsde van oor tot oor. *Daar heb je het weer*, dacht Francina en ze ging gauw naar buiten kijken, naar de magere koeien die, op zoek naar een hapje gras, in het stof stonden te snuffelen. Een herdersjongen, die met steentjes op een blikje stond te mikken, zwaaide even naar haar en hervatte toen zijn spel. Hij leek niet ouder dan Sipho.

In het eerstvolgende dorp stopte de chauffeur naast een winkel en brulde: 'Alle mannen eruit!' Met een schok werd iedereen wakker. De man naast Francina vroeg beleefd of ze misschien even wilde opstaan, zodat hij en zijn broers langs haar heen konden schuiven, en toen ze aan het verzoek voldeed, ontdekte ze een oude vrouw die met gestrekte hals naar binnen stond te turen.

'Zit hij er deze keer bij, Mama?' riep de chauffeur.

Na een lange stilte schudde de vrouw haar hoofd en schuifelde weer weg, leunend op haar stok, in de richting van een paar kleine stenen huisjes.

'Ze wacht nog steeds op haar man, en die is al jaren dood,' legde de chauffeur uit en alle vrouwen zuchtten: 'Ah, wat erg!'

De chauffeur gaf de uitgestapte mannen hun bagage aan en wenste hun veel succes bij het zoeken naar een nieuwe baan, nu hun fabriek in Middelburg haar deuren had gesloten. De overige passagiers maakten onmiddellijk gebruik van de extra ruimte door nieuwe zitplaatsen te kiezen.

Nu er behalve de chauffeur geen mannen meer in de bus zaten, ontspon zich een levendig gesprek. De oudere vrouw op de achterste rij had een staaroperatie ondergaan en was nu op weg naar huis. Verder zat er een dienstbode die van haar werkgever een lange, betaalde vakantie had gekregen, omdat hij zelf voor een sabbatsjaar naar Engeland zou gaan. Ook zij ging naar huis. Francina had geen idee wat een sabbatsjaar was, maar ze piekerde er niet over het te vragen. De betreffende dame leek te denken dat ze zelf ook tot de hogere standen behoorde, en dat alleen omdat ze schoonmaakster was bij een professor. Alsof kennis op dezelfde manier aan je bleef kleven als vloerwas! Het jongste meisje van het gezelschap deed geen mond open, zelfs niet als je haar direct aansprak. Francina vond het maar onbeleefd, maar wat kon je anders verwachten van iemand met zulke vuurrode nagels en sandalen met plateauzolen? De andere vrouwen waren allemaal familie van elkaar. Zij hadden een bezoek gebracht aan hun dochter en nicht, die zou gaan trouwen met een jongen uit Johannesburg.

'Ze neemt hem niet eens mee naar haar ouderlijk huis voor de huwelijksceremonie,' lichtte de tante van het meisje Francina fluisterend in. 'Waarschijnlijk houden ze het bij een korte plechtigheid voor de rechter. Die meisjes van tegenwoordig denken dat ze de gewoonten van hun volk niet meer in ere hoeven te houden.' Ze schudde haar hoofd. 'Hoe kunnen we er zo ooit zeker van zijn dat hij haar goed zal behandelen? We kennen zijn familie niet eens!'

Francina had graag opgemerkt dat het je ook met een man uit je eigen dorp kon overkomen, dat hij zijn handen niet kon thuishouden; ja, zelfs met de zoon van de hoofdman. De vrouw zag er echter uit alsof ze elk ogenblik in tranen kon uitbarsten en Francina wilde haar geen angst aanjagen.

Om hen heen rezen de heuvels op, de ene na de andere, als ronde broden die in de oven lagen te bakken. De weg liep omhoog en toen ze het hoogste punt hadden bereikt, keek Francina uit over haar eigen vallei. Zoals altijd wanneer ze naar huis ging en de contouren van dit land van God weer zag, stelde ze vast dat het een van zijn meesterwerken moest zijn. Het gepraat in de bus verstomde en ze besefte dat ze niet de enige was die er zo over dacht.

Donzige wolken gleden door de strakblauwe lucht en een lichte bries huiverde door het droge, strogele gras. Francina draaide het raampje open en haalde diep adem. Aan de overkant van de vallei, op de eerstvolgende heuvel, lag haar dorp, Jabulani, het Zuluwoord voor 'geluk'. Het bestond uit een mengelmoes van vierkante stenen huisjes, traditionele ronde hutten van gebakken klei en *kraals* voor het vee, gemaakt van boomstammetjes. Aan de waslijnen tussen de umphafabomen wapperden brandschone kleren als de vlaggen van een ver en vreemd koninkrijk. Het erf van haar ouders bevond zich aan de verste zijde van het dorp. Ze dacht dat ze een rookpluimpje zag opstijgen; dat betekende vast dat haar moeder het welkomstmaal al aan het bereiden was.

Het was gewoon een wonder dat haar dorp ontkomen was aan de golf van geweld die de provincie in de eerste helft van de jaren negentig had overspoeld. Bij het zien van de journaalbeelden had Francina tranen met tuiten gehuild. Verbrande hutten, verschroeide lichamen, jammerende vrouwen en mannen met doodsangst in hun ogen: nooit zou ze de beelden vergeten. Nog steeds heersten er spanningen tussen de aanhangers van de Vrijheidspartij Inkatha, die voornamelijk uit Zulu's bestond, en het ANC, maar de tijd van massamoorden midden in de nacht was voorbij.

Zodra de minibus de afdaling inzette, begon iedereen tegelijk weer te praten – iedereen, behalve het jonge meisje met de vuurrode nagels, dat uit het raam zat te staren met een blik alsof ze op weg was naar de gevangenis. Francina vroeg haar uit welk dorp ze afkomstig was, maar het meisje antwoordde niet. Toch was ze niet doof; dat was eerder wel gebleken, toen ze net als iedereen overeind was geschokt bij een harde knal en ze allemaal dachten dat er een band geklapt was. Gelukkig was het de uitlaat maar.

Sinds Francina er als zestienjarig meisje voor het eerst was weggegaan, was de Vallei van Duizend Heuvels ingrijpend veranderd. Vroeger was het bijna letterlijk het einde van de wereld. Iemand die in die tijd het dorp binnenreed, had niet een verkeerde afslag genomen op zoek naar een hotel, maar kwam zijn familie bezoeken. In de afgelopen jaren waren artiestenkolonies, theewinkels en pensions er echter als paddenstoelen uit de grond geschoten. De plaatselijke bevolking moest regelmatig opzij voor touringcars vol vreemdelingen die het perfecte plaatje probeerden te schieten van die leuke hutjes en zwaaiende kinderen.

Francina vond het vreemd dat je dergelijke touringcars nou nooit eens zag in de foeilelijke krottenwijken van Johannesburg; die behoorden anders evengoed tot het echte Afrika als haar dorp. Het was alsof de toeristen alleen het Afrika wilden zien waarmee ze in de bioscoop al hadden kennisgemaakt: eindeloze savannes, met wilde dieren waar je maar keek, en hotels met brede veranda's, waar je door glimlachende inboorlingen een cocktail geserveerd kreeg terwijl je naar de zonsondergang lag te kijken. Dat alles en nog veel meer werd je aangeboden in privéjachthutten die voor een verblijf van een enkele nacht al zo veel kostten dat de meeste Zuid-Afrikanen het niet konden betalen.

Toch was Francina niet echt rouwig om alle veranderingen in de Vallei van Duizend Heuvels. Als de vorige generatie zelf op het idee gekomen was om openluchtmusea in te richten, zodat de toeristen konden zien hoe het er in een traditioneel Zuludorp aan toe ging, dan hadden ze er nu hun neus niet voor opgehaald – zeker niet gezien de entreeprijs van dertig rand. De musea verschaften werk, wat tot gevolg had dat veel minder vaders gedwongen waren werk in de grote steden te gaan zoeken.

Hoe dichter ze bij haar dorp kwam, hoe meer last Francina kreeg van de vertrouwde krampen in haar buik. Dit was haar land, hier woonde haar volk, maar met zijn giftige leugens had Winston dat voor altijd bedorven.

Daar zag ze haar moeder al staan, een klein eindje bij de winkel vandaan, onder een opengeklapte paraplu om wat schaduw te hebben. Het was nu een jaar geleden dat ze elkaar voor het laatst hadden gezien, maar ze was niets veranderd. Ze droeg nog steeds dezelfde kleren waarin ze Francina destijds had uitgezwaaid: de elegante plooirok met het lange jak eroverheen, een stelletje dat haar dochter voor haar had genaaid voor speciale gelegenheden, zoals een bezoekje aan de stad. Francina glimlachte bij zichzelf. Haar moeder ging nooit naar de stad. Ze was zelfs nog nooit bij een dokter of een tandarts geweest. Eens per jaar werd het dorp van overheidswege door een verpleegster bezocht en alle vier de kinderen van het gezin waren met behulp van vrouwen uit het dorp ter wereld gekomen.

Ondanks al die jaren waarin ze gebukt de familieakker had staan schoffelen had Francina's moeder een koninklijke houding, hoe fragiel en breekbaar ze er verder ook uitzag. Van haar had Francina de hoge jukbeenderen en de smalle, kaarsrechte neus. Alleen haar mond was duidelijk anders en in tegenstelling tot haar dochter, hield Francina's moeder haar mond altijd stijf dicht, behalve wanneer ze direct werd aangesproken. Niemand had haar ooit horen klagen over vermoeidheid of zere voeten, of over het verlies van haar oudste die bij een mijnongeluk in Johannesburg het leven had gelaten toen Francina nog maar negen was. Bij tijden was haar aanwezigheid alleen merkbaar aan het schoonge-veegde erf of aan de rook die opsteeg van achter de rieten omheining waar ze altijd het eten klaarmaakte.

Francina wenste haar medepassagiers geluk met de aan-staande bruiloft en had er onmiddellijk weer spijt van, toen de moeder van de bruid luidkeels begon te weeklagen. Terwijl de rest van de familie de handen vol had om haar weer te kalmeren, wendde Francina zich tot het zwijgzame jonge meisje, met de opmerking dat ze er verstandig aan deed naar huis te gaan, omdat de stad een veel te ruwe om-geving was voor een meisje alleen. Het leverde haar voor het eerst een schuwe blik en een nerveuze glimlach op.

Daarna schoot de minibus er weer vandoor, op weg naar het volgende dorp, nagezwaaid door Francina en haar moeder.

'Je bent veranderd, mijn dochter,' zei haar moeder. Francina was meteen blij dat ze de broche had afgedaan en in haar zak had gestoken. Haar moeder zou meteen door hebben gehad dat ze een man had ontmoet.

Uit de radio op de winkelveranda schalde jazzmuziek. 'Maïs geeft energie,' stond er op een roestig reclamebord aan de muur. Op een stel omgekeerde houten kratten zat een groepje mannen in de schaduw van het overstekende zinken dak. Francina negeerde hun starende blikken, pakte haar koffer op en gaf haar moeder een arm.

'Nee, Mama,' zei ze meteen, toen haar moeder aanstalten maakte de route tussen de umungabomen te kiezen, die hen in een boog om het dorp heen zou voeren. 'Van nu af aan loop ik midden door het dorp, net als iedereen.'

Toen ze bij het huis aankwamen, zat haar vader al te wachten op zijn favoriete oude tuinstoel, die tegen de muur van zijn slaaphut was gezet. Francina zette haar koffer neer en pakte zijn uitgestoken handen.

'Welkom, dochter,' zei hij hartelijk, maar aan zijn bezorgde ogen zag ze dat het bericht van haar wandeling dwars door het dorp hem eerder had bereikt dan zijzelf.

Zeventig jaar oud was hij, haar vader. Vier kinderen had hij verwekt, en uit de ene koe die hij van zijn vader had geërfd, had hij een complete veestapel weten te fokken. Hij was vastbesloten de rest van zijn leven door te brengen op deze grond, het land waar zijn voorouders al honderden jaren hadden geleefd. Als Francina de confrontatie met Winston wilde aangaan, moest ze dat doen op zo'n manier dat haar vader en zijn levensonderhoud er niet onder zouden hoeven te lijden.

Het familie-erf bestond uit drie traditionele, ronde hutten met rieten daken: een voor Francina's ouders, een voor haar jongste broer en zijn vrouw en een voor hun tienerzonen. Midden op het zanderige stuk grond bevond zich een stenen gebouwtje met daarin de woonkamer, de badkamer en de keuken. Drie jaar geleden waren ze aangesloten op het elektriciteitsnet, maar Francina's moeder kookte nog altijd het liefst in de openlucht. De keuken werd alleen gebruikt voor de voorbereidingen van de maaltijd. Een uitgesleten paadje leidde naar een houten keetje met daarin het diepe gat in de grond, dat diende als toilet.

Francina's moeder had voor haar een bed opgemaakt in de woonkamer en beloofde dat er 's ochtends niemand zou binnenkomen zolang zij zich nog niet had vertoond.

Korte tijd later kwamen haar broer en schoonzus in een grote terreinwagen aanrijden. Al twintig jaar werkte Dingane als spoorzoeker bij een luxe jachthotel zo'n vijftig kilometer verderop. Vroeger was het hem niet toegestaan zijn auto voor woon-werkverkeer te gebruiken. In die periode woonde hij samen met het overige personeel in het poortgebouwtje en kwam hij alleen op vrije dagen thuis. De nieuwe regeling betekende een grote vooruitgang voor Nokuthula, zijn vrouw. Zij kon meerijden naar huis vanuit het pension waar ze als schoonmaakster werkte, en hoefde ook niet meer wakker te liggen bij de gedachte aan al die alleenstaande kamermeisjes in het hotel. Haar naam betekende dan wel 'rust', maar in al die nachten dat Dingane niet thuis sliep, had ze weinig rust gehad.

'*Sawubona*, zuster,' groette Dingane, terwijl hij twee grote plastic zakken uit de achterbak van de wagen haalde. 'Dit zijn restjes rosbief uit het hotel, Mama.' Hij hield de zakken omhoog als een jager die terugkeert met zijn buit.

'*Sawubona,* Mama, *sawubona,* Baba,' zei Nokuthula en boog eerbiedig haar hoofd voor haar schoonouders. 'Het is goed om je weer te zien, zuster,' en ze gaf Francina een zoen. 'Ik ga gauw mijn handen wassen, Mama, en dan zal ik u helpen met het eten.'

Ze greep een van de tienliterflessen die ze de vorige avond al met water had gevuld en ging het huis in.

Het hele dorp had in een diep stilzwijgen staan toekijken toen op bevel van de regering een aantal arbeiders de tap was komen installeren tegen de buitenmuur van de hut die diende als ontmoetingsplaats voor de dorpsoudsten. Dat was nu iets meer dan een jaar geleden. Daarvoor haalden de vrouwen het water uit de rivier daar vlakbij. In tijden van droogte zoals nu was die echter niet meer dan een miezerig stroompje. Dan raakten de gemoederen snel verhit en verkeerde het hele dorp in spanning of de regering wel of niet een vrachtwagen met een watertank zou sturen. Nu werd er al over gespeculeerd dat ieder huis van het dorp binnen twee jaar over stromend water zou beschikken.

Dingane volgde zijn vrouw naar binnen om het vlees op te bergen in het koelkastje, dat hij op de kop had weten te tikken bij de zoveelste renovatie van het hotel.

'Ik maak me zorgen over jou, zuster,' zei hij, toen hij weer naar buiten kwam. Hij pakte een tweede tuinstoel en ging naast zijn vader zitten, in afwachting van de avondmaaltijd. Blijkbaar had ook hij al gehoord over haar wandeling door het dorpscentrum.

'Ik heb er echt goed over nagedacht en er lang voor gebeden,' zei Francina.

Haar broer knikte. Hun gezin maakte deel uit van de groep van dertig families die de traditionele kerk had verlaten en zich had aangesloten bij de methodisten in het naburige dorp. Een jongen uit het dorp, die jaren geleden naar Pietermaritzburg was vertrokken om daar elektrotechniek te studeren, was teruggekeerd als afgestudeerd predikant. Hij had een kerk gebouwd en in die kerk was ook het huwelijk van Winston en Francina voltrokken. Maar toen Winston dorpshoofd was geworden, eiste hij van de dorpelingen dat ze 'die blanke religie' zouden afzweren en terug zouden keren tot het geloof van hun voorvaderen. Korte tijd leek het erop dat er een blijvende tweespalt in de dorpsgemeenschap zou ontstaan, maar het idee dat hij slechts over een half dorp de scepter zou zwaaien, stond Winston niet aan. Daarom gaf hij zijn mannen opdracht de intimidatie van de christenen te staken en hen bij de kerkgang ongemoeid te laten. Zelf had hij nooit meer een voet in de kerk gezet.

'Dan zal ik je moeten vertrouwen,' zei Dingane. 'Ik vraag je

alleen onze ouders niet te schande te maken.'
Haar vader zweeg.
'Ik zal eraan denken,' beloofde Francina. Soms dacht ze dat
haar familieleden zo aan haar glazen oog waren gewend, dat
ze vergaten hoe ze eraan gekomen was.

Bij het naar bed gaan haalde Francina de broche uit haar
zak; ze liet haar wijsvinger langs de kralen ruggengraat van
de kameleon glijden. Wat zou haar familie zeggen als ze
over Hercules vertelde?
Francina trok de quilt op tot aan haar kin. De ruimte geurde
nog steeds naar de pompoenbeignets die haar moeder had
gebakken. Haar neven, die het vee in de kraal hadden
gejaagd, waren uitgehongerd thuisgekomen. Sterke, jonge
kerels waren het al. Bij haar volgende bezoek zou ze viscon-
serven voor hen meebrengen in plaats van snoepjes.
Onder het raam sjirpte een krekel, maar dat was dan ook het
enige geluid dat de stilte van de nacht verbrak. Hier geen
gillende autoalarmsystemen, geen ronkende patrouillerende
politiewagens, geen zoemende zwembadpompen. Door de
vitrages scheen het licht van de volle maan, recht op de geometrische patronen van de mand die ze voor Winston had
geweven als huwelijkscadeau. Haar moeder had hem op de
afvalhoop achter zijn erf gevonden. Aan het aantal stippen
kon je zien hoeveel koeien Winston haar vader als *lebola*
had betaald. Twaalf koeien was een forse prijs; toch had hij
er niet een teruggevraagd. Als dat geen bewijs voor haar
onschuld was!
Ze had nog niet bedacht wat ze morgen precies wilde gaan
doen. 'Wilt U me laten zien wat ik moet doen, Heer?' bad ze.
'En geef dat het snel voorbij is, want ik moet terug naar mijn
jongens.'

De volgende ochtend wachtte haar moeder haar op met een
bord pap en wat gebakken lever.

'Je zult je krachten nodig hebben vandaag,' zei ze.

Haar broer en schoonzus waren al een uur geleden naar hun werk vertrokken. Om haar niet te storen hadden ze zich buiten gewassen. De jongens waren op een holletje naar school gegaan, om binnen te zijn voordat de directeur de deur op slot deed. Aan de andere kant van de akker ontdekte ze haar vader, die bezig was met de reparatie van een van de hekken die het vee bij de maïs, tomaten, aardappelen en pompoenen vandaan moesten houden.

Francina ontbeet en ging daarna binnen haar tanden poetsen. Toen ze weer naar buiten kwam, zag ze dat haar moeder haar schoenen had aangetrokken.

'Ik moet dit alleen doen, Mama,' zei Francina.

Haar moeder schudde het hoofd. 'Je hebt al veel te veel alleen moeten doen, mijn dochter.'

Francina glimlachte naar haar en samen gingen ze op weg naar het dorp. De vrouwen die op de akkers bezig waren, richtten zich uit hun gebogen houding op toen ze hen zagen passeren en staarden hen na. Een paar vrouwen die voor de ontmoetingshal van de dorpsoudsten kralenwerk zaten te maken, staakten hun bezigheden en begonnen druk onderling te fluisteren. Mannen die zo-even nog luidkeels stonden te discussiëren over de vraag hoe ze hun vee te eten moesten geven als al het gras verdwenen was, verstomden plotseling.

Net als de meeste andere in het dorp was ook het erf van Winston omgeven door een lage stenen muur, met dit verschil dat in deze omheining een grote, houten poort was aangebracht. Terwijl Francina en haar moeder stonden te wachten tot iemand hun aanwezigheid zou opmerken, bekeken ze de houten stierenkop waarmee de poort was versierd. Al na twee minuten verscheen er een man met ontbloot bovenlijf, die de poort opendeed.

'Wat moeten jullie?' blafte hij.

Francina deed een stap naar voren. 'Zou u Winston willen melden dat zijn ex-vrouw hem graag wil spreken?'

De man deed de poort weer dicht. Francina schudde haar hoofd, een ongeduldig gebaar, alsof ze te horen had gekregen dat ze de volgende bus maar moest nemen omdat deze vol zat. Het was echter alleen show ter wille van haar moeder; in werkelijkheid voelde haar bloed als ijs.

Het duurde een kwartier voor de man terugkwam.

'Kom maar mee,' zei hij.

Francina gaf haar moeder een zoen. 'U blijft hier,' zei ze vastberaden. 'Als u niet was meegegaan, hadden mijn benen me nooit zo ver kunnen dragen. Dank u, Mama.'

Haar moeder boog haar hoofd en Francina wist dat ze zou bidden, al die tijd dat zij binnen was.

Op het erf van Winston stonden zeven traditionele ronde hutten met rieten daken: een voor Winston en een voor elk van de drie vrouwen die hij had genomen sinds hij van Francina was gescheiden en was teruggekeerd naar het voorvaderlijk geloof. Verder was er een hut in gebruik als keuken, een als opslagruimte en een als onderkomen voor de bewakers. In totaal had Winston nu twaalf kinderen, zeven zonen en vijf dochters.

Winston zat voor zijn hut op een houten stoel met een hoge, rechte rug en brede armleuningen, gesneden in de vorm van krokodillen. Terwijl Francina over het keurig geveegde erf naar hem toe liep, lieten zijn ogen haar geen moment los.

'Je lijkt wel een oude vrouw,' zei hij, toen ze voor hem bleef staan.

'Ik ben veertig jaar,' was haar antwoord, 'en ik zie er helemaal niet oud uit. Ik lijk juist jong, omdat ik niet al die jaren voor jou heb hoeven zorgen.'

'Het is maar goed dat ik mijn tijd niet aan jou heb verspild. Je bent onvruchtbaar, ik zie het aan je ogen.'

Graag had Francina hem haar glazen oog in het gezicht

gesmeten. 'Weet je wel dat de aframmeling die je me hebt gegeven me een oog heeft gekost?' vroeg ze.

Hij haalde zijn schouders op.

'Ik weet wat ik gezien heb.'

'Je was stomdronken. Het enige wat je gezien hebt, was dat ik de tuinman een kop thee gaf.'

'Ik drink niet eens,' schreeuwde hij nu en de halfnaakte bewaker, die al die tijd gehurkt onder een bananenboom had gezeten, schoot overeind. Winston wuifde hem weg.

'Dan ben je het misschien vergeten, maar je had net geld gewonnen en dat was je aan het vieren.'

'Wou je me nu ook nog van gokken beschuldigen?' brulde hij en deze keer kwam de bewaker rechts van hem staan. 'Mijn volk weet dat ik mij niet bezighoud met dat soort kwalijke praktijken, en ik verwacht van hen dat ze net zo fatsoenlijk leven als ik.'

De bewaker knikte instemmend. 'Niemand is zo fatsoenlijk als u, chief.'

Francina wierp hem een woedende blik toe. 'Zou je hem weg willen sturen? Je hebt toch zeker geen extra bescherming nodig tegen een vrouw?'

Winston fronste zijn wenkbrauwen, maar voldeed aan haar verzoek. Die slag was voor haar.

'Ik weet dat je nooit je verontschuldigingen zult aanbieden, omdat je je niet schuldig voelt,' zei ze nu tegen hem, 'maar ik wil mijn goede naam terug. Hoe je dat voor elkaar denkt te krijgen, weet ik niet, maar als je niets doet, zorg ik dat iedereen te weten komt dat je in Johannesburg een dronkelap en een gokker was. En als je ooit nog probeert mijn ouders het leven zuur te maken, dan laat ik je arresteren voor geweldpleging. Ik heb bij de politie geïnformeerd en het is nog niet verjaard.'

Hij staarde haar lange tijd aan. 'Ga weg,' zei hij toen; hij stond op en verdween in zijn hut.

De bewaker stond buiten het erf te wachten.

'Blijf van me af,' beet Francina hem toe, toen hij haar bij de arm greep.

Er moest iets bijzonders in haar stem hebben geklonken, want hij liet haar ogenblikkelijk los.

Zes

e dag na Francina's terugkeer uit de Vallei van Duizend Heuvels lag Mandla voor de ventilator op de grond. Hij hield een ijsklontje boven zijn blote buik en keek vol belangstelling hoe zijn navel langzaam vol druppelde. De jongens hadden eerder op de avond al een koude douche genomen en Mandla had daarna geweigerd zijn pyjamajasje aan te trekken. Monica kon het hem niet kwalijk nemen; het was deze zomer nog niet eerder zo heet geweest. De hele middag hadden de onweerswolken zich aan de horizon opgestapeld, maar afgezien van wat gerommel en een enkele windvlaag was het een weinig overtuigende vertoning gebleken, met als enig resultaat een laag stof op het meubilair en een lichte bries die de dode bladeren van de varenstruik in de tuin deed ritselen.

Bij de eerste klanken van de herkenningstune van *Van dichtbij* liet Mandla zijn ijsklontje vallen. 'Monica komt voor de tv!' riep hij naar Sipho, die samen met Monica aan de eettafel zijn aardrijkskundeles zat door te nemen.

'Nee, hoor!' riep zijn broer terug.

Mandla keek Monica vragend aan en deze schudde haar hoofd. 'Nee, lieverd, ik kom niet meer voor de tv. Een andere mevrouw is nu aan de beurt.'

Aan Sipho vroeg ze: 'Wil jij het graag zien?'

Hij schudde zijn hoofd.

'Dat is prima, maar ik moet wel even kijken. Ik zal je straks met de rest helpen.'

Ze ging op de bank zitten en probeerde een hevig tegen-stribbelende Mandla op schoot te nemen. ''t Is net een vaatje buskruit,' zei Francina, die juist met een mand schone was de kamer in kwam. 'Nou, vooruit, laat me dat meisje met die belangrijke pappie maar eens zien.'

Nomsa presenteerde het eerste onderwerp. Ze sprak het Engels van de betere standen, haar presentatie was vlekke-loos, zij het een beetje vlak, en ze had een knap gezicht met glanzend, steil haar dat ze voortdurend achter haar oren streek. 'Extensions,' zei Francina minachtend, terwijl ze het volgende paar sokken tot een bal oprolde.

Monica was te terneergeslagen om iets te zeggen. Als de pre-sentatrice een ramp was geweest, had ze zichzelf nog kun-nen troosten met de wetenschap dat ze alleen maar in dienst was genomen om haar connecties. Maar de vrouw was bepaald geen ramp. Wat zei dat over haar eigen capaciteiten? Ze had het gevoel dat ze even door de ogen van iemand anders naar zichzelf had gekeken en wat ze had gezien was niet prettig. Misschien was ze toch niet zo'n heel goede ver-slaggever.

Ze verlangde nog maar twee dingen: een beker hete choco-lademelk en een lang warm bad, maar ze had Sipho beloofd hem te helpen met de rest van zijn huiswerk. Die lieverd zou niet naar bed gaan zonder dat zijn hoofdstuk af was. Ze had op aanraden van een hoogleraar pedagogiek op haar vroe-gere universiteit een paar studieboeken besteld en Sipho was er dol op. Natuurlijk raakte hij zo nog verder op zijn klasgenoten voor, maar van zijn onderwijzeres mocht hij erin werken zodra hij zijn schoolwerk af had. Zo had hij in de klas altijd iets te doen.

'Nee!' protesteerde Mandla, toen ze de televisie uitzette. 'Ik wil jou nog zien.'

'Ik kom er niet meer op,' zei ze nogmaals, maar hij was niet te bewegen van de bank af te komen.

Ze zette de televisie weer aan en terwijl zij Sipho weer ging helpen en Francina naar haar kamer vertrok, zat Mandla tot het eind van de uitzending aan de beeldbuis gekluisterd.

Nadat ze de jongens welterusten had gezegd, ging Monica met kleren en al op bed liggen. Zelfs voordat ze haar vervangster op televisie had gezien, was het al een moeilijke dag geweest. De vakbonden praatten over een staking voor meer loon en ze had geen idee hoe ze in dat geval zouden moeten overleven. Er waren honderden werkloze afgestudeerden die er geen been in zagen het werk van de stakers over te nemen, en zo kon een staking eindeloos doorgaan, net zo lang tot het geld van de vakbonden op was. En stel dat haar baas gedurende de staking de ziektekostenverzekering stopzette? Misschien moest ze dan wel de aandelen verkopen die haar vader aan haar had overgedragen toen hij als gevolg van valutamaatregelen niet in staat was al zijn geld het land uit te krijgen. De waarde van de aandelen was flink gekelderd. Ze had gehoopt dat ze na verloop van tijd weer meer waard zouden worden, maar nu zag het ernaar uit dat ze helemaal niets zou overhouden. Vroeger zou ze een tweede baantje als serveerster hebben genomen, maar in verband met de kinderen moest ze thuis zijn.

Een mug danste gevaarlijk dicht om de lamp naast haar bed. Ze rolde op haar buik en staarde naar de foto van haar ouders, die op haar nachtkastje stond. De foto was genomen op hun trouwdag. Beiden stonden er breed lachend op, alsof ze er zonder meer van uitgingen dat hun een gemakkelijke toekomst wachtte, zolang ze elkaar maar hadden. Ze hadden zo hun best gedaan en toch was er van alles misgegaan; wat moest zij dan wel niet, zo in haar eentje? Dat ze was verkast naar de ouderlijke slaapkamer maakte nog geen ouder van haar! Elke dag deed ze wel iets fout, of kwam er een nieuwe zorg bij. Toen ze net was begonnen bij het radiostation voelde ze zich af en toe ook een klungel die alles fout deed; inmiddels was ze geroutineerd. Als moeder zou ze echter nooit zo ver komen; zodra ze iets onder de knie had, hadden de jongens de volgende ontwikkelingsfase bereikt en stond ze weer voor heel nieuwe opgaven. Hoe kon ze ooit een goede moeder zijn als ze zo onzeker bleef over haar capaciteiten?

'God, wilt U mij leiden,' bad ze, 'want zelf raak ik voortdurend de weg kwijt.'

Zuchtend kwam ze overeind en begon de post uit te zoeken die ze had meegenomen naar de slaapkamer. Er zaten rekeningen bij die ze morgen meteen moest betalen; folders met reclames voor schilderwerk en advertenties voor nieuwe, afgesloten woonwijken; een ansichtkaart van haar ouders uit Rome; en een brief met het poststempel van Lady Helen. Ze scheurde hem vlug open. Hij was afkomstig van dokter Niemand, die haar wilde bedanken voor de giften die na haar reportage waren binnengestroomd. Hij begreep, zo schreef hij, dat ze met een belangrijke baan die zo veel voldoening bood als de hare niet in de bijgevoegde advertentie geïnteresseerd zou zijn, maar misschien wilde ze hem wel doorgeven aan een kennis die eventueel belangstelling zou hebben? De bedoelde advertentie was een klein knipseltje uit de *Lady Helen Herald*. De hoofdredacteur van de krant – tevens enige verslaggever – ging met pensioen en was op zoek naar een opvolger.

Monica las het; ze las het nog eens en nog eens, tot er geen spoortje twijfel meer in haar over was.

'Dank U, Heer,' fluisterde ze. 'Dit is de verhoring van mijn gebed.'

Ze stond op en begon te ijsberen, terwijl ze koortsachtig nadacht. Mandla zou veel meer ruimte hebben om buiten te spelen. Sipho zou in een kleinere klas terechtkomen en dus meer aandacht krijgen; misschien zou de schoolleiding hem wel een klas willen laten overslaan. *Van dichtbij* was misschien wel de enige kans die ze had gekregen om voor de televisie te werken en die kans was aan haar neus voorbijgegaan. Waarom zou ze niet voor een krant gaan werken? Lady Helen was een betoverend stadje; het kon niet anders of ze zouden daar gelukkig zijn.

Ze bleef staan. Maar hoe moest het dan met Francina? Ze kon toch niet van haar verlangen dat ze zo'n eind weg zou gaan verhuizen, zeker niet nu ze net een vriend had? Sipho en Mandla hadden hun moeder al moeten afstaan. Ze kon het hun niet aandoen dat ze nu ook Francina zouden verliezen.

Francina knipte de laatste draadjes door en hield de jurk omhoog om haar werk te bewonderen. Sinds het bezoek aan haar ouderlijk huis was een week verstreken en de innige voldoening die ze had gevoeld om de verslagen uitdrukking op Winstons gezicht was alleen maar toegenomen. Nu kon ze haar vrolijkheid niet langer inhouden en haar zachte gegrinnik ging over in een uitbundige schaterlach.

Aan het plafond hing een naakt peertje, fel genoeg om een stel kuikens onder uit te broeden en dus ook om een halfblinde naaister in staat te stellen een scheve naad, ongelijke steken of bobbels in de voering te ontdekken. Het was een van de vele attente veranderingen die Monica na haar thuiskomst uit het ziekenhuis had doorgevoerd.

De verkoopster in de Indische winkel had Francina de stof voor deze jurk voor de helft van de prijs verkocht, omdat er een vlek op zat. Het had Francina echter niet meer dan een voorzichtige wasbeurt en drie lange naaiavonden gekost om er een prachtige, wijde jurk van te maken met een nuffig, oosters kraagje, driekwart mouwen en, niet te vergeten, een heuse taille. Ze liet de jurk over een hangertje glijden en hing die aan de haak aan haar deur. Ze had nog nooit donkerpaars gedragen, maar hoe lang ze ook tussen de rollen donkerblauw en bruin had gezocht, ze had er niet een kunnen vinden waar iets aan mankeerde.

'Het wordt tijd dat jij het geluk vindt,' had haar moeder bij het afscheid gezegd.

Francina had dat woord nooit met zichzelf in verband gebracht. Toen Winston haar als bruid had gekozen, had ze zichzelf als de grootste bofferd van het dorp beschouwd, maar nooit had ze zichzelf gelukkig genoemd. *Wat was geluk eigenlijk?* vroeg ze zich nu af. Een slapend kind in je armen; de geur van boenwas in je hele huis; doodmoe je bed inrollen na een middagje ploeteren in de moestuin, en met een klein kind naast je in slaap vallen; of 's avonds een paar kinderschoentjes poetsen, terwijl je hem het gedicht overhoort dat hij op de ouderavond mag opzeggen? Mensen die aan dat soort dingen niet genoeg hadden, waren diep te beklagen, vond ze. Hagelwitte tanden op een sneeuwwitte skipiste hadden niks met het echte leven te maken. Dat was maar reclame. Als je daarin je geluk dacht te vinden, werd je je hele leven teleurgesteld. Hoogte- en dieptepunten waren voor tieners. Als de mensen dat nou maar eens in de gaten kregen en ophielden met hun pogingen om die gevoelens terug te vinden, dan zou er veel minder buitenechtelijk gerotzooi voorkomen. De mensen zouden hun energie steken in hun gezinnen en in hun werk, en er zou een stuk meer tevredenheid op de wereld zijn.

Zou haar moeder die opmerking hebben gemaakt omdat ze de broche had gevonden? Vast niet. Haar moeder zou nooit in haar spullen snuffelen. Hoe het kon, wist Francina niet, maar ze was er plotseling zeker van dat haar moeder in de gaten had dat ze een vriend had. Zou dat nou typerend zijn voor een echte moeder? Dat je ver bij je dochter vandaan woonde en toch wist wat er leefde in haar hart?

Hercules' moeder zou er kapot van zijn, als haar zoon thuiskwam met een vrouw die haar vruchtbare tijd had gehad. Francina had het bezoek nog weten uit te stellen met de smoes dat ze Monica en de jongens niet al zo vlug opnieuw alleen kon laten, maar eens moest het er toch van komen.

Hij leek vaart achter de kennismaking te willen zetten. Als zij haar zin kreeg, zouden ze nog een paar jaar op dezelfde voet doorgaan – en misschien wel voor altijd. Haar eigen moeder liep er steeds over te tobben hoe het nou met haar moest als ze oud werd en geen kinderen had. Alsof haar neven haar zouden laten verhongeren! Bovendien had Monica haar een pensioentje beloofd. Nee, nooit van haar leven zou zij nog afhankelijk zijn van een man – voor haar inkomen niet en voor haar veiligheid ook niet. Hercules zou dat gewoon moeten begrijpen.

Monica sloeg het boek open en Sipho begon te lezen. 'Het grootste deel van Zuid-Afrika ligt vrij hoog, zodat de temperaturen er lager zijn dan in andere plaatsen op dezelfde breedtegraad. De mete... mete... Monica! Wat staat hier?'
Monica zat naar buiten te kijken. Het was al bijna halfzeven en Francina kon elk moment door de achterdeur binnenkomen om het eten op te dienen.
'Waar, lieverd?' Ze richtte haar aandacht weer op het boek, maar had geen idee wat hij had gelezen.
'Dit woord,' wees hij.
'Meteorologisch. Dat slaat op de atmosfeer en de weersomstandigheden.'
Ze moest Francina zo langzamerhand toch wel vertellen over die baan in Lady Helen; ze kon het niet blijven uitstellen, zeker niet gezien Francina's griezelige vermogen om aan te voelen dat er iets broeide. Maar jammer was het wel; sinds ze terug was uit Kwazulu-Natal was ze ongewoon opgewekt. Terwijl Sipho gewoon doorlas, ging de keukendeur open en stapte Francina naar binnen met een jurk, die ze gezien de verpakking net van de stomerij had gehaald. Toen ze zag dat Monica en Sipho druk bezig waren, hing ze de jurk over een stoelleuning en begon de pasta op te scheppen.
Monica had haar cv naar de hoofdredacteur gefaxt en die had haar onmiddellijk voor een sollicitatiegesprek uitgeno-

digd. Dominee Wessels was enthousiast over het idee, ook al moest hij daarvoor zijn twee lievelingetjes vaarwel zeggen.

'Sipho,' zei Monica, 'ik moet Francina even spreken. Kun je even zonder mij verdergaan?'

Hij knikte, wat al te gretig naar haar smaak. Nou ja, veel hulp had hij vanavond ook niet van haar gehad.

Terwijl Francina de Parmezaanse kaas stond te raspen, legde Monica haar de kwestie voor.

'Lady wie?' vroeg Francina, toen Monica uitgesproken was.

'Helen.'

Francina schudde haar hoofd. 'Nooit van gehoord. Waarom heet het geen Sir nog wat – of hoe de man van een lady ook maar heet?'

Dit had Monica niet verwacht. 'Ze is bij haar man weggelopen en heeft het stadje gesticht samen met een groep slaven die ze had bevrijd.'

Er was inmiddels meer dan genoeg geraspte kaas, maar Francina ging gewoon door. Ze blies haar wangen bol, net zoals Sipho deed wanneer hij een extra moeilijke rekensom onder handen had.

'Het is maar een klein stadje, maar het doet wel heel ruim aan,' zei Monica. 'Er staan geen hoge muren om de huizen, zoals hier.'

'Hercules wil me aan zijn moeder voorstellen.'

Die simpele woorden veranderden alles.

'O,' zei Monica en probeerde haar teleurstelling te verbergen.

'Ik heb tegen hem gezegd dat ik niet nog eens een paar dagen vrij kon nemen en dat het dus een paar maanden moest wachten.'

De hoofdredacteur wilde Monica graag het komende weekend spreken. Ze zou vrijdag een vrije dag nemen en de jongens zouden meegaan. Het had geen zin het onvermijdelijke nog langer uit te stellen.

'Als je wilt, kun je vrijdag gaan,' zei Monica.

Francina greep naar haar hoofd. 'Ah... dan al?'

'Je jurk is klaar. Ik neem tenminste aan dat het die jurk is die daar over de stoel hangt.'

Francina liet hem uit de plastic zak glijden.

'Hij is prachtig,' zei Monica en voelde aan de stof. 'En zo vrouwelijk,' voegde ze eraan toe, toen ze plotseling de taille ontdekte.

Francina verborg haar gezicht achter het kledingstuk.

'Doe niet zo verlegen,' zei Monica. 'Je bent een knappe vrouw, maar dat weet hij vast al.'

Francina bracht de jurk naar haar kamer, voordat Mandla er aan zou zitten. Monica ging met de jongens aan tafel, met het verdrietige gevoel dat ook Francina op het punt stond uit hun leven te verdwijnen.

'Wat is er?' vroeg Sipho.

'Niks, lieverd.'

Haar egoïstische gedachten vervulden haar met schaamte. Als vrouw van een onderwijzer zou Francina een prettig leven hebben. Ze zou blij voor haar moeten zijn, in plaats van er over in te zitten dat zij het voortaan in haar eentje moest zien te redden.

'Wat zouden jullie ervan vinden om weer eens te gaan vliegen?' vroeg ze de jongens.

'Leuk, leuk, leuk!' riep Mandla meteen.

Sipho zette grote ogen op. 'Naar Nonna en Nonno?'

Ze aaide hem over zijn rug. 'Nee, ergens heen waar we nog nooit eerder geweest zijn.'

Het leek haar verstandiger de werkelijke reden nog even te verzwijgen, voor het geval het allemaal op niets uit zou lopen. Sipho had in zijn korte leven al genoeg teleurstellingen te verwerken gekregen.

'Moet ik dan vrij vragen van school?'

Ze knikte en het deed haar pijn toen ze zag hoe opgelucht hij reageerde. Die hoofdredacteur moest en zou haar die baan aanbieden! Ze hadden Lady Helen allemaal nodig.

Zeven

'Waar moeten honden eigenlijk slapen op een boot?' vroeg Mandla, terwijl hij tegen de achterkant van Monica's stoel zat te schoppen.

Sipho zuchtte diep. Op zijn aandringen was Monica het verhaal over het ontstaan van Lady Helen gaan vertellen en ze had zojuist verteld hoe Lord Charles Gray, de Engelse magistraat en verzamelaar van jachthonden, in 1806 naar de Kaap was gekomen om de formele overdracht van de kolonie door de Hollanders aan de Engelsen voor te bereiden.

Hoewel slavernij in die tijd een normaal verschijnsel was, was Lady Helen ontzet toen ze op de kade werd begroet door een Engelse commandant die haar vijftien mannen en vrouwen cadeau gaf voor het werk in de keuken. Enkelen van hen waren geïmporteerd uit Azië, en de overigen waren afkomstig uit Angola, Mozambique en Madagaskar, omdat de Hollandse Oost-Indische Compagnie, die de Kaapkolonie in 1652 had gesticht, had verordineerd dat de inheemse bevolking niet tot slaaf mocht worden gemaakt.

'Lady Helen begon in het geheim een schooltje, waar de slaven lezen en schrijven konden leren,' vervolgde Monica haar verhaal, nadat ze Mandla een kleurboek en kleurpotloden had gegeven. Hij had een hekel aan lang stilzitten. 'Maar haar man kwam erachter en beval haar de school te sluiten, of anders terug te keren naar Engeland.'

'Waarom?' vroeg Sipho.

'Als mensen weinig weten, is het gemakkelijker om hen in het gareel te houden. Dat betekent...'

'Net als dieren op de boerderij,' zei Sipho.

'Klopt,' zei Monica. 'Diezelfde nacht ging ze er stiekem vandoor, samen met vijftig slaven, alle paarden en vier voorraadwagens. Ze trok langs de hele westkust, tot voorbij de laatste nederzetting van de kolonie, Saldanha Bay.'

'Heeft hij haar gevonden?'

'Acht maanden lang leefden ze daar ongestoord, en toen werden ze door de speurders van Lord Charles ontdekt. De slaven kregen met de zweep en moesten geboeid naar Kaapstad teruglopen. Ze kregen de hele tocht geen voedsel en water. Bij degenen die het overleefden werd de achillespees doorgesneden, om te voorkomen dat ze ooit opnieuw zouden ontsnappen.'

Sipho had al heel wat geschiedenisboeken gelezen en in de meeste daarvan stonden schokkende gebeurtenissen beschreven, maar toch keek Monica aandachtig in de achteruitkijkspiegel om te zien of haar verhaal hem niet van streek maakte. Dat was niet het geval; wel leek hij diep in gedachten verzonken.

'En wat gebeurde er met Lady Helen?' vroeg hij toen.

'Dat weet niemand. Volgens sommigen is ze doodgeschoten en ter plekke begraven. Anderen beweren dat ze mee teruggenomen werd naar Kaapstad en daar voor de rest van haar leven in de wijnkelder van haar man opgesloten heeft gezeten.'

Monica nam de afslag naar Lady Helen. Mandla's kleurboek en potloden gleden op de vloer en Sipho legde voorzichtig een dunne deken over zijn slapende broertje heen.

'Volgens mij zie ik de oceaan al,' fluisterde hij opgewonden.

'Dat kan. Jij hebt de prijs gewonnen van de wedstrijd wie het eerst de Atlantische Oceaan zou zien.'

De Middellandse Zee had hij al eens gezien, maar dit was de eerste keer dat hij de oceaan zag in zijn eigen land.

'Het water schittert zo,' zei hij met de hand boven de ogen.

In Italië werd de weerkaatsing van het licht op het water altijd wat gedempt door de luchtvochtigheid, maar hier, aan de Afrikaanse westkust, was het weer een van die kurkdroge dagen onder een eindeloos blauwe hemel. Sipho draaide het raampje open om de lucht op te snuiven en Monica liet de geschiedenisles voor wat hij was, zodat Sipho van het heden kon genieten.

Wat ze nog niet had verteld, was dat het primitieve stadje dat Lady Helen had gesticht meer dan een eeuw lang verlaten was gebleven, totdat een groep Afrikaner boeren het in bezit had genomen en er een gezamenlijke struisvogelfokkerij had opgezet. Op de buitenlandse markt brachten de veren veel geld op; ze werden verwerkt in damesmode. Het duurde echter niet lang of de coöperatie verloor de concurrentieslag met het goedlopende bedrijf in Oudtshoorn, een stadje ten zuidwesten van Lady Helen. Uiteindelijk viel ze uit elkaar en de boeren wendden hun blik naar de oceaan.

Bijna zestig jaar lang was Lady Helen een bloeiende vissershaven. Toen verschenen de diepzeetrawlers aan de horizon. De plaatselijke vissers zagen zich gedwongen hun huizen te verlaten om werk te gaan zoeken in Kaapstad, waar ze vaak terechtkwamen bij dezelfde viscorporaties die hun het brood uit de mond hadden gestoten.

Het stadje zou in de brandende zon zijn weggekwijnd, als de gevierde kunstenaar S.W. Greeff er op een van zijn zwerftochten niet toevallig op was gestuit. Hij was meteen verliefd geworden op de verwilderde bougainvillea's, de vervallen vissershuisjes en het heldere licht. Andere kunstenaars volgden en het duurde niet lang of het stadje was een artistiek centrum van enige faam.

Toen een Maleisische zakenman vervolgens ten noorden van het stadje een luxe hotel annex golfbaan liet bouwen, ontstond er een toeloop van boeren en kleine ondernemers, die hoopten in het hotel een afzetmarkt te vinden voor hun groenten, vlees, melk, brood en schoonmaakmiddelen. Dat liep echter op niets uit. Afgezien van de schelpdieren die de dorpsvrouwen van de rotsen schraapten, werden alle voorraden met vrachtwagens vanuit Kaapstad aangevoerd. Alsof dat nog niet erg genoeg was, waagden de gasten van het hotel zich ook nooit buiten het terrein. Sommigen beweerden dat golfers nu eenmaal geen kunstliefhebbers waren, maar Lady Helen had heus wel meer te bieden dan alleen kunstgalerieën. Uiteindelijk bood het hotel slechts één man uit het dorp een baan, als bordenwasser. Deze maakte van de gelegenheid gebruik om ten behoeve van het hele stadje te spioneren. Van hem kwam het bericht dat de eigenaar van het hotel, de heer Yang, zijn gasten wijsmaakte dat het niet veilig was om zich buiten het hotelterrein te begeven. Dit was natuurlijk helemaal niet waar, maar omdat de meeste gasten uit het buitenland afkomstig waren, kenden ze de streek onvoldoende om beter te kunnen weten.

De boeren en ondernemers waren uiteraard nogal ontmoedigd, maar gelukkig hoefden ze toch hun biezen niet te pakken. Gelokt door het schone water, het heldere licht en de rust stroomden de mensen toe, soms helemaal vanuit Zimbabwe. In een mum van tijd was de kunstenaarskolonie uitgegroeid tot een echte stad, met een school, een ziekenhuis en een burgemeester. De jongste aanwinst voor Lady Helens economie was een duikschool, die zich toelegde op het duiken naar scheepswrakken. Lady Helen was nog nooit zo gezond geweest.

Boven op het koppie zette Monica de auto stil, zodat Sipho een goed zicht had op het stadje daarbeneden.

Mandla werd wakker. 'Is dat een speeltuin?' vroeg hij slaperig, toen ze hem uit het autostoeltje tilde. Monica glimlachte. Ze herinnerde zich dat Lady Helen haar bij de eerste kennismaking aan een koraalrif had doen denken.

Sipho had echter meer belangstelling voor de oceaan dan voor het stadje. 'Als je nu een boot had en je voer recht naar het westen, dan kwam je in Zuid-Amerika,' legde hij uit, maar Mandla had een paar steentjes opgeraapt, en vond het geluid dat die maakten als hij ze tegen een lager gelegen rotsblok smeet veel leuker.

Vanwege het zomerkunstfestival was de Hoofdstraat voor alle verkeer gesloten. Dit festival was een evenement dat bezoekers trok uit het hele land. Tegen de tijd dat Monica het weiland opreed dat dit weekend als parkeerplaats fungeerde, was het al bijna vol. Als de hoofdredacteur geen kamer voor hen had gereserveerd in het pension van een van zijn kennissen, hadden ze diezelfde avond nog naar Kaapstad terug moeten rijden.

'Ik heb honger,' deelde Mandla mee, zodra hij de uitgestalde pasteitjes ontdekte in de etalage van het eetcafé dat Monica zich van haar eerste bezoek herinnerde. Sinds hun vroege middagmaal op het vliegveld waren alweer vier uren verstreken.

'Vooruit dan maar,' zei Monica en Mandla stormde onmiddellijk naar binnen.

De mensen in Mama Dlamini's Eetcafé gingen dadelijk opzij toen ze zagen wie er tegen hun benen stond te duwen.

'Doe dat eens niet!' waarschuwde Monica hem, terwijl ze zich links en rechts verontschuldigde. Maar niemand leek het erg te vinden. Integendeel, de vertederde uitroepen waren niet van de lucht en een vrouw in een elegante kaftan met zwarte en crèmekleurige banen kneep hem zelfs even in de wang. Mandla schonk haar een engelachtige glimlach, waarop ze haar half opgegeten broodje haastig in een servetje wikkelde, een grote slok koffie nam en hun haar tafeltje aanbood.

'Eet toch eerst rustig af,' zei Monica. 'Wij vinden wel een ander plekje.'

'Vast niet, liefje,' zei de vrouw, duidelijk zelf een kunstenares, terwijl ze opstond. 'Niet in dit weekend. Het is dat we

76

ervan moeten leven, maar verder kan al deze drukte ons gestolen worden.' Ze droeg een aardewerken speld in de vorm van een vlinder in haar kroeskapsel en om haar hals had ze een ketting van grillig gevormde bruine kralen.

Mandla had haar stoel al in beslag genomen en zat de illustratie op de kaft van het menu te bekijken. Het kon Monica nog altijd met verbazing vervullen dat hij zo sterk op zijn moeder leek.

'Nou, bedankt dan maar,' zei ze, maar de vrouw priemde plotseling een wijsvinger in haar richting en zei: 'Nu zie ik het! Jij bent dat meisje van de televisie, dat misschien de baan van Max gaat overnemen.'

Monica wilde Sipho's hand grijpen, maar hij trok zich van haar terug.

'Als je Lady Helen eenmaal hebt ontdekt, kom je er steeds weer terug,' ging de vrouw verder, zich niet bewust van het onbehagen dat ze tussen Monica en Sipho had veroorzaakt. 'Al die mensen hier komen ieder jaar, maar alleen geluksvogels zoals wij hebben de kans gekregen er te blijven.' Ze gaf Monica een tikje op haar schouder. 'Neem van mij aan dat Max dolgelukkig met je zal zijn.'

Ze vertrok. Sipho greep de menukaart en ging die stilzwijgend zitten bestuderen.

'Ik heb je er niets over verteld, omdat ik niet zeker wist of het iets zou worden,' zei Monica. Ze tastte opnieuw naar zijn hand en deze keer liet hij toe dat ze hem aanraakte. 'En ik wilde eerst ook zien of jullie het hier wel fijn vonden. Wees alsjeblieft niet boos, lieverd.'

'Okééé,' zei hij lijzig. Meteen daarop klapte hij fel in zijn handen en Mandla zette onmiddellijk het kannetje stroop, dat hij boven de suikerpot had willen omkeren, weer neer. Ze bestelden kipwraps en Mandla schrokte de zijne naar binnen alsof hij in geen dagen iets had gegeten. Sipho, die anders nooit kieskeurig was, pikte de stukjes kip ertussenuit en klaagde dat de dressing veel te zout was.

Ondertussen maakte Mama Dlamini haar ronde om te controleren of haar klanten tevreden waren. Mandla keek met open mond hoe ze haar omvangrijke gestalte tussen de tafeltjes door wrong. Hij stond op het punt luidkeels commentaar te leveren, maar Monica legde net op tijd haar vinger op de lippen om hem tot zwijgen te manen.

Mama Dlamini had een keffende lach, als van een klein hondje, en ze leek in alles een aanleiding te zien om in lachen uit te barsten: in een groet, in een compliment over het eten, in een verzoek om nog een kop koffie.

Monica keek om zich heen. Ze kreeg de indruk dat de mensen met opzet trager kauwden, zodat de gastvrouw hun tafeltje bereikt zou hebben voor ze klaar waren met eten.

'Zijn de wraps lekker?' vroeg Mama Dlamini, toen ze bij hun tafeltje was aangeland.

'Ze zijn verrukkelijk,' antwoordde Monica, wetend dat Sipho haar niet zou tegenspreken.

Mama Dlamini legde haar ene hand op Mandla's hoofd. 'Dit is een echte drukteschopper,' zei ze en Monica's hart sloeg een slag over. Het was hetzelfde woord dat Ella op haar sterfbed had gebruikt om haar jongste zoon te karakteriseren.

'Jou hoop ik nog eens te ontmoeten, jongeman,' zei Mama Dlamini tegen Sipho, terwijl ze haar hand even tussen zijn schouderbladen liet rusten. Sipho glimlachte, maar vond de aanraking duidelijk niet prettig.

Monica veegde de ketchup uit Mandla's haar en wimpers. Daarna gingen ze nog even naar het toilet en rekenden af. Buiten kwamen ze midden in een dringende mensenmenigte terecht. Een mededelingenbord voor de grote galerie naast het café kondigde aan dat S.W. Greeff daar om vier uur zou spreken over 'De kunstenaar als bewerker van maatschappelijke verandering'.

'Zullen we daarheen gaan?' stelde Sipho voor.

Monica was verbaasd. 'Ken je hem dan?'

'Hij is de schilder van "Het meisje en de walvis". Ik heb dat schilderij gezien in een van mijn natuurtijdschriften. De walvis was gestrand en doodgegaan en het meisje stond in een van zijn enorme ogen te staren.'

'Hè, wat verdrietig.'

'Het is de natuur. Volgens sommige mensen wordt het navigatievermogen van zo'n walvis aangetast door een oorontsteking, en anderen denken dat ze in paniek raken als ze een baai met een nauwe toegang zijn ingezwommen, omdat ze dan denken dat ze opgesloten zitten.'

Wat wordt hij groot, dacht Monica. Nog niet zo lang geleden veroorzaakte ieder plaatje van een dood dier of van een dier dat een ander dier doodbeet en opvrat, nog een enorme huilbui.

In de deuropening van de galerie verscheen een tienermeisje in een gescheurde spijkerbroek en een witkatoenen tuniek. Ze deelde mee dat er geen plaatsen meer vrij waren en de menigte kreunde.

'Sorry, lieverd,' zei Monica.

'Nou ja, ik denk ook niet dat hij daar stil had kunnen zitten,' meende Sipho, met een hoofdbeweging naar zijn broertje.

'Nee, inderdaad,' zei Monica en ze haastte zich om Mandla's vingertjes los te maken uit de glanzende franje van een damesponcho. Op haar omstandige verontschuldigingen zei de dame dat ze onmogelijk boos kon worden op een belager met zo'n schattig snoetje. Mandla's charme had weer gewerkt, maar toch leek het Monica verstandig hem tussen de mensen vandaan te halen voor hij echt problemen zou veroorzaken.

Het schoot haar te binnen dat er evenwijdig aan het strand een park was en dus nam ze Mandla bij de hand en liep met beide jongens de Hoofdstraat door. Het was verder lopen dan ze zich herinnerde, maar Mandla kon haar kreupele gang goed bijhouden en Sipho mopperde niet. Bij het park gekomen haalde Mandla diep adem in de straffe oceaanbries en zette het meteen op een rennen, zwaaiend met zijn armen als een albatros die moet leren vliegen. Zelfs Sipho moest erom lachen.

Op het toneel van het amfitheater was een groep muzikanten hun strijkinstrumenten aan het stemmen. Algauw stond Mandla luidkeels mee te zingen, tot grote hilariteit van iedereen daar in de buurt. Toen de groep het eerste nummer inzette, een volksliedje met een swingend ritme, begon hij erbij te dansen en in een mum van tijd had hij een kleine schare toeschouwers om zich heen verzameld. De mensen lieten zelfs hun picknickdekens en tuinstoelen in de steek om te zien wat zich daar in het amfitheater afspeelde.

'Maak maar een mooie buiging,' zei Monica, die graag een einde aan de vertoning wilde maken. Het jongetje zwierde zijn arm laag langs de grond en zijn fans applaudisseerden.

'Nu gaan we naar de oceaan kijken, mijn kleine popster.'

Misschien was het geen verstandig idee, want de wind was behoorlijk aangewakkerd, maar het was de enige manier om hem hier weg te krijgen. Je wist nooit wat hij hierna zou uithalen. Voor hetzelfde geld klom hij gewoon bij de muzikanten op het podium.

Het smalle strand tussen de palmbomen en de oceaan ging bijna schuil in een nevel van stuivend zand. Vlak voor de kust lag een rotsformatie, genadeloos geteisterd door de beukende golven van het wassende tij. Sipho en Monica keken toe vanaf het grasveld, maar Mandla rende joelend over het strand heen en weer. Toen hij weer bij hen terugkwam, kleefde het zand in zijn kleren, zijn haren en zelfs in zijn wimpers. Monica klopte hem af en zei dat ze nu beter Abalone House konden gaan zoeken, voordat de eigenaar hun kamer aan iemand anders zou geven.

Het concert was nog in volle gang en het park was helemaal volgelopen met mensen. Daarom leidde Monica de jongens achter het podium langs, in de richting van de rotstuin, waar ze een man tegen het lijf liepen die een hek aan het lassen was dat om een standbeeld heen stond.

'Ik wil kijken,' zei Mandla meteen en probeerde zich los te rukken.

'Nee, dat is gevaarlijk,' legde Monica uit, maar daardoor ging hij alleen nog maar harder trekken.

De man zette het lasapparaat uit en deed de klep van zijn helm omhoog. 'Sorry, mevrouw,' zei hij. 'Normaal zou ik dit nooit doen als er kinderen in de buurt zijn, maar iemand heeft de sierbollen aan de bovenkant van dit hek gestolen en als ik het zo laat, zou een kind zich eraan kunnen bezeren.' Hij schudde zijn hoofd. 'Hoe ze die dingen eraf hebben gekregen, mag Joost weten.'

'Waarom zouden ze dat doen?' vroeg Monica.

De man haalde zijn schouders op. 'Verveelde tieners die door hun ouders hierheen gesleept zijn? Wie zal het zeggen? De jeugd van tegenwoordig is niet geïnteresseerd in het maken van iets nieuws. Ze zijn er alleen op uit alles wat oud is te vernielen.'

Het standbeeld stelde een vrouw voor in een lange rok met jak en een hoedje met veren. De plaquette aan haar voeten meldde dat het hier om Lady Helen ging.

Mandla slaagde er eindelijk in zich los te wringen en voelde met zijn vinger aan de tatoeage op de onderarm van de man.

'Laat dat,' zei Monica, die zich schaamde.

'O, dat geeft niks. Je denkt zeker dat ik op mijn eigen vel heb zitten tekenen, kereltje?'

Mandla grijnsde Monica toe, alsof hij zeggen wou: 'Zie je wel, andere mensen doen dat ook.'

'Tsja, een mens doet rare dingen als hij jong is en drie maanden lang op volle zee op een schip zit opgesloten.'

Mandla knikte ijverig, alsof hij het begreep.

De man had een gegroefd gezicht. Zijn haar was bijna volledig grijs, maar onder zijn verschoten geruite kiel spanden een paar gespierde armen en schouders en een brede rug.

'Hebben jullie nog iets leuks kunnen kopen?' informeerde hij nu.

Monica schudde haar hoofd. 'We zijn hier niet voor het festival. Ik heb een sollicitatiegesprek.'

'Aha, de functie van Max. Jij bent dat meisje van dat televisieprogramma. Ik herkende je niet, want op de buis leek je een stuk dikker. Mijn naam is Oscar.' Hij stak zijn hand uit, zag toen pas hoe vuil die was en probeerde hem aan zijn broekspijpen schoon te vegen.

Monica besloot zich niet beledigd te voelen door zijn opmerking en schudde hem de hand.

'Heb jij toevallig ook dat prachtige hek om de begraafplaats gemaakt?' vroeg ze toen.

Hij knikte. 'Op een dag zal ik je laten zien hoe het moet, kereltje,' zei hij tegen Mandla. Die sprong van geestdrift op en neer. 'Ik mag de vuurspuger vasthouden, Sipho!' riep hij.

'We zullen maar beginnen met iets wat een beetje minder gevaarlijk is,' zei Oscar. 'Tegen de tijd dat je vijftien bent, ben je wel zover.' Maar Mandla rende rondjes om zijn broer heen en hoorde het niet.

Sipho greep hem om zijn middel. 'Je wordt nog duizelig.' Mandla plantte een zoen op zijn wang en Sipho glimlachte, maar veegde toch zijn wang af.

Ze namen afscheid van Oscar en begonnen aan de lange wandeling terug naar de auto. Het was nu wat rustiger in de Hoofdstraat. De meeste bezoekers zaten in de galerieën naar lezingen te luisteren, of waren in het park voor het middagconcert, of hadden een restaurant opgezocht voor een vroege avondmaaltijd.

Het pension dat Max voor hen had uitgekozen bevond zich in de noordoostelijke hoek van het stadje, niet ver van het ziekenhuis.

Toen ze langs de begraafplaats reden, riep Mandla meteen: 'Ik ga een hek maken dat nog veel groter is!'

Net als de meeste andere gebouwen in Lady Helen had Abalone House een zinken dak, houten kozijnen, een eigen bougainvillea – een oranje exemplaar – en een ruime, overdekte veranda met een gladde betonnen vloer. Het was prettig om eindelijk op een beschaduwde plek te zijn en Monica keek verlangend naar de rieten kuipstoelen, die rond een antieke, houten dekenkist waren gegroepeerd. Mandla's aandacht daarentegen werd getrokken door een paar tamelijk krakkemikkige schommelstoelen.

'Pas op!' waarschuwde ze hem meteen.

'Het kan geen kwaad, hoor,' zei de vrouw die net de hordeur opendeed. 'Ze lijken rijp voor de open haard, maar ze zijn heel solide. Jij moet Monica zijn. Ik ben Clare, maar de meeste mensen noemen me Kitty.'

Kitty was een lange, slanke vrouw met hoge jukbeenderen, en lichtbruine ogen in een gezicht dat werd omkranst door korte, donkere plukjes haar. Ze was eerder een opvallende dan een knappe verschijning, en Monica vroeg zich af of ze ooit modeshows had gelopen.

'Ik zal jullie eerst naar je kamer brengen. Ik ben bang dat het hoofdgebouw helemaal vol zit, maar bij wijze van speciale gunst aan Max heb ik de Oude Stal in orde gemaakt.'

Mandla liet een juichkreet horen. 'We gaan bij de koeien slapen!'

Kitty lachte. 'De stal is al jaren geleden tot vakantiehuisje verbouwd, maar tot nu toe stond hij vol met dozen.'

'Ben je hier pas komen wonen?' wilde Monica weten.

'Een jaar geleden. Ik kom uit Kaapstad. We hebben het zo druk gehad met het veranderen van allerlei dingen, dat er nog het een en ander was blijven liggen. Dankzij jullie hoort de Oude Stal daar niet meer bij.'

Het witgepleisterde huisje bevond zich achter het grote huis. Je moest er een weelderig gazon voor oversteken, dat bezaaid lag met overrijpe abrikozen.

'Ik kan er beter jam van maken voor ze allemaal op de grond liggen,' merkte Kitty op, terwijl ze de staldeur opengooide.

De Oude Stal bestond uit een woonkamer, een ruime badkamer met een douche en een slaapkamer. De woonkamer was ingericht met een donkergroene bank, een gebloemde fauteuil en een geelhouten koffietafel, en in de slaapkamer stond een hemelbed met een draperie van golvende, witte organza.

'De bank kun je uittrekken tot een tweepersoonsbed,' legde Kitty uit. 'In de kast liggen extra lakens en dekens. Als je iets nodig hebt, pak je gewoon de telefoon en draai je nummer 29. Het kan even duren voor je gehoor krijgt. De andere gasten gebruiken het diner in het huis, maar ik kan me voorstellen dat jullie moe zijn en het prettig vinden als ik een dienblad hier kom brengen.'

Nadat ze vertrokken was, rende Mandla door het huisje heen en weer, rukte de kastdeurtjes open, gluurde achter de gordijnen en onderwierp zelfs de koelkast aan een nauwkeurige inspectie.

'Er is hier geen tv,' zei hij ten slotte teleurgesteld, toen hij overal had gezocht.

Monica tilde hem op. Hij was moe. 'Je zult eens zien hoeveel plezier je zo dadelijk hebt in die leuke, grote douche. Daarna gaan we eten en spelletjes doen en dan zullen we morgen de omgeving gaan verkennen.'

De volgende ochtend was de Hoofdstraat nog steeds niet toegankelijk voor verkeer. Daarom parkeerde Monica de auto bij een restaurant en daarna liepen ze dwars door het park naar het kantoor van de krant. Het was gevestigd in een omgebouwd pakhuis, waarin ooit dozen vol struisveren opgeslagen waren geweest. Op een van de buitenmuren kon je nog net de twee verdiepingen hoge contouren zien van een vrouw met een uitbundige verentooi op haar hoed. *Elegant, Modern, de Tijd vooruit – dat is de Parijse Vrouw*, stond er in krullerige letters onder.

Het redactiegebouw was vanaf Abalone House gemakkelijk lopend te bereiken geweest, maar ze waren allemaal moe van de lange wandeling die ze er al op hadden zitten –

broodnodige lichaamsbeweging na het stevige ontbijt van muesli, zelfgemaakte yoghurt, vers fruit, zoete roomkaas, volkoren pannenkoeken met walnoten en ahornsiroop, guavesap en sterke rooibosthee. Geen wonder dat Kitty tijd tekortkwam.

Toen ze zag hoe Mandla achter elkaar vijf brokken kaas naar binnen werkte, had Kitty een bezoekje voorgesteld aan Peg, de eigenaresse van de zuivelboerderij, zodat ze wat kaas konden kopen om mee naar huis te nemen. Een andere keer zou Peg hun graag een rondleiding hebben gegeven, meende Kitty, maar vandaag krioelde het er waarschijnlijk van de klanten.

Tijdens hun wandeling waren ze inderdaad langs de boerderij gekomen en Mandla had een enthousiast gesprek met de koeien aangeknoopt, maar ze waren niet naar binnen gegaan, omdat het er inderdaad vreselijk druk was. Achter de boerderij strekte zich een groen weiland uit tot halverwege een koppie, waar het abrupt overging in fynbos. De boerderij lag minder dan een mijl van het stadje verwijderd en aan weerszijden bevonden zich woonhuizen uit dezelfde stijlperiode, wat Monica de indruk gaf dat het met opzet zo was ontworpen.

Aangekomen in de Hoofdstraat was Mandla meteen een kijkje gaan nemen bij de irrigatiegreppels. *Francina en ik zullen hem goed in de gaten moeten houden met die dingen in de buurt*, zei Monica tegen zichzelf, maar toen ze bedacht waar Francina dit weekend was, was de groeiende opwinding die zich van haar meester had gemaakt in één klap verdwenen.

Max had het goed gevonden dat de jongens bij het gesprek aanwezig waren. Terwijl ze bij de receptie zaten te wachten, prentte Monica hun nogmaals in zich goed te gedragen – of liever gezegd: ze prentte het Mandla in. Sipho was al verdiept in een leesboek uit Kitty's bibliotheek. Er was verder niemand, maar Max had hen zien arriveren en meldde via de intercom dat hij er zo aankwam. Boven hun hoofden zoefde een ventilator. Mandla zat een beetje doelloos door de boeken te bladeren die Monica had meegenomen om hem bezig te houden.

De man die binnenkwam, had nog maar een paar grijze plukjes haar boven elk oor. Hij bewoog zich moeizaam met behulp van een stok. 'Fijn om u te ontmoeten, miss Brunetti,' zei hij. Monica legde een hand op Mandla's schouder om te voorkomen dat hij meteen de versierde knop van de wandelstok zou gaan bekijken.

'Kom maar mee naar mijn kantoor. Ik heb voor de kinderen frisdrank klaarstaan.'

Max had hangwangen en zijn kale hoofd zat vol ouderdomsvlekken, maar aan zijn helderblauwe ogen en brede kaak kon Monica zien dat hij in zijn jeugd een knappe man was geweest.

Ze volgden hem naar het kantoor en hij vroeg Sipho de deur achter hen te sluiten. 'Voor het geval er een toerist binnenkomt,' verklaarde hij. 'De stad is net een mierennest op dit moment.'

Hij bood Monica een stoel aan en wees de jongens een plaats op een versleten, oranje bank. Zelf liet hij zich achter zijn bureau in een luxe bureaustoel zakken. 'Ik ben bang dat deze stoel niet bij de functie inbegrepen is,' zei hij. 'Ik heb hem gekocht toen mijn artritis begon te verergeren, en straks heb ik hem thuis nodig, omdat ik mijn memoires wil gaan schrijven – voor mijn zoon, overigens, niet voor publicatie. Mijn zoon heeft een computer voor me gekocht. Ik heb nog nooit met zo'n apparaat gewerkt. Ik sla mijn informatie liever zo op dat ik kan zien waar het is.' Hij maakte een armgebaar naar een stel metalen dossierkasten. 'Vijftig jaar werk zit er in die dingen – veertig in Kaapstad en tien jaar hier.'

Hij merkte dat Sipho naar de wand zat te staren, die vol hing met ingelijste foto's. 'En dat zijn de mensen die ik in die jaren heb ontmoet. Hoe kun je dat in vredesnaam allemaal in een computer invoeren?'

Monica wist dat het antwoord op het puntje van Sipho's tong lag, maar dat de vraag onbeantwoord zou blijven omdat Sipho nooit iets zou zeggen als hij niet direct werd aangesproken.

'Je hebt misschien al gemerkt dat we elkaar hier in Lady Helen allemaal tutoyeren, dus noem me liever geen meneer Andrews. Dat is voorbehouden aan de belastinginspecteur en aan eventuele woedende lezers.'

Monica ritste haar aktetas open. 'Ik heb wat werk meegenomen om te laten zien.'

Hij maakte een afwerend gebaar. 'Niet nodig. Ik heb je gezien in *Van dichtbij*. Je hebt talent, dat is een feit. Ik wilde je alleen nog graag persoonlijk leren kennen. Ik kan iemand binnen een paar seconden peilen. Dat heeft me ook in staat gesteld het vol te houden in dit vak, terwijl een heleboel anderen de benen hebben genomen naar de reclame en de pr.'

Hij snoof en Monica zag Sipho's mond verstrakken.

'Die bedrijfstakken zijn allebei ook nodig voor een gezonde economie,' zei ze.

Max fronste de wenkbrauwen bij deze onderbreking.

'Sipho's moeder was pr-functionaris,' voegde Monica eraan toe, 'en een heel goede ook.'

Over Max' gerimpelde gezicht trok een brede grijns. 'Dat is nu precies de reden waarom ik je persoonlijk wilde ontmoeten. Of iemand talent heeft, kun je op de buis of in de krant wel zien, maar als je iemands karakter wilt beoordelen moet je direct contact hebben. Als je wilt, kun je die baan krijgen.'

Monica keek naar Sipho, maar van diens gezicht viel niets af te lezen.

'Dank je. Mag ik nog even wat bedenktijd? Ik wil het eerst met mijn gezin bespreken.'

'Natuurlijk,' antwoordde hij. 'Er is eigenlijk maar één ding dat ik absoluut van je eis, Monica.'

'En dat is?' vroeg ze, in de veronderstelling dat het een kopie zou zijn van haar diploma of van haar rijbewijs.

'Respect,' zei hij. 'Niet zozeer voor mij – je mag me noemen zoals je wilt – maar voor de inwoners van deze stad. Sommige van die stadsmensen die hier dezer dagen rondstappen, gedragen zich alsof we een soort openluchtmuseum vormen. We mogen hier dan een vrij eenvoudig bestaan leiden, dat wil nog niet zeggen dat we ook simpel zijn.'

Monica had graag gezegd dat zijn mensenkennis hem blijkbaar in de steek had gelaten, als hij dacht dat het nodig was om haar in dit opzicht te waarschuwen, maar ze achtte het te vroeg om al zo vrijmoedig tegen hem te zijn. Dat kwam later nog wel, daar was ze zeker van.

Ze vonden dokter Niemand achter het ziekenhuis, waar hij naar het karkas van een generator zat te staren.

'Monica!' riep hij uit. 'Wat leuk om je weer te zien! Heb je de baan aangenomen?'

Hoe kon hij nou weten dat ze de functie aangeboden had gekregen? Ze kwam regelrecht van het kantoor van de krant! Ze had juist verwacht dat hij verbaasd zou zijn haar weer hier in Lady Helen te zien.

'Ik moet het eerst nog met mijn gezin bespreken,' zei ze en keek zijdelings naar Sipho.

'Dat is verstandig,' zei dokter Niemand met een glimlach naar de jongen.

Waarom was ze nog verbaasd dat hij blijkbaar ook al wist dat zij twee zwarte jongens had geadopteerd?

'Ik moet toegeven dat ik met mijn handen in mijn haar zit,' zei hij nu, wijzend op het rijtje metalen onderdelen in het gras. 'Ik dacht geld te besparen door de reparatie zelf uit te voeren.'

Hij zette zijn bril af en wreef in zijn ogen, zoals ze hem ook bij hun eerste ontmoeting had zien doen. De vermoeidheid leek zijn chronische metgezel te zijn. Hij had zijn haar iets langer laten groeien en of het nu daardoor kwam of door het beetje kleur op zijn wangen als gevolg van een dag werken in de buitenlucht, Monica vond hem nog aantrekkelijker dan in haar herinnering. Ze gluurde even naar zijn handen. Hij droeg geen ring.

Mandla raapte een niervormig onderdeel op.

'Je krijgt vijf rand van me als je me kunt vertellen waar dat hoort, jongeman,' zei dokter Niemand.

Mandla trok een vastberaden gezicht en begon het stuk metaal in alle hoeken en gaten van de machine te passen.

Ondertussen wendde dokter Niemand zich weer tot Monica. 'Je moet niet denken dat we een nieuwsgierig slag mensen zijn, dat aan de telefoon hangt zodra er iets bijzonders voorvalt. Het lag voor de hand dat Max je die baan zou aanbieden. Iedereen hier was enthousiast over je reportage over het ziekenhuis.'

'Is het zo goed?' vroeg Mandla en hij wees naar het onderdeel dat hij in een of andere holte had weten te proppen.

Dokter Niemand haalde zijn portemonnee tevoorschijn. 'Beloofd is beloofd,' zei hij en gaf Mandla een munt van vijf rand.

'Kijk eens, Sipho, ik heb geld gekregen!' schreeuwde het kind, terwijl hij de munt omhooghield. Hij trok dokter Niemand aan zijn broekspijp. 'Ik kan er nog wel een paar doen,' zei hij ijverig.

'Ik wou dat ik dat eerder had geweten, jongeman,' zei de arts, 'maar de reparateur kan hier elk moment zijn.'

Mandla kreunde. 'Nou, goed dan, maar de volgende keer moet u mij opbellen, hoor. Wij komen hier wonen.'

'Dat zal ik doen,' zei dokter Niemand. Hij knikte Monica veelbetekenend toe en er ging een plezierige rilling door haar heen bij de gedachte dat het niet bij deze ontmoeting zou blijven.

Bij de hoofdingang van het ziekenhuis toeterde een auto.

'Ik moet ervandoor,' zei dokter Niemand. 'Mijn dochter Yolanda komt terug van het schoolkamp, dus we gaan haar ophalen.'

'Hoe oud is ze?' vroeg Monica, die haar best deed niet te laten merken hoe teleurgesteld ze was over de ontdekking dat hij een gezin had.

'Twaalf... maar ze denkt dat ze al volwassen is. Ze commandeert me graag.'

'Dan gaan wij ook maar. Ik wilde u alleen even bedanken voor het sturen van de advertentie.'

'Dat heeft Max al gedaan,' zei hij lachend. 'Hij heeft me opgebeld zodra je het kantoor verliet.'

Mandla lachte vrolijk met hen mee, maar Sipho's gezicht bleef wantrouwig.

De zon stond de volgende dag nog hoog aan de hemel toen ze boven op het koppie stilhielden voor een laatste blik op Lady Helen. Zelfs de meest doorgewinterde reiziger zou zijn blijven staan om de waterval van bougainvillea's te bewonderen. Toch speet het Monica dat Sipho nu niet kon zien hoe het er in het late middaglicht uitzag, als de levendige kleuren van de zonsondergang weerkaatsten in de zinken daken en het stadje in een buitenaardse gloed hulden.

'Wat denk je ervan?' vroeg ze na een poosje, toen duidelijk werd dat hij niet uit zichzelf zijn mening zou geven.

'De as van mijn moeder is uitgestrooid in de Garden of Remembrance in Johannesburg,' zei hij. 'Dat is hier negenhonderd mijl vandaan.' Zijn ogen glansden verdacht.

Monica legde een hand op zijn been. 'Dat is waar,' zei ze. 'Maar haar ziel is in de hemel, dat weet je toch.'

'Haar ziel kan ik niet zien, maar wel dat de rozen in de tuin zijn gegroeid sinds we haar as daar hebben uitgestrooid.'

'Dat is ook waar, Sipho. Maar geloven is niet hetzelfde als zien, het is een zeker weten. En je weet toch dat je moeder over je waakt, waar je ook bent.'

'Dat is zo,' zei hij en aan het beven van zijn stem hoorde ze dat hij huilde.

Ze pakte zijn hand. 'Als jij het niet wilt, gaan we niet. Denk

er maar over na en als je zover bent, laat het me dan weten.'
'Goed,' zei hij met een snik.
Voor hen cirkelde een valk hoog in de lucht. Plotseling liet
de vogel zich in een steile duik naar de grond vallen en
dook weer op met een kronkelende slang in zijn klauwen.
'Wauw!' riep Sipho. 'Zag je dat, Mandla?' Zijn wangen waren
nog nat, maar deze keer glansden zijn ogen van opwinding.
'Ik wil het nog een keer zien!' jengelde Mandla. Eigenlijk
was het allang tijd voor zijn middagdutje.
Bosjes fijn struikgewas hulden de vlakte in een waas van
stoffig groen. Hoewel het kunstfestival al halverwege was,
bewoog zich nog steeds een constante stroom auto's in de
richting van het stadje en Monica moest meer dan eens de
berm in om een touringcar te laten passeren. Tegen de tijd
dat ze de snelweg hadden bereikt, was Mandla in slaap
gevallen.
Rijdend langs de enorme visconservenfabrieken op de indus-
trieterreinen net buiten Kaapstad – dezelfde fabrieken die
ooit de mannen uit Lady Helen hadden weggekaapt – bedacht Monica onwillekeurig dat als een hele stad een nieuw
leven kon beginnen, zij dat eveneens zou moeten kunnen.
Gemakkelijk zou het niet worden, maar met Gods hulp was
het mogelijk. Ze bad dat Hij in Sipho's hart wilde werken,
zodat deze zou begrijpen dat verandering ook iets moois
kon zijn, als je maar bereid was het toe te laten.

Acht

Francina had geen borden nodig om te weten dat ze in KwaZulu-Natal was aangekomen. Zelfs met haar ogen dicht wist ze precies waneer ze de grens met haar thuisland passeerde. Het was een gevoel van herkenning, dat alleen maar sterker werd naarmate ze langer elders had gewoond; maar ze merkte het natuurlijk ook aan de slang die zoals gewoonlijk wanneer ze haar ouderlijk huis naderde rusteloos door haar onderbuik kronkelde. Ze ging deze keer wel niet naar huis, maar kwam er wel in de buurt en dus voelde ze de vertrouwde kramp alsnog.

Het was al vijf uur toen de taxibus in Dundee aankwam en net als alle andere minibusjes op vrijdagmiddag was ook het hare afgeladen vol. De wachtruimte onder de zinken overkapping was in beslag genomen door vrouwen die borden warm eten verkochten, mannen die de reizigers voor vertrek nog een snelle knipbeurt gaven en een paar oude mannen in haveloze kleren met bruinpapieren zakken tegen zich aan geklemd. Hercules had haar beter naar een winkel in de buurt kunnen verwijzen, dan had ze ver van deze mierenhoop op hem kunnen wachten. Nu liepen ze elkaar vast mis! Ze sloot haar ogen en zag zichzelf hier al staan, midden in de nacht, met alleen de oude mannen en hun papieren zakken als gezelschap. Haar moeder had zich ongetwijfeld iets anders voorgesteld toen ze zei dat het tijd werd dat Francina het geluk zou vinden.

De chauffeur gaf haar de kleine reistas aan die ze bij zich had en ze liep bij de taxi vandaan, om te voorkomen dat ze omvergelopen werd door mensen die aan kwamen hollen om een zitplaats te bemachtigen. Haar nek deed pijn. Ze had met haar hoofd tegen het raam geleund, in een vruchteloze poging een beetje te slapen. Geërgerd constateerde ze dat haar prachtige, nieuwe jurk nu al lelijk gekreukt was.

'Sorry, sorry,' verontschuldigde ze zich, toen ze tegen iemand aan botste. Ze was ook helemaal geen hakken gewend; niet dat deze zo hoog waren, maar misschien had ze het toch bij haar gemakkelijke veterschoenen moeten houden. Ze keek omlaag, recht in het gezicht van een kleine jongen die zijn lege handen als een kommetje naar haar ophief.

'Ik heb honger,' zei hij.

Francina had de boterham die ze nog in Johannesburg had klaargemaakt niet opgekregen, dus gaf ze hem die en keek toe terwijl hij hem opschrokte. Hij had een snotneus en zijn ogen stonden dof. In een dorpje ergens ver weg lag een moeder 's nachts te huilen om haar weggelopen zoon. Even kwam ze in de verleiding hem geld te geven voor een taxi naar huis, maar ze vermoedde dat hij er toch alleen maar lijm om te snuiven van zou kopen. En als ze hem afleverde bij de politieman die even verderop net een sinaasappel kocht, zou ze worden uitgelachen en een standje krijgen omdat ze de tijd van een ambtenaar in functie stond te verspillen.

'Ga naar huis, naar je moeder,' zei ze, maar de jongen keek haar met lege ogen aan.

In wat voor wereld leven we toch, dacht ze, *dat een dakloze jongen in een menigte mensen kan rondlopen zonder dat iemand een vinger uitsteekt om hem te helpen?* In een dorp werd weliswaar altijd heel wat afgeroddeld; de mensen gluurden en wezen elkaar na, maar nooit zouden ze toestaan dat een kind op straat moest slapen.

Een hand omklemde haar schouder en ze trok zich met zo'n ruk los, dat ze dwars door een groep vrouwen struikelde. Ze hadden allemaal een lange broek aan met een bijpassend jasje.

'Kijk toch uit,' zei er een, die een aktetas droeg.

'Sorry,' zei Francina.

'Francina, ik ben het!' riep een stem en daar, aan de andere kant van de groep vrouwen, stond Hercules.

In een tel was hij bij haar. Hij nam haar tas van haar over en zei dat het niet ver meer was en dat ze zich zo dadelijk kon opfrissen in de badkamer bij hem thuis. Even voelde ze zich weer als een kind, maar daardoor dacht ze ook weer aan de jongen. Waar was hij gebleven? Ze keek achterom, maar hij was spoorloos. Ongetwijfeld stond hij alweer bij een andere vrouw om een korst brood te bedelen.

In de auto informeerde Hercules naar Monica en de jongens, en ze besloot nog even voor zich te houden dat ze naar de Kaap waren vertrokken voor een sollicitatiegesprek. Dat zou het gesprek een kant op sturen waar ze nog niet aan toe was. Als het aan haar lag, bleef ze gewoon in Johannesburg voor Monica werken en sprak ze af en toe met Hercules af. Twee keer per maand zou al heel mooi zijn. Maar Hercules en Monica waren allebei aan verandering toe en na al die jaren waarin haar beslissingen zich beperkten tot de stof die ze wilde kopen of de maaltijd die ze wilde bereiden, zou ook zij nu een eigen koers moeten uitstippelen.

Hercules wees haar op de bergen rondom: Indumeni, *waar de donder rommelt,* en Mpati, *de plek van de frisse wateren*, en de afgeplatte top van de Talana, *plank voor kostbare voorwerpen*. Boven op die laatste berg, zei hij, was in 1899 het eerste schot van de Tweede Boerenoorlog gevallen. 'Ik ben en blijf een geschiedenisleraar,' voegde hij er verontschuldigend aan toe.

Het huis van Hercules stond in een buitenwijk, waar de kavels wat groter waren. Er stond een hek omheen. Om de zoveel meter stonden reusachtige cactussen, de natuurlijke variant van schrikdraad, om de *ditsotsi* buiten de deur te houden – de mannen die niets dan kwaad in de zin hadden. Hercules stapte uit om het hek open te doen en reed de auto daarna met een slakkengangetje over de betonnen oprit naar een carport met een dak van geel golfplastic. Hij opende het portier voor haar, haalde haar tas uit de kofferbak en sloot de carport toen af met een zware ketting en een hangslot.

'Je ziet er heel mooi uit,' zei hij tegen haar.

'Dank je.' Ze voelde zich zo verlegen dat ze hem niet aan durfde te kijken. 'Ik heb de jurk zelf genaaid.'

'Je zou een modewinkel moeten beginnen.'

Het was geen loze vleierij, dat hoorde ze wel aan de ernst in zijn stem.

'Ik ben tevreden met mijn leven zoals het nu is,' zei ze.

Er gleed een schaduw over zijn gezicht en ze had zichzelf wel kunnen schoppen om haar ondoordachte woorden. *Het enige verschil tussen mensen met een opleiding en mensen zoals ik*, dacht ze, *is dat de eersten hun hersens gebruiken voor ze hun mond opentrekken.*

Het gazon was pas gemaaid en de randen waren netjes afgestoken, maar toch maakte de tuin een verwaarloosde indruk. Er waren geen bloembedden en geen struiken en over het hek kroop geen enkele slingerplant. Het leek of de tuin alleen uit plichtsbesef werd bijgehouden, zonder dat iemand er plezier aan beleefde.

Het huis was identiek aan alle andere huizen in de straat: een vierkant, stenen gebouw met een pannendak en een kleine veranda aan de voorkant. Ooit hadden deze woningen toebehoord aan blanken die in de kolenmijnen werkten, in de tijd dat Durban nog een groeikern was, vertelde Hercules. Even vroeg Francina zich af hoe het moest zijn om niet midden in de nacht naar buiten te hoeven als je naar het toilet moest, maar onmiddellijk daarop voelde ze zich schuldig. Dat haar badkamer alleen van buitenaf toegankelijk was, had een praktische reden: zo kon ook de tuinman er overdag gebruik van maken, zonder dat hij door haar kamer heen hoefde te lopen. Hercules ontsloot de voordeur en liet een lange, doordringende fluittoon horen.

'Dan weet mijn moeder dat ik het ben,' legde hij uit. 'Anders denkt ze dat er wordt ingebroken.'

In de woonkamer stond een houten koffietafel met een geborduurde loper en een vaas met kunstbloemen erbovenop. Eromheen stonden drie oude, maar brandschone gebloemde fauteuils. Naast de televisie ontdekte Francina een boekenkast propvol muziekboeken en boven de namaakhaard prijkte een grote foto van Hercules met zijn koor.

'Die heeft mijn moeder daar opgehangen.'

Boven de bank hing een grote groepsfoto: zijn ooms en tantes met hun gezinnen. Over de kleine foto op de schoorsteenmantel, waarop een jong bruidspaar te zien was, zei hij niets.

Hij wees haar de badkamer en toen ze weer naar buiten kwam, trof ze zijn moeder in de zitkamer aan. Op de tafel stond een dienblad klaar met thee en een schaal versgebakken scones. Hercules' moeder stond op zodra ze Francina zag.

'Je zult wel moe zijn,' zei ze. 'We stellen het erg op prijs dat je zo'n lange reis hebt willen maken om hier te komen.' Ze nam Francina's handen in de hare.

'Dank u wel voor de uitnodiging, mevrouw Shabalala,' zei Francina, die in stilte wenste dat de dame haar handen los zou laten.

'Noem me toch Mama.'

'Goed, Mama,' zei Francina, maar het woord zat haar dwars. Het was te vlug.

Hercules had haar verteld dat zijn moeder vijfenzestig was, maar ze leek veel ouder. Haar gezicht was sterk gerimpeld en ze bewoog zich langzaam en omzichtig, alsof ze pijn had. Er waren maar drie dingen waardoor een mens oud werd voor zijn tijd, dacht Francina: een leven van zware, lichamelijke arbeid, een groot verdriet of een ernstige ziekte die je van binnenuit sloopte. Het eerste was het zeker niet, want ze had van Hercules gehoord dat zijn moeder sinds zijn geboorte niet meer buitenshuis had gewerkt. Francina besloot dat ze de oude vrouw toch maar Mama zou noemen; als ze dat nu zo graag wilde...

Ze zag weinig van Hercules terug in het ronde gezicht van zijn moeder en in haar korte, gedrongen gestalte. Waarschijnlijk was zijn vader een echte bonenstaak geweest.

Eindelijk liet de vrouw Francina los. 'Moet je mij toch zien,' zei ze. 'De thee staat maar koud te worden.' Ze liet zich moeizaam in een stoel zakken en haar hand beefde toen ze de theepot optilde.

'Laat mij dat maar doen, Mama,' zei Francina.

'Dank je, dochter.'

Francina nam de theepot van haar over en ontdekte ineens dat Hercules breed stond te lachen. Dat was ze van deze ernstige man niet gewend, en ze betrapte zichzelf erop dat ze hem wel vaker zover wilde krijgen. Zij, Francina Zuma, de huishoudster en naaister met haar ene oog, wilde plotseling niets liever dan een glimlach tevoorschijn roepen op het gezicht van deze lange, broodmagere geschiedenisleraar.

Na het avondeten, dat bestond uit gebraden lamsvlees, aardappelen, spinazie en bloemkool en een rijstpudding als toetje, ging Francina met een kop koffie bij Hercules' moeder zitten, terwijl Hercules de afwas deed.

'Mijn Hercules is niet zoals andere Afrikaanse mannen, die geen vrouwenwerk willen doen,' legde zijn moeder uit. Het leek Francina niet in de haak, maar ze deed er het zwijgen toe. Ze wist dat nu het moment voor de vervelende vragen was aangebroken.

'Is jouw tijd al voorbij, dochter?'

Haar voorgevoel had haar niet bedrogen. 'Inderdaad, Mama. Het kwam al vroeg.'

Hercules' moeder knikte. Ze moest het duidelijk even verwerken. 'Ik heb geen kleinkinderen.'

'Dat weet ik, Mama,' zei Francina, die vurig hoopte dat Hercules deze conversatie niet kon volgen, 'en ik vind het heel erg voor u.'

Wat werd er nu van haar verwacht? Dat ze Hercules zou laten schieten, zodat die de kans kreeg een jongere vrouw te ontmoeten?

'Weet je, Francina, de afgelopen vijftien jaar lijken er voor mij wel honderd. Eerst verloor Hercules zijn vrouw, daarna zijn vader.' Ze schudde haar hoofd. 'Als je mijn man en mij samen had gezien, had je gezegd dat ik degene was met suikerziekte. Hij was nog maar zo.' Ze stak haar pink in de lucht. 'Mijn zoon is ook ziek.'

Francina's adem stokte. Had Hercules suikerziekte? Waarom had hij dat niet verteld? Wilde hij haar toewijding op de proef stellen? Dan zou hij wel ontdekken dat Francina Zuma geen wispelturig jong meisje meer was, dat bij de eerste de beste tegenslag de benen nam.

'Dat wist ik niet,' zei ze zacht.

Zijn moeder knikte. 'Het zit vanbinnen.' Ze klopte op haar borst. 'In zijn hart.'

Francina slikte moeilijk. Zijn hart ook al?

'Het valt nauwelijks op dat hij ziek is,' ging zijn moeder verder, 'maar als hij thuis is, zie je het heel duidelijk.'

Francina vroeg zich af of ze soms niet voldoende had opgelet, want zij had echt niets gemerkt. Misschien kwam dat omdat ze zo nerveus was voor dit bezoek.

'Hercules heeft jarenlang niet naar vrouwen omgekeken. Nu heeft hij jou uitgekozen. Ik vind het niet erg dat je mij geen kleinkinderen meer kunt geven, want ik weet dat jij degene bent die mijn zoon kan genezen.'

Had Francina dat nou goed verstaan? Ze was toch geen arts. Was dit een teken van vroegtijdige ouderdomsgekte bij de oude vrouw? Ze kreeg echter niet de kans om door te vragen, omdat Hercules binnenkwam. De afwas was gedaan en de vuilnis buitengezet.

Ze zaten een poosje te praten en toen het bedtijd werd, zei Hercules dat Francina zijn kamer kon nemen. Zelf zou hij op de bank in de woonkamer slapen. Achter hem aan liep ze naar de deur aan het einde van de gang.

'Ik hoop dat alles naar wens is,' zei hij, terwijl hij de deur voor haar opende.

In de kamer stonden een tweepersoonsbed met een lichtgroene sprei met franjes, een beklede hoofdsteun en een toilettafel met een gordijntje eromheen.

'Het bed is schoon opgemaakt en daar ligt een schone handdoek. Als je iets nodig hebt, maak je me maar wakker.' Hij glimlachte teder, als tegen een kind dat je onderstopt voor de nacht.

Haar hart werd warm. Ze kon voor deze lieve, zieke man dan wel niet doen wat zijn moeder graag wilde, maar ze kon hem aan het glimlachen maken en dat hadden zieke mensen vaak het meest van alles nodig.

Zodra de deur achter hem dichtgegaan was, liep ze naar de ingelijste foto op de toilettafel. De glimlach van de vrouw was even schuw als op de foto die Hercules in zijn portefeuille had, maar op deze foto stond hij zelf ook. Hij had zijn arm losjes om haar schouders gelegd en zo'n brede lach had ze nog nooit eerder bij hem gezien. Ze besefte dat het niet voldoende was om hem te laten glimlachen. Ze moest hem echt aan het lachen maken!

Zuchtend glipte ze uit haar nieuwe jurk. Alle andere kleren die ze had meegenomen zouden inmiddels wel gekreukte theedoeken lijken. Ze pakte haar tas uit en inderdaad, de jurk die ze voor morgen in gedachten had, kon wel een strijkbeurtje gebruiken. Het was een van haar wijde jurken, maar anders dan haar dagelijkse huishoudkloffie genaaid van een degelijke, donkerblauwe stof en versierd met een paisleypatroon. Het rode jasje en de zwarte rok voor de kerkgang hoefde ze alleen maar even uit te hangen. Alleen, er zat geen haakje aan de deur. Zou Hercules het erg vinden als ze haar kleren zolang in zijn kast hing? Hij had wel gezegd dat ze hem maar moest roepen als ze iets nodig had, maar ze hoorde water stromen in de badkamer en wilde hem niet lastigvallen met zo'n kleinigheid.

Ze trok een van de deuren van de houten inbouwkast open. De roede hing propvol overhemden en broeken. Geen wonder dat zijn overhemden er nooit zo glad en kraakhelder uitzagen als wanneer zij zich ermee zou bemoeien. Ze opende een tweede kast en ook die hing boordevol – met jurken, blouses, rokken en mantelpakjes, stuk voor stuk in stomerijhoezen. Op de bodem van de kast stond een schoenenrek met sandalen, pumps, instappers en een stel zachte, roze slippers. Francina gooide de deur met zo'n klap weer dicht, dat ze vreesde dat Hercules zou komen kijken wat de oorzaak was van dat lawaai. Ze vergat al haar respect voor andermans bezittingen en trok de la van de toilettafel open. Oogschaduw – sommige doosjes helemaal verdroogd, andere bijna leeg. Gesmolten lippenstiften, flesjes ingedroogde nagellak, poederdoosjes waarvan de inhoud nog het meest weg had van aarde na een lange periode van droogte. Alle kleuren waren al minstens tien jaar uit de mode. Verder lagen er rollers, haarspelden, haarbanden, kammen en zelfs een borstel met de haren er nog in. Met een omzichtigheid alsof ze een inbreker was schoof Francina de la weer dicht.

Zou ze ook onder het kussen kijken? Onzin, hij zou toch niet... Natuurlijk niet. Ze sloeg de sprei terug en keek onder het linkerkussen. Niets. Daarna tilde ze het rechterkussen een beetje op en daar lag, keurig opgevouwen, een zijden, perzikkleurige nachtjapon. Ze hield de stof tegen haar neus; er kwam een muffe geur vanaf. Het label kwam haar bekend voor en na enig nadenken wist ze het weer: de nachtjapon was afkomstig uit een modeketen die al minstens vijftien jaar geleden failliet was gegaan.

Hercules' moeder, of hoogstwaarschijnlijk Hercules zelf, had het bed schoon voor haar opgemaakt, maar toch niet kunnen breken met de vijftien jaar oude gewoonte om de nachtjapon van de dode vrouw onder haar kussen te leggen.

Met trillende handen vouwde Francina het kledingstuk weer netjes op en legde het terug onder het kussen.

'Hercules, Hercules toch,' zei ze binnensmonds. 'Je moeder had gelijk. Je bent inderdaad ziek – ziek van verdriet.'

Plotseling leek de kamer haar te warm en ze meende zelfs de geur van verschaalde parfum te ruiken. Ze schoof een gordijn opzij en deed het raam open voor wat frisse nachtlucht, maar nog steeds had ze het warm. In haar ondergoed ging ze op het bed zitten, met een gevoel of ze elk moment kon overgeven. Hercules was nog steeds in de badkamer. Ze haalde diep adem. Hoe kon ze ooit slapen in het bed waar hij nog iedere nacht lag met zijn dode vrouw? Ze hoorde het doortrekken van de wc. Schiet op, schiet op, Hercules, fluisterde ze en pakte alvast haar kamerjas. De badkamerdeur ging open en dicht. Ze wachtte net zo lang tot ze zeker wist dat hij in de woonkamer moest zijn en vloog toen de gang op, naar de badkamer. Er gebeurde niets, maar ze voelde zich al beter in de wetenschap dat ze niet betrapt zou worden, mocht de misselijkheid haar alsnog te veel worden. Met handenvol plensde ze koud water in haar gezicht.

'Wat ben je toch een sufferd,' fluisterde ze tegen haar spiegelbeeld. 'Je vond jezelf toch zo verstandig? Maar deze keer zat je er lelijk naast.'

'Is alles in orde, Francina?' klonk de stem van Hercules aan de andere kant van de deur.

'Ja, hoor,' zei ze, terwijl ze haar best deed gewoon te klinken.

'Ik dacht dat ik gepraat hoorde. Geeft niks. Slaap lekker.'

'Jij ook.'

Zodra de streep licht onder de deur was verdwenen, opende ze heel zachtjes het medicijnkastje. Hier geen oude flesjes lotion of damesscheermesjes. Hercules' moeder had blijkbaar niet toegestaan dat de ziekte zich ook buiten de slaapkamer van haar zoon verspreidde. En nu dacht ze dat Francina hem zou genezen. Nou, dat was toch wat te hoog gegrepen.

Ze had te doen met deze vrouw, die zo wanhopig was dat ze zelfs wilde afzien van kleinkinderen, als haar zoon maar genas. Meer dan medelijden had ze echter ook niet te bieden. Tranen rolden over haar wangen. Arme Hercules! Niet alleen zijn hart was gebroken, ook zijn geest. Maar één ding wist ze zeker: van haar was geen genezing te verwachten. Alleen al de gedachte dat ze terug moest naar die slaapkamer deed haar huiveren. Hercules had meer nodig dan wat zij hem kon geven. Hij moest naar een dokter, een die gespecialiseerd was in ziekten van het hoofd.

Ze bracht een onrustige nacht door, liggend op de vloer met haar hoofd op haar tas en haar kamerjas over zich heen. Ze wilde in die kamer niets meer aanraken.

De volgende ochtend informeerde Hercules' moeder of ze goed had geslapen. Francina antwoordde bevestigend, maar moest zich toch door haar stem of gezicht hebben verraden. Er gleed een bezorgde blik over mevrouw Shabalala's gezicht en ze was daarna erg stil. Francina voelde zich afschuwelijk, omdat ze vermoedde dat de vrouw de enige kans van haar zoon op geluk in een minibus naar Johannesburg zag terugkeren.

Na het ontbijt nam Hercules Francina mee voor een ritje door de stad en liet haar enthousiast de parken en de winkelcentra zien. 'Het warenhuis waar we zo meteen naartoe gaan, is echt iets voor jou. Ze hebben daar vijfduizend rollen stof – en allemaal voor afbraakprijzen.'

Ze dwong zich tot een glimlach.

'Je zou nog veel meer tijd hebben om te naaien, als je' – hij pakte iets uit zijn zak en gaf het aan haar – 'als je hierheen verhuisde om mijn vrouw te worden.'

Ze keek naar wat hij haar gegeven had. Het was een ring met een klein diamantje, de onderkant een beetje sleets. Ze zweeg. Hij reed de parkeerplaats bij het Stoffenhuis op en ging met zijn vingers op het stuur zitten trommelen.

Het is een intelligente man, dacht Francina. Hij voelt beslist dat er iets aan de hand is. Hoe eerlijk moest ze nu zijn over haar motieven om zijn aanzoek af te wijzen? Ze wilde hem niet kwetsen, maar als ze geen goede reden gaf voor haar weigering deed ze dat ook.

'Hercules,' begon ze, terwijl ze zich naar hem toewendde zodat ze hem kon aankijken, 'er zijn al twee vrouwen in jouw leven. Voor mij is geen plaats meer.'

De uitdrukking van zijn gezicht veranderde niet en hij bleef zwijgen. Ze moest iets zeggen om de verschrikkelijke stilte in de auto te doorbreken. 'Het spijt me, Hercules.'

'Ik kan toch niet vergeten dat ze ooit heeft bestaan,' zei hij toen scherp.

'Dat vraagt ook niemand van je. Maar al haar spullen...'

'Die kan ik toch wel aan de kant schuiven om plaats voor de jouwe te maken,' zei hij met een smekende blik. Hij leek nu net een kleine jongen die bij zijn moeder bedelde om nog wat langer buiten te mogen spelen.

'Was het maar zo eenvoudig,' zei ze en zijn gezicht betrok.

Graag had ze haar armen om hem heen geslagen en hem troostend heen en weer gewiegd, zoals ze bij Mandla deed als die was gevallen en zich pijn had gedaan. Maar Hercules had meer nodig dan dat. Hij zou professionele hulp moeten zoeken.

'Mag ik je wel blijven schrijven?' vroeg hij.

Ze knikte.

Tijdens de reis naar huis zette ze niet één keer haar nagels in haar handpalmen en ook had ze niet de minste behoefte om een lied te gaan zingen. De aanwezigheid van de andere passagiers merkte ze nauwelijks op. In plaats daarvan staarde ze uit het raam naar het vlakker wordende land, waar de bomen schaarser werden, de steden lelijker en het verkeer drukker, en dacht na over de vraag waarom twee mensen die het zwaar te verduren hadden gehad niet samen verder konden. Het was zinloos en verdrietig dat je verleden je zo in de weg kon staan, maar het was even reëel als een rotsblok midden op de weg.

De taxi zette haar vlak bij de snelweg af. Ze liep het laatste stuk naar huis, bracht haar tas naar haar kamer en ging toen door de achterdeur het huis binnen.

'O, ben jij het, Francina,' zei Monica. Ze had de telefoon al in de hand en haar adem kwam hortend en stotend. 'Ik hoorde iets en wilde net de beveiliging bellen. Ik dacht dat je morgenavond pas thuis zou komen.'

'Hij heeft haar vermoord, of niet soms?' zei Francina.

'Wie?'

'De man van Lady Helen.'

Monica keek verward. 'Dat weet niemand, maar ze is nooit meer gezien.'

Francina knikte. Haar kaak stond strak. 'Hij heeft haar vermoord, dat weet ik zeker. Ze is niet ver genoeg weggevlucht. Als Lady Helen haar leven heeft geriskeerd om zich daar te vestigen, moet het een bijzondere plek zijn. Ik ga met jullie mee.'

Ze wachtte Monica's reactie niet af, omdat ze geen zin had om een verklaring te geven. Over een dag of wat zou ze haar het hele verhaal wel vertellen, maar nu had ze er behoefte aan om alleen te zijn. Het moest even bezinken dat ze bijna opnieuw haar hart voor een man had geopend; en dat de kans dat dit nog eens zou gebeuren even groot was als de kans dat een Zuluvrouw ooit president zou worden.

Negen

og een keer liep Monica door het huis, waar Mandla's kreten door de lege kamers galmden. Alles glom en blonk, dankzij Francina's vaste voornemen dat de nieuwe eigenaars haar een uitstekende huishoudster zouden vinden. Het was een leuk gezin met twee zoontjes die hun ogen uitgekeken hadden naar Luca's modelvliegtuigjes. Die zaten nu in een doosje met 'breekbaar' erop, dat met de rest van de spullen zou worden opgeslagen tot Monica, Francina en de jongens een nieuw huis hadden gevonden.

Het was een vreemd kerstfeest geweest. In plaats van nieuwe spullen te kopen, hadden ze de garage doorgesnuffeld, op zoek naar dingen om weg te geven: eerst Luca's kleren en schoenen, en daarna de sportbekers die ooit rijen dik bij hem op de plank hadden gestaan. Alleen de vliegtuigjes hadden ze gehouden, omdat Mandla er zo aan verknocht was.

Hoewel Monica haar moeder er sinds Luca's dood bij iedere voorjaarsschoonmaak van had proberen te weerhouden zijn kast weer in te richten, kon ze toch ook weinig begrip opbrengen voor mensen die meteen na de begrafenis alles wegdeden. Loslaten was een proces dat geleidelijk aan moest plaatsvinden. Nu was het tijd om haar eigen woorden tegen Sipho in praktijk te brengen en de as van de doden achter te laten. Twee andere jongens zouden voortaan deze kamer vullen met hun warme adem, hun broederlijk gefluister en uitbundig geschater. En zo hoorde het ook.

Francina stond buiten de nieuwe eigenaresse instructies te geven over de verzorging van de tomatenplanten. Binnen was het stil geworden – te stil eigenlijk. Op een holletje ging Monica de kamers door en uiteindelijk trof ze de jongens in Ella's kamer, die vroeger van haar was geweest. Sipho, die zat te huilen, wendde zijn hoofd af toen ze binnenkwam.

'Ik heb hem niet geslagen en ook niet gebeten, echt niet,' zei Mandla.

Monica legde haar arm om Sipho's schouders en toen hij zich niet verzette, trok ze hem tegen zich aan.

'Het valt niet mee, hè?' zei ze en hij knikte. 'Weet je nog dat je hier voor het eerst kwam? Dat was ook niet gemakkelijk.' Hij schudde zijn hoofd. 'Maar ik weet dat je het zult kunnen, want je hebt de kracht van je moeder' – ze tikte tegen zijn borstkas – 'hier, diep binnen in je.'

Hij veegde zijn tranen weg en er gleed een zwakke glimlach over zijn gezicht. 'Ik zal het proberen,' beloofde hij.

Uit de kast klonk een gedempt gegiechel.

'Volgens mij wil je broertje graag dat je hem gaat zoeken.'

Het gegiechel werd luider.

'Waar kan Mandla nou toch zijn?' zei Monica overdreven bezorgd. 'Staat hij soms achter de deur? Nee. Is hij misschien...'

'Hier ben ik!' schreeuwde Mandla en hij sprong uit de kast tevoorschijn.

Sipho pakte zijn hand. 'Kom, Mandla, we gaan een lange reis maken.'

Mandla grijnsde. 'Misschien zijn er deze keer wel koeien in de stal,' zei hij.

Monica sprak het niet tegen, maar maakte van zijn enthousiasme over dit vooruitzicht gebruik door hem vlug in het autostoeltje te tillen. Het was een hele geruststelling dat er aan het eind van de tweedaagse reis een vertrouwd onderkomen op hen wachtte. Kitty had beloofd dat ze de Oude Stal net zo lang mochten huren tot ze een nieuw huis hadden gevonden. Gezien het feit dat er in het stadje nauwelijks gebouwd mocht worden en er weinig mensen vertrokken, kon dat nog wel even duren.

Ebony zat al in haar reismand diep ongelukkig te wezen. Monica tilde haar eruit en zette haar tussen de jongens in.

Terwijl de garagedeur langzaam omhoog schoof, vroeg ze zich af of het soms aan de bougainvillea lag dat ze er niet aan twijfelde of ze zich in Lady Helen thuis zou voelen. Op dit moment was de struik verschroeid en verlept als gevolg van de droogte, maar de kersrode bloemen hadden haar altijd een warm welkom bereid. Bij haar thuiskomst uit het ziekenhuis was de plant een uitbundige explosie van kleur geweest, als om haar herstel te vieren.

'Niet omkijken,' zei ze, maar een voor een keken Francina en de jongens achterom en wierpen nog een laatste blik op het schilderachtige huis, en op de hoge muren met de waarschuwingsborden langs de straat.

Ze brachten de nacht door in Colesberg in de Noord-Kaap en de volgende dag stonden ze opnieuw op het koppie dat uitkeek op Lady Helen. Het stadje leek echter wel van de aardbodem verdwenen. De hele middag had de zon uitbundig geschenen, maar nu barstte er een hevig onweer los. Bliksemflitsen verlichtten het oneffen landschap en de regen roffelde tegen de voorruit met het ratelende geluid van een machinegeweer. Sipho bleef volmaakt kalm, want, zo legde hij uit, vanwege de rubberbanden liepen ze in de auto geen gevaar, maar Francina legde haar handen op haar hoofd en begon luidkeels te bidden. 'Wauw!' gilde Mandla bij iedere donderklap. Monica had eigenlijk de auto aan de kant willen zetten zodra de bui losbarstte, maar ze waren nu halverwege het koppie en de weg was hier zo smal, dat ze een botsing vreesde, mocht iemand hen tegemoetkomen.

'Je hebt nooit gezegd dat we in een moeras gingen wonen,' jammerde Francina, die een blik door het raampje waagde en ontdekte dat ze afdaalden in een afgrond vol modder en water.

'Dit is ook heel raar,' meende Monica. 'In de West-Kaap hoort het alleen in de winter te regenen, in tegenstelling tot de rest van Zuid-Afrika.'

'Het had zo moeten regenen toen Lord Charles Gray hier kwam om zijn vrouw te zoeken,' zei Francina met een wrange glimlach. 'Dan had hij haar vast nooit gevonden.'

De irrigatiegreppels die, zoals Monica inmiddels had vernomen, de tuinen en de akkers bevloeiden met bronwater, waren overgestroomd en de Hoofdstraat stond blank. Francina probeerde met een zakdoekje de binnenkant van de voorruit schoon te houden, terwijl de ruitenwissers driftig op de hoogste stand heen en weer schoten. Door het watergordijn dat van de zinken overkappingen gutste, zagen ze licht branden in de galerieën en de winkels.

Voor Mandla was het nieuwtje van de storm er alweer af en hij begon zich opgesloten te voelen.

'We zijn er bijna,' troostte Monica hem.

Kitty kwam hen tegemoet rennen met een reusachtige paraplu. 'Niet te geloven, hè?' zei ze, terwijl ze eerst Monica en Mandla naar binnen bracht en Sipho en Francina zolang in de auto bleven wachten. 'Het weer is compleet in de war.' Ze liet hen op de veranda achter en ging toen de anderen halen.

In de woonkamer van het huis stond een dienblad met theekopjes en een schaal havermoutkoekjes. 'Ik ga de thee inschenken,' schreeuwde Kitty boven het lawaai van de regen op het dak uit.

Monica keek oplettend naar Francina, die de omgeving in zich opnam: het antiek, de houten stoelen met de stevige, vierkante kussens, de bijzettafels en het grote bureau – stuk voor stuk solide en praktische meubelstukken, gebouwd door de eerste kolonisten in een tijd dat ze wel belangrijker dingen aan hun hoofd hadden dan ingewikkeld houtsnij-werk en andere tierlantijnen. Midden op een grote, plompe koffietafel stond een bronzen schaal met gladde, gele kale-bassen. In de rekken eronder waren reis- en interieurtijd-schriften netjes opgestapeld. Een lade van het bureau droeg het opschrift 'bordspelen'. Op het bureau lagen struis-vogeleieren uitgestald, handbeschilderd met woestijnland-schappen en wilde bloemen – gelukkig buiten bereik van Mandla's grijpgrage vingers. Alles ging schuil onder een dik-ke laag stof. Monica kon zien dat het Francina niet ontging, want die vertrok haar mond op dezelfde manier als wanneer Mandla met modderschoenen het huis inkwam, of wanneer Monica een natte handdoek op haar bed had laten slingeren. Ze had Francina graag uitgelegd dat Kitty het altijd erg druk had, maar juist op dat moment kwam hun gastvrouw binnen met een grote porseleinen theepot, die versierd was met Engelse rozen.

'De Oude Stal is helemaal ingericht voor jullie,' zei ze. 'Er zijn alleen niet genoeg bedden en daarom heb ik voor Francina een kamer met eigen badkamer hier in huis klaar-gemaakt.'

Francina's blik schoot naar Monica, alsof ze zeggen wilde: *Je laat me toch niet met een vreemde alleen?*

'Mogen we er even kijken?' vroeg Monica. Ze hoopte maar dat Francina's onbehagen zou verdwijnen zodra ze haar kamer eenmaal had gezien.

Francina had meer dan eens overnacht in slaapzalen van conferentiecentra, als ze met haar koor weer een of ander concours bezocht. Maar in een echt hotel was ze nog nooit geweest en ze wist niet wat sterker was: haar angst om iets onbehoorlijks te doen, iets wat doorgewinterde hotelbezoekers niet in hun hoofd zouden halen, of haar enthousiasme over het koninklijke bed met de gordijnen van witte mousseline eromheen gedrapeerd als een bruidsjurk, en over de ouderwetse badkuip in de badkamer en het blad met flesjes en zeepjes, stuk voor stuk verpakt als verjaardagscadeautjes, en de witte, flanellen kamerjas aan de deur, en de handdoeken die zo dik waren dat ze vast een hele dag aan de waslijn moesten hangen om te drogen.

Francina had wel eens gehoord van ouders die de Zulu-namen van hun kinderen verengelsten, waardoor ze ineens heel raar klonken. Persoonlijk kende ze een Schaterlach, een Schoonheid, een Voorwaarts, een Slimme en een Zegen, maar nog nooit had ze gehoord dat iemand zijn baby vernoemde naar een huisdier. Net als haar naamgenootje lag Kitty vast een groot deel van haar tijd in de zon te spinnen. Er lag in dit huis voldoende stof om een complete stofzuiger-zak mee te vullen. Wat voerde dat mens de hele dag eigenlijk uit? En hoe kwam ze zo griezelig mager?

'Als je iets nodig hebt, draai je nummer 29,' had Kitty gezegd, voordat ze met de anderen naar de Oude Stal was gegaan. Maar wat zou ze hier eigenlijk nodig hebben? Zo'n tijdschrift met allemaal foto's van filmsterren in baljurken zou wel leuk zijn, of een naaitijdschrift. Zou ze ook om een doos chocolaatjes met toffeevulling kunnen vragen, of om een voetmassage? Ze moest er maar aan wennen, dacht ze, en haar angst vervaagde tegelijk met het licht. Het echte leven klopte alweer aan haar deur in de persoon van Sipho, die haar kwam halen om te helpen met het uitladen van de koffers.

Nadat de jongens op de bedbank in slaap waren gevallen, nam de regen iets af, waardoor Monica de televisie tenminste weer kon horen. Het was een nieuw toestel, door Kitty speciaal voor de Oude Stal aangeschaft.

Sipho was stiller geweest dan anders. Ongetwijfeld liep hij te piekeren over het feit dat hij nu zo ver van zijn moeder verwijderd was. Monica had hem nog niet verteld dat ze hier wel dichter bij de familie van zijn vader in de buurt zaten. Die woonde in de Oost-Kaap. Ella noemde hen altijd 'die drinkebroers en nietsnutten' en ze had erop gestaan dat Monica de jongens in huis zou nemen, zodat ze niet waren overgeleverd aan familieleden die ze nog nooit eerder hadden gezien. Ooit zou er wel een geschikt moment zijn om dit aan Sipho te vertellen. Misschien zou hij zijn familie per se willen ontmoeten, maar dat zag ze dan wel weer.

Na een kort, gefluisterd telefoongesprek met haar ouders om te vertellen dat ze veilig waren aangekomen, keek Monica nog even bij de jongens. Daarna klom ze in het hemelbed en trok het donzen dekbed op tot aan haar hals. Door de regen waren de gewone nachtgeluiden, waaraan ze nog zou moeten wennen, niet hoorbaar, maar één ding zou ze in dit stadje in ieder geval nooit meer horen: het paniekerige gekrijs van welk alarm dan ook. Ieder jaar kwamen er in januari twee nieuwe politieagenten naar Lady Helen en volgens Max, Kitty en dokter Niemand stond er steevast in hun eindreportage dat ze nog nooit zo'n rustige standplaats hadden gehad. Het was voor hen bijna een sabbatsjaar, had Max gezegd, na het werk in de grote steden of in andere regio's waar de politie voortdurend te kampen had met overbelasting, onderbezetting en bedreiging door criminelen die op hun wapens uit waren.

Kort voor het ochtendgloren hield de regen helemaal op. Toen Monica om zeven uur de gordijnen openschoof, zag ze een wereld die als gloednieuw lag te glanzen. De druipende takken van de abrikozenboom glinsterden in het zonlicht, alsof ze beladen waren met duizenden diamantjes. De witte muren van het grote huis waren schoongespoeld en het koppie achter de Oude Stal stak scherp af tegen een diepblauwe hemel waaruit alle wolken waren verdwenen, op een paar sierlijke pluizen na. Van achter de met kamperfoelie overwoekerde veranda klonk de karakteristieke roep van een korhaan, die lijkt op de plop waarmee de kurk uit een fles champagne komt. Monica vroeg zich af of Francina al wakker zou zijn. Het was toch heel wat om zomaar te verhuizen naar een plek waar je nog nooit eerder was geweest. Ze hoopte maar dat een blik uit het raam deze ochtend aan al Francina's twijfels een einde zou maken.

Francina was inderdaad wakker, maar in plaats van de gordijnen open te schuiven om haar nieuwe omgeving te inspecteren, lag ze nog steeds in bed en zapte langs de televisiezenders, op zoek naar het weerbericht. Kitty had wonderbaarlijk snel gereageerd op haar verzoek om koffie. Ze was zelfs binnengekomen in haar kamerjas en met ongekamde haren. Francina had het niet zo op vrouwen die zichzelf urenlang zaten op te tutten, maar deze vrouw dacht blijkbaar dat ze zich zo uit bed kon laten rollen en aan het werk gaan, net als een boerin. Francina's vader was net zo: als haar moeder hem geen tandenborstel bracht met de tandpasta er al op, dan zou hij nooit zijn tanden poetsen. En wat de staat van dit huis betreft: ze begreep niet dat er vrouwen bestonden die konden leven met stof en vuil en rommel, zelfs zo dat ze het niet eens meer zagen. Misschien zou ze Kitty er eens op moeten wijzen. Na het ontbijt zou ze met haar praten, maar... alles op zijn tijd. Na al die jaren waarin ze zittend op de gesloten wc-bril had moeten douchen, omdat de douche daar nu eenmaal boven gemonteerd zat, betekende de buitenissige badkuip voor Francina een ongekende luxe. Weliswaar hield ze er niet van om water te verspillen, maar het leek erop dat deze stad meer dan genoeg had, en daarom zou ze met een goed geweten voor de tweede keer in twaalf uur eens lekker gaan liggen weken.

Bij het zien van de ontbijttafel zette Mandla grote ogen op.
'Je hoeft voor ons echt niet zo veel moeite te doen,' zei

Monica tegen Kitty. 'We kunnen gewoon in de Oude Stal ontbijten met ontbijtgranen.'

Zowel Mandla als Francina zond haar een verwijtende blik, maar Monica bleef onverzettelijk. 'We kunnen maar beter meteen wennen aan het gewone, dagelijkse leven hier,' zei ze.

Dat vroeg uiteraard om voorbereiding, en dus had ze een lijstje gemaakt. Boven aan de lijst stond het aanmelden van Sipho op zijn nieuwe school, voordat over twee weken het nieuwe schooljaar zou beginnen. Daarna wilde ze zich melden op haar kantoor, zodat Max haar nog even wegwijs kon maken voor hij definitief vertrok. Het derde actiepunt was het zoeken van een kerk waar ze zich allemaal thuis zouden voelen, inclusief Francina. Ten vierde moesten ze op zoek naar een huis, zodat hun meubilair niet al te lang in de opslag hoefde te blijven. Ze had twee weken geleden al contact gehad met een plaatselijke makelaar, maar afgezien van de gangbare huizen met twee slaapkamers en een badkamer was er op dit moment niets te koop.

Een paar dagen later gingen Monica en Sipho een kijkje nemen bij de school, een paar straten bij Pegs zuivelboerderij vandaan. De school leek net een vliegtuighangar en Monica meende dat ze tot nu toe nog niet zo'n lelijk gebouw in Lady Helen had gezien. Kitty had al verteld dat het dateerde uit de tijd dat een bouwwerk nog niet hoefde te voldoen aan de strenge bepalingen die tegenwoordig het historische stadje moesten beschermen tegen nieuwe stijlen en buitenissige rages. Niemand kon het echter over zijn hart verkrijgen om de school af te breken, omdat die geschonken was door een van de populairste inwoners, een vrijgezelle kunstenares die pas vorig jaar op de eerbiedwaardige leeftijd van honderd jaar was overleden. Zelf een hartstochtelijk fan van Picasso, had Dotty het gebouw ontworpen met de geometrische vormen uit zijn kubistische periode in haar achterhoofd. Geen mens had haar durven tegenhouden, omdat de oude school maar drie lokalen had waar de kinderen boven op elkaar gepropt zaten.

De lokalen van 'het Groene Blok', zoals de school genoemd werd, waren licht en fris, met hoge plafonds en grote ramen, die een goed zicht boden op de palmbomen en de blauwgerande koppies. Toen de school net gebouwd was, waren er negentig leerlingen in de leeftijd van zes tot achttien. Nu waren er nog maar veertig, een aantal dat met gemak in het oude schoolgebouw had gepast. De meeste mensen waren echter van mening dat de school weliswaar lelijk uit de toon viel tussen de zinken daken, de houten kozijnen en luiken van de overige huizen, maar dat het toch een passend monument was voor een dame die haar gedurfde, kleurrijke schilderijen bleef maken op een leeftijd waarop andere vrouwen alleen nog maar voor de tv zaten te dutten.

Wat sommige ouders in de school tegenstond, kon voor Sipho juist een voordeel blijken. Omdat er maar schoolgeld van veertig kinderen binnenkwam en de regering stelselmatig weigerde het budget aan te vullen – er waren genoeg achterstandsgebieden waar de nood een stuk hoger was – was er niet voldoende geld om elke klas een eigen onderwijzer te geven. Daarom waren er steeds twee klassen samengevoegd. Als de directeur het goed vond dat Sipho elk jaar voor twee leerjaren tegelijk de afsluitende toets maakte, zou hij de school in de helft van de tijd kunnen doorlopen. Misschien zou een versneld programma in de toekomst niet meer noodzakelijk zijn, maar op dit moment dreigde hij al zijn belangstelling te verliezen en zich voortdurend een vreemde eend in de bijt te voelen.

De directeur was een vrij jonge man, met dik, zwart haar waarmee hij nodig naar de kapper moest, een woeste baard en groene ogen, waaronder ondanks de ronde brillenglazen de donkere kringen zichtbaar waren. Hij droeg een kakibroek, een geruit overhemd en *velskoens*, handgemaakte leren schoenen, zo felrood als Monica nog nooit had gezien.

Met zijn vierendertig jaar was hij de jongste directeur van een openbare school die het land ooit had gekend.

'Ik zal u eerst een kleine rondleiding geven,' zei hij, 'dan kunnen we daarna verder praten in mijn kantoor.'

Aan de achterkant van de school was een speelplein voor de jongste kinderen. Voor de school lag een grasveld met her en der bloembedden, waar de oudere leerlingen aan houten picknicktafels hun meegebrachte boterhammen zaten te eten. Verder beschikte de school over een bibliotheek met vier computers – allemaal ter beschikking gesteld door de *Lady Helen Herald* – en een aula voor de vrijdagochtendbijeenkomsten waarbij de leerlingen na afloop van het ochtendgebed hun eigen toneelstukjes opvoerden en hun gedichten voordroegen. Een hockey- of voetbalveld had de school niet, en evenmin een tennisbaan of een volleybalnet, en al helemaal geen eigen zwembad. Wel waren er plannen om geld in te gaan zamelen en zo in ieder geval een van deze sportfaciliteiten te verwezenlijken. Aan Sipho's gezicht te zien was die niet erg rouwig om het huidige ontbreken ervan. Er was wel gelegenheid om mee te doen aan een heleboel goedkopere activiteiten, vertelde meester Dell, zoals een schaakclub, een discussieclub, een koor, een padvindersclub en de club van jonge natuuronderzoekers.

'Naar welke club zou jouw belangstelling uitgaan, jongeman?'

'De club van jonge natuuronderzoekers, meneer,' zei Sipho met glanzende ogen.

'Prachtig. We zitten te springen om nieuwe ideeën. En je hoeft me geen meneer te noemen, meester D. is prima.'

Sipho keek even vragend naar Monica, maar toen die knikte, zei hij: 'Goed, meester D.'

Het kantoor van meester D. smeekte om een van Francina's grondige schoonmaakbeurten. De kasten puilden uit, op de vloer lagen de boeken opgestapeld, het prikbord ging schuil achter een driedubbele laag folders en regeringscirculaires en het bureau was onzichtbaar door de stapels kranten en ringmappen, de laatste zo vol dat ze niet meer dicht konden. In een grote pot stond een varen die al enige tijd dood leek te zijn; bij de minste of geringste beweging dwarrelde er tenminste een regen van zwarte blaadjes omlaag. De jonge natuuronderzoekers moesten maar eens dicht bij huis beginnen, dacht Monica.

Ondertussen maakte meester D. twee stoelen vrij. Van de ene haalde hij een doos met schrijfbenodigdheden en de ander ontdeed hij van een verzameling truien, jacks en regenjassen.

'Sorry voor de rommel.'

Sipho stond met grote ogen toe te kijken. Nog nooit van zijn leven had hij iets dergelijks gezien.

'Ik ben echt van plan geweest iets aan de troep te doen, maar er zijn zo veel andere dringende zaken.'

Meester D. opende drie flesjes water en reikte er zijn gasten elk een aan. Monica had inmiddels het een en ander gehoord over zijn werk met leerlingen uit sociaal zwakke milieus. Hij wilde niets liever dan het ministerie van Onderwijs bewijzen dat geen enkel kind gedurende lange tijd hoefde weg te kwijnen op school, alleen maar omdat het nog zo veel in te halen had. Daarom zocht hij de kinderen met de slechtste cijfers persoonlijk thuis op om hen te begeleiden bij hun huiswerk. Hij gaf hun extra lessen in de vakken waarvoor begrijpend leren nodig was in plaats van het gewone stampwerk, zoals wis- en natuurkunde, en hij liet hen geen ogenblik met rust totdat ze thuiskwamen met een rapport waar ze trots op konden zijn. Het was een wonder dat hij nog tijd vond om te slapen of zijn haar te kammen.

'Indrukwekkend, zeg,' zei Monica, met een blik op het ingelijste diploma aan de muur, waarop te lezen stond dat meester D. summa cum laude was afgestudeerd.

'Dat zegt niet iedereen je na,' antwoordde de jonge onderwijzer met een weemoedige glimlach. 'Mijn vader wilde eigenlijk dat ik rechten ging studeren, dan had ik het familiebedrijf kunnen overnemen. Uiteindelijk verzoende hij zich met mijn keuze door zichzelf voor te houden dat ik dan les kon geven aan de universiteit. De mogelijkheid dat het een school in Soweto zou worden, was nooit bij hem opgekomen.'

'Waarom ben je bij die school weggegaan?' informeerde Monica. Dat hij zijn vader teleurgesteld had, wist ze al van Kitty.

'Het gebouw werd onveilig verklaard, en dus werden de kinderen in een ander gebouw geprop dat vijftien straten verderop stond. De leraren werden wegbezuinigd. Ik vond een andere baan in de Kaap, in het alfabetiseringswerk onder gevangenen. Het werk gaf veel voldoening, omdat de mannen een grotere kans hadden om ooit eerlijk werk te vinden als ze hadden leren lezen en schrijven en enigszins in staat waren om op eigen benen te staan. Maar het contact met kinderen miste ik wel erg.'

Meester D. stond vierkant achter Monica's idee om Sipho aan het eind van het cursusjaar een dubbele eindtoets te laten maken. Verder stelde hij voor dat ze met het oog op Sipho's verdere schoolcarrière de zaak gewoon zouden aanzien en dan naar bevind van zaken handelen. Monica hoefde niet eens aan te dringen. Ze was zo blij met zijn houding, dat ze hem langdurig de hand schudde, tot ze er zelf verlegen van werd en onder het mompelen van dankwoorden weer ging zitten.

Ze was niet de enige die enthousiast was. Ook Sipho bedankte hem steeds opnieuw, met een bijna kinderachtig hoog stemmetje dat helemaal niet bij hem paste. Het leek wel of meester D. op hen allebei hetzelfde effect had: hij was een van die mensen bij wie je wilt opspringen en 'hoera' roepen.

'Goed, dat was actiepunt nummer één van de lijst,' zei Monica, toen ze hand in hand met Sipho terugliep naar Abalone House. 'Het volgende is dat ik me moet gaan melden op mijn kantoor.'

Sipho kneep even in haar hand. 'Het was een goed idee om hierheen te gaan,' zei hij.

Ondertussen zat Francina op de schommelbank op de veranda en keek naar de tuinman die aan de overkant van de straat bezig was met het verstevigen van een hek dat onder het gewicht van een felroze bougainvillea dreigde te bezwijken. De aangebrachte ijzeren strip zou het wel een tijdje houden, meende Francina, maar het leek haar verstandiger om gewoon het hele hek te vervangen. Ze had het niet zo op dat geïmproviseer. Het was dat Mandla met zijn hoofd op haar schoot in slaap was gevallen, anders was ze even overgestoken om die man beleefd te vertellen dat dat hek het op een dag beslist zou begeven. In de verte zag ze de vreemd gevormde, rotsachtige koppies, die zo heel anders waren dan de glooiende heuvels van haar thuisland, maar haar toch een veilig gevoel gaven omdat ze de stad leken te beschermen.

Op de wisteria fladderden vier gevlekte, blauwe vlinders neer – op dit ogenblik veilig voor de mollige vingertjes die hen vast en zeker uit elkaar hadden getrokken. In een *doringboom* daar vlakbij zat een paartje *bokmakieries* naar elkaar te roepen. Zodra de zon onderging, zouden de krekels met hun hees gesjirp onmiddellijk invallen. De zonsondergang was hier een stuk later dan in Johannesburg en Francina vroeg zich af of dat misschien kwam omdat ze zich hier zo dicht bij de onderrand van Afrika bevonden. Ze had niet alleen moeite met moeilijke woorden; ook de gewone basiskennis die voor kinderen zoals Sipho gesneden koek was, zoals de baan van de zon om de aarde, ging haar al boven de pet. Misschien was het niet zo slim dat ze zichzelf vergeleek met een kind dat geniaal was, maar soms had ze het gevoel dat de wereld uit twee verdiepingen bestond en dat zij de bovenverdieping nooit zou bereiken omdat ze niet eens de trap kon vinden.

De tuinman zag haar kijken en zwaaide. Ze beet op haar tong en zwaaide terug, want dat deden de mensen hier nu eenmaal. In de tijd dat ze hier zat met het slapende kind op haar schoot was ze al begroet door drie langswandelende oudere vrouwen, een man met een poedel en twee jongens die Sipho en Mandla hadden zien lopen en vroegen of ze morgen kwamen spelen. Ze kreeg steeds sterker het gevoel dat dit stadje meer op haar vroegere dorp leek dan ze ooit voor mogelijk had gehouden. Haar vader en moeder waren op ditzelfde moment ook buiten, haar vader op zijn vouwstoel en haar moeder druk in de weer met al die klusjes waaraan nooit een eind scheen te komen, en net als zij zouden ze hun buren en andere voorbijgangers groeten; met een opgestoken hand, of een enkel woord als mensen een opmerking maakten over de prachtige dag. En wie eens lekker wilde klagen over de teloorgang van het gras kreeg koffie met zelfgebakken koekjes. Het was moeilijk voorstelbaar na de zondvloed waarmee zij in Lady Helen waren gearriveerd, maar in de rest van het land duurde de droogte nog onverminderd voort.

Mandla werd onrustig. Hij had meer dan twee uur geslapen en ze had hem mee naar buiten genomen in de hoop dat hij van de frisse lucht wakker zou worden, anders deed hij vannacht geen oog dicht. Francina was moe. Ze had vier gastenkamers, vier badkamers, de woonkamer en de eetkamer schoongemaakt. Zodra Monica en Sipho terug waren, zou ze weer een lekker lang bad nemen, dat kon nog wel voor het eten. Kitty bracht haar niet alleen 's ochtends koffie, maar ook hete chocolademelk voor het naar bed gaan. Zou ze ook een koud drankje naar haar kamer willen brengen?

Aan het eind van de straat zag ze Monica en Sipho aankomen. Ze praatten honderduit, dus het bezoekje aan de school was vast goed verlopen. Vlak na de adoptie had de relatie tussen Monica en de jongens nog het meest weg gehad van die tussen leraar en leerlingen, of tussen oppas en kinderen, of in het beste geval tussen een verre tante en haar neefjes, maar in de loop van de tijd was dat toch wel veranderd. Monica keek niet langer verbijsterd wanneer Mandla zijn woorden verbasterde zoals alle kleine kinderen doen, en ze gaf hem uit zichzelf een tussendoortje wanneer zijn favoriete televisiepersonages iets aten, of een pakje drinken als de rest van het gezelschap een kop thee had, of zijn cowboyhoed wanneer ze naar buiten gingen. Automatisch haalde ze op het juiste moment een washandje tevoorschijn om zijn toet af te vegen, een zakdoek om zijn neus te snuiten, speelgoed om hem in de auto bezig te houden, en dat alles alsof ze nooit anders had gedaan. Ze wist ook wanneer ze Sipho alleen moest laten met zijn gedachten, wanneer hij een omhelzing nodig had of wanneer een arm om zijn schouders volstond.

Francina had het hele proces gevolgd met de geduldige, maar kritische blik waarmee een vrouw haar nieuwe schoondochter gadeslaat. Inmiddels kon ze er niet meer onderuit: Monica was de moeder – ook al zouden de jongens haar nooit zo noemen – en zij, Francina, was haar assistente. En zo hoorde het ook; maar voor Francina's moederinstinct was het niet genoeg. Het deed haar alleen maar naar meer verlangen.

Monica ontfermde zich over Mandla, die zich uitrekte en jengelde omdat hij zijn comfortabele slaapplaats moest verlaten, en Francina ging zich 'klaarmaken voor het avondeten'.
Monica wist dat het voor Francina behoorlijk vermoeiend was om zo'n groot huis schoon te houden, maar ze wist ook dat Kitty het erg op prijs stelde. Zolang haar man nog niet alle leidingen in huis had vernieuwd, moest zij de zaak in haar eentje draaiende houden. Monica had geen idee of Kitty adverteerde in de grote, landelijke dagbladen, maar feit was wel dat Abalone House steevast het eerste hotel was waar de toeristen aanbelden.

'En, wat vond je van meester D.?' vroeg Kitty, die de veranda op kwam met een kan limonade en vijf glazen op een blad. Monica en Sipho keken elkaar aan en lachten breed.

'Je hoeft al niets meer te zeggen,' zei Kitty en deelde de drankjes rond.

'Ik breng Francina's drinken wel naar haar toe,' zei Sipho.

Kitty schopte haar sandalen uit en ging op de schommel-bank zitten, haar benen opgevouwen onder zich. Ze was een vrouw vol ongeëvenaard enthousiasme, maar tevens behept met een raadselachtige wispelturigheid – dat had Monica wel begrepen uit het gesprek dat ze gistermiddag op de veranda met haar had gevoerd. Al haar ondernemingen tot nu toe – een bloemenzaak, een kledinglijn van etnische mode, een kringloopwinkel en een cateringbedrijf – waren een doorslaand succes geworden en toch was ze er telkens weer mee gestopt zodra het tijd werd om uit te breiden ten-einde chaos te vermijden. Haar vader, een bankier die na dertig jaar ploeteren eindelijk de top had bereikt, kon maar niet begrijpen waarom zijn dochter er een gewoonte van maakte haar zaken te laten schieten. Ze hoefde immers nooit op haar tong te bijten, of te kruipen voor schreeuwerige idi-oten, of haar werktijden te verantwoorden, zoals hij. Hun relatie was verkild, omdat hij het bij geen enkel bezoek kon laten zure opmerkingen te maken over minstens een van haar vroegere ondernemingen. Nu ze de scepter zwaaide over Abalone House leek hij echter wat bij te trekken.

'Nou heb ik nog je wederhelft niet ontmoet,' zei Monica, ter-wijl ze een vlieg van Mandla's hoofdje joeg. Het jongetje had zijn limonade opgedronken en lag alweer te slapen, met zijn hoofd in Monica's schoot.

Kitty zuchtte. 'Ik vind het maar niks dat James zelf de bedra-ding wil vernieuwen. Hij is piloot, geen elektricien.'

'Hoe hebben jullie elkaar ontmoet?'

'De luchtvaartmaatschappij waar hij voor werkt, sponsorde een competitie en ik zat in de jury.'

'Laat me raden: een modellenshow?'

Kitty glimlachte verlegen. Monica's eerste indruk was de spijker op de kop geweest. Kitty was inderdaad mannequin geweest en in die hoedanigheid had ze al voor haar eenentwintigste Madrid, Parijs, Milaan en New York gezien. Daarna had ze haar baan opgezegd en was ze antropologie gaan studeren. Monica vroeg zich af wat haar moeder van Kitty zou vinden. Ook Monica's moeder was op haar eenentwintigste naar Johannesburg getrokken om mannequin te worden, maar haar carrière was nooit van de grond gekomen. In plaats daarvan had ze Monica's vader ontmoet, was met hem getrouwd en al spoedig daarna van Luca in verwachting geraakt. Door de jaren heen had Mirinda het gevoel van verlies over de gemiste kansen met zich meegesleept. Zelfs toen ze al halverwege de vijftig was, droeg ze haar haren nog opgestoken als iemand van koninklijken bloede, hoewel alleen haar vroegere vrienden haar nog hardop vergeleken met een Scandinavische prinses. De onbekenden in winkels en restaurants deden dat allang niet meer.

Sipho kwam terug met Francina's lege glas en Mandla werd wakker.

'Kijk eens, Monica,' zei Sipho en wees naar de treurwilg in de hoek van de tuin, 'daar zit een tapuit.'

Tapuiten, kanaries, leeuweriken – voor Mandla betekende het maar één ding: het waren vogels die met luid handgeklap uit de bomen verjaagd moesten worden. Nog duizelig van de slaap klom hij van Monica's schoot en wijdde zich aan wat hij als zijn dure plicht beschouwde.

'Vooruit, tijd om naar binnen te gaan,' zei Monica, en voorkwam daarmee een ruzie tussen Mandla, die erg in zijn nopjes was met het succes van zijn missie, en Sipho, die met een van afschuw vertrokken gezicht toekeek. 'Bedankt voor de limonade, Kitty.'

Op de schoorsteenmantel van de Oude Stal stond een vaas met verse bloemen; helder oranje strelitzia's dit keer. Kitty deed echt haar best om ervoor te zorgen dat ze zich thuis zouden voelen, dacht Monica dankbaar. Een vaas met bloemen, een schaal met koekjes, het ontbijt op bestelling – het deed haar goed, en toch hoopte ze dat ze binnen niet al te lange tijd een eigen huis zouden kunnen betrekken.

Omdat ze geloofde dat het Gods wil was dat ze naar Lady Helen zouden verhuizen, had ze ook gedacht dat alles gesmeerd zou verlopen. Haar bezoek aan de makelaar had echter niets opgeleverd en ze begon zich af te vragen of God haar misschien wilde leren met minder genoegen te nemen; want dat zou wel nodig zijn als ze zich met hun allen in een kleiner huis moesten zien te wurmen. Of misschien wilde Hij haar geduld op de proef stellen? In dat opzicht had ze al het een en ander geleerd, dacht ze. Ze besloot dat ze haar best zou doen het enig mogelijke te proberen: leven in geloof alleen.

Tien

ls je de opmaak van de Lady Helen Herald zag, zou je denken dat je een dagblad uit een grote stad in handen had in plaats van het wekelijkse nieuwsblad van een provinciestadje. Boven de vouw stond het hoofdartikel met daarbij een kleurenfoto en links ervan een kolom met ingekorte versies van de artikelen die in de rest van de krant te vinden waren. Onder de vouw stonden nog eens twee artikelen, over iets minder belangrijke onderwerpen, met een fotootje bij een ervan. De kop van het hoofdartikel voor deze week luidde: 'Regen verbijstert deskundigen'.

Had ze nu echt haar baan bij de omroep opgegeven voor een krant die het weer op de voorpagina bracht? Toch moest ze toegeven dat het een goed geschreven en interessant verhaal was, waarin helder uiteengezet werd dat de ongebruikelijke regenval aan de westkust, zo midden in de zomer, in feite onverklaarbaar was. Geen van de geraadpleegde meteorologen kon verklaren waarom het in dit gebied buiten het regenseizoen toch zo had geregend, terwijl de rest van het land, waar zomerregens een normaal verschijnsel waren, nog steeds uitgedroogd lag te blakeren in de zon. De deskundigen vermoedden dat het te maken had met de harde wind die hoort bij de Benguela Current, een oceaanstroming van Antarctica naar het noorden, langs de westkust van Zuid-Afrika. Twee dagen voor de stortbui was die wind harder geweest dan anders.

Ze hadden dus echt een gedenkwaardige gebeurtenis meegemaakt, bedacht Monica, terwijl ze zat te wachten tot Max haar bij de receptie zou komen ophalen. Waarom het eigenlijk de receptie genoemd werd, wist ze niet, want in plaats van een receptioniste waren er een gesloten tv-circuit en een intercom geïnstalleerd. Hoe dan ook, als ze bij voorbaat haar neus ophaalde voor een voorpagina-artikel over het weer, dan was ze niet de nieuwsgierige verslaggever waarvoor ze zichzelf hield. *Het is de hoogste tijd dat je je stadse allures laat varen*, zei ze tegen zichzelf. Iets was niet pas nieuws als er hoge regeringsfunctionarissen in figureerden, of als er machtsspelletjes, grensconflicten of corruptieschandalen in voorkwamen; zelfs de wind kon blijkbaar nieuws opleveren.

Op papier maakte Max een jonge indruk. Hij schreef met gezag en zijn taalgebruik was beeldend. Het was echt jammer dat hij door zijn artritis gedwongen was zijn werk neer te leggen en nog erger was het dat hij niet van plan was zijn memoires te publiceren. Monica was ervan overtuigd dat hij, na een halve eeuw de veranderingen in het land te hebben geobserveerd, moest beschikken over een schat aan wijsheid, die hij zou kunnen overbrengen in een prachtig en zakelijk proza.

'Je zit het zeker nog eens te lezen?'

De stem deed haar opschrikken. Ze zat net weg te dromen bij een bijna lyrische beschrijving van de rijkdom aan onderwaterleven dat zijn voedsel vond in de koude wateren die door de Benguela Current vanuit de diepte omhoog werden gestuwd. Eigenlijk was dit pas de eerste keer dat ze een rustig moment had om het laatste nummer van de krant helemaal door te lezen, maar ze vreesde dat een verontschuldiging als gebrek aan betrokkenheid zou worden opgevat. Daarom zweeg ze maar over de moeite die het kostte om een ander huis te vinden, om Sipho op de nieuwe school voor te bereiden en om een enigszins normaal gezinsleven op gang te houden, zodat ze zich aan hun nieuwe leven konden aanpassen en niet eindeloos vakantie bleven vieren. Gelukkig vroeg Max niet naar haar mening over de rest van de krant, want dan had ze wel moeten toegeven hoe de vork in de steel zat. Als ze de jongens niet had gehad, had ze ieder woord van die krant allang twee keer gelezen, maar tegenwoordig had ze soms het gevoel dat ze in een tredmolen liep die net iets te hard ging naar haar zin. Ze moest alle zeilen bijzetten om het tempo bij te houden en te voorkomen dat ze een lelijke smak zou maken.

Zwaar leunend op zijn stok ging Max haar voor naar zijn kantoor. De houten vloer vertoonde een paar lichte plekken waar de dossierkasten hadden gestaan en ook de oude, oranje sofa was verdwenen.

'Ik hoop dat je het niet erg vindt,' zei Max, 'maar als ik over iets zit te piekeren, of erge last heb van mijn gewrichten, is dat de enige plek waar ik nog een oog dichtdoe. Ik heb hem in mijn studeerkamer gezet, naast de computer.'

Hij gebaarde naar de muur achter hem; waar de ingelijste foto's hadden gehangen, staken nu nog tientallen spijkertjes uit de muur. 'Ik zal de mannen van de technische dienst vragen of ze die willen verwijderen.'

Alle sporen van zijn lange loopbaan leken wel uit het kantoor verwijderd te zijn. Plotseling voelde Monica zich triest; vreemd, want ze kende de man nauwelijks. Ze voelde echter wel dat dit iemand was wiens geest nog steeds tegen de harde eisen van zijn beroep was opgewassen, maar die toch gedwongen was op te geven, omdat hij gevangen zat in een oud lichaam dat smeekte om een rustiger tempo. Hoewel Monica haar nieuwe functie met vertrouwen tegemoetzag, besloot ze op dat moment dat ze Max er zo lang mogelijk bij zou blijven betrekken.

'Ik heb lopen denken dat ik een beetje begeleiding wel prettig zou vinden,' zei ze dus tegen hem, in de hoop dat God haar dit leugentje zou willen vergeven. Het was immers voor het goede doel. 'En ik vroeg me af of het een te grote belasting voor je zou zijn om een wekelijkse redactievergadering te houden. Ik weet dat je het druk hebt met je memoires, maar ik zou naar jouw huis kunnen komen.'

'O, geen probleem,' zei Max met een lachje in zijn ogen. Monica wist niet of het van dankbaarheid was of van pret omdat hij haar list doorzag, maar ze lieten het verder rusten en togen aan het werk voor het nummer van volgende week.

Max had al een lijst opgesteld met onderwerpen waarover hij een artikel wilde hebben. Het irriteerde Monica een beetje, omdat ze van mening was dat dit voortaan haar verantwoordelijkheid zou zijn, maar ze zette zich over haar ergernis heen.

'Op het eerste gezicht lijken de onderwerpen je misschien een beetje saai,' zei Max.

De plaatselijke bibliotheek had het zesduizendste boek aangeschaft.

Winnie Fortuin had een nieuwe geleidehond.

'Zo droog als gort,' had Monica graag hartgrondig beaamd, maar ze hield zich in en plooide haar lippen in een beleefde glimlach.

'In alles zit een verhaal – een goed verhaal,' bracht Max volkomen ernstig naar voren. 'Je moet er alleen voor openstaan.'

Met moeite gedroeg ze zich gedurende de rest van de vergadering opgewekt en enthousiast, maar toen ze met de lijst onderwerpen in haar hand weer vertrok, voelde ze zich zo terneergeslagen dat ze blootsvoets een flinke strandwandeling ging maken. Ze hoopte dat het warme zand onder haar voeten, de wind in haar haren en de zon op haar rug haar goede humeur zouden doen terugkeren, maar toen ze naar Abalone House terugging, had ze nog steeds het gevoel dat ze een interessante baan bij de radio had opgegeven voor een eindeloze reeks van geboorten in de veestapel, tentoonstellingen, talentenjachten en in memoriams.

De jongens zaten met hun nieuwe vrienden uit de straat op de veranda en dronken melk met een koekje erbij. Mandla stormde op Monica af en terwijl ze zich bukte om zijn hartstochtelijke zoen in ontvangst te nemen, viel het haar op dat Sipho zijn nieuwe vrienden nauwlettend in de gaten hield. Zijn angst bleek ongegrond; de jongens hadden meer belangstelling voor het enig overgebleven koekje dan voor een blanke moeder die een zwart jongetje stond te knuffelen.

Binnen stond Francina haar borstels, dweilen en vloerwas bij elkaar te rapen met meer lawaai dan nodig was. Er was duidelijk iets voorgevallen.

'Wat is er aan de hand?' vroeg Monica zacht, zodat de jongens het niet zouden horen.

'Wat vind jij van de verandavloer?' vroeg Francina.

De vloer glom zo oogverblindend dat Monica bijna de jongens had gewaarschuwd om niet uit te glijden.

'De vloer is nog nooit zo schoon geweest,' zei Francina, zonder op haar antwoord te wachten. 'En dat zei ik ook tegen die kat, en toen schoot ze me toch uit haar slof! Nu zegt ze dat ze me niet meer nodig heeft, en dat ze al het werk zelf wel zal doen. Wat die kat mankeert – ik heb geen idee.'

'Je bedoelt Kitty.'

'Na vandaag noem ik haar net zo lief Kat,' zei Francina in haar wiek geschoten, en liep weg.

'O, God, laat ons alstublieft snel een huis vinden,' bad Monica.

Ze vond Kitty in de keuken, waar ze bezig was met de bereiding van een diner voor de burgemeester en een paar van zijn vrienden, die binnenkort voor een rondreis naar Namibië zouden vertrekken en tot die tijd in Abalone House logeerden.

'Hoe lijkt je nieuwe baan?'

'Fantastisch,' zei Monica, die ter plekke besloot dat niemand iets van haar teleurstelling zou merken. Niet alleen wilde ze zelf voorzichtig te werk gaan in dit stadje waar de communicatielijnen zo kort waren, aan Kitty's rode ogen en vlekkerige gezicht zag ze wel dat haar vriendin grotere problemen had dan zijzelf.

'Gaat het wel goed met je?'

Kitty stond net gehakt te mengen met chutney, abrikozenjam, broodkruim, rozijnen, uien en kerrie om bobotie te maken. Snel veegde ze de traan weg die in het mengsel dreigde te vallen.

'Het is gewoon te druk allemaal.'

Kitty's vader hoopte vurig dat zijn schoonzoon er een stokje voor zou steken als Kitty het opnieuw in haar hoofd kreeg om iets heel anders te gaan opzetten, dat wist Monica wel. Hij moest eens weten dat zijzelf aan Kitty's verstand zou zijn gaan twijfelen, als niet uit het kraken van de zoldervloer of de sporadische bons van een vallend stuk gereedschap was gebleken dat die echtgenoot echt bestond en niet alleen in Kitty's fantasie.

'Wanneer verwacht je dat James klaar is met de bedrading, zodat hij je kan gaan helpen?'

'Nooit. Voor die tijd is hij allang dood neergevallen of heeft hij het huis in brand gestoken. O, dat had ik niet mogen zeggen! Hij doet zo zijn best!' Terwijl ze de geklutste eieren over de gehaktschotel goot, begon ze zachtjes te huilen.

Monica had graag gevraagd waarom hij geen beroepskracht aantrok voor dit karwei, maar dat had Kitty hem ongetwijfeld zelf ook al gevraagd. Ze ging haar handen wassen bij de gootsteen.

'Goed, ik ben er klaar voor. Wat moet er gebeuren?'

Kitty glimlachte haar toe. 'Dat is lief van je, Monica. En als we straks klaar zijn, moet ik eerst Francina mijn verontschuldigingen aanbieden. Ik heb een beetje met haar gekibbeld.'

'Ze begrijpt het vast wel,' zei Monica, stiekem duimend dat dat inderdaad zo was.

Terwijl Monica hielp met het diner voor de burgemeester, at Francina met de jongens spaghetti in de Oude Stal en zette daarna de televisie aan. Het journaal was net bezig, wat voor Mandla een teleurstelling was, maar toch was hij vastbesloten niets te missen van wat zich op de buis afspeelde.

'Waarom lopen die mensen met al die grote platen rond?' wilde hij weten.

'Dat zijn protestborden,' verbeterde Sipho. 'En ze lopen ermee rond omdat ze willen protesteren.'

'Ik wil ook protesteren,' lachte Mandla meteen.

Francina kreunde. Hij leek zijn moeder wel.

'Maar het is helemaal niet grappig,' legde Sipho uit. 'Ze protesteren omdat de president geen medicijnen geeft aan mensen met aids.'

De lach verdween uit Mandla's ogen. Hoewel hij nog geen vier was, wist hij wat aids was: de ziekte die hem zijn moeder had ontnomen.

'Ik wil ook protesteren,' herhaalde hij, maar nu sloeg hij met gebalde vuistjes tegen zijn dijen.

Francina zapte naar een muziekprogramma en algauw zat Mandla op de maat mee te wiegen. Of het wijsheid was, of juist lafheid, wist ze niet – Monica kon dit soort situaties veel beter hanteren.

Toen ze opstond om warme chocolademelk te gaan maken, knisperde er een stuk papier in haar zak. Het was een brief van haar moeder en ze was van plan die later op de avond in bad te lezen. Ze was vanmiddag voor Kat de brievenbus gaan legen en had toen terug moeten denken aan de verwachtingsvolle rilling die altijd door haar heen ging bij de gedachte dat er weer een van Hercules' keurig geadresseerde enveloppen bij de post kon zitten. Plotseling was de teleurstelling die ze tot dan toe met zich had meegetorst van haar af gevallen, verdwenen als de vroege zomernevel die verwaait in de zuidoostenwind. Ze kon zich Hercules weer voor de geest halen in zijn huis vol herinneringen, zonder dat haar wangen begonnen te branden, en ze vroeg zich af of haar weigering om met hem te trouwen misschien zijn ogen had geopend voor de ernst van zijn toestand.

Het was maar goed dat ze haar moeder nooit in vertrouwen had genomen. Die had genoeg aan haar eigen zorgen, nu de droogte maar voortduurde en al vier koeien het loodje hadden gelegd. Francina voelde even in haar zak. Ze hoopte vurig dat er niet nog meer slecht nieuws was.

Tegen de tijd dat de jongens hun pyjama hadden aangetrokken, was Monica nog steeds niet thuis. Daarom zocht Francina een natuurprogramma voor hen op en rolde ze zich met haar brief op in een luie stoel.

'Wat lees je?' vroeg Mandla meteen.

'Nieuws van mijn moeder in de Vallei van Duizend Heuvels.'

Zijn ogen werden groot. 'Duizend heuvels?'

'Dat is maar een uitdrukking,' zei Sipho.

Francina had bijna gezegd dat er toch echt duizend heuvels waren, maar in plaats daarvan richtte ze haar aandacht op de brief. Er was weer een koe doodgegaan en de andere koeien waren zo mager dat je hun ribben kon tellen. Toch vertrouwde haar moeder erop dat het weer in Gods hand was en dat Hij, wanneer ze het allerminst verwachtten, de wolken zou zenden met genoeg regen om de hele aarde te doordrenken.

Haar vader bracht de nachten in de kraal door om te waken bij het onrustig slapende vee. Hij was echter wel weer vol goede moed omdat de mannen van Winston onverwacht waren komen aanzetten met in totaal twintig balen hooi op hun rug. Een verklaring hadden ze niet gegeven. Francina's moeder had hem nooit verteld van het bezoek aan het dorpshoofd en liet het liever ook maar zo.

Net zoals een jonge moeder met haar elleboog het badwater voor de baby test, zo had zij de stemming in het dorp gepeild door korte opmerkingen over Francina te laten vallen – bij de handwerkgroep, in de winkel en bij het feest ter gelegenheid van een honderdste verjaardag. Niet één keer had ze iemand zien meesmuilen of fluisteren, zoals vroeger. Sommige vrouwen hadden naar Francina's welstand geïnformeerd en een van hen had zelfs willen weten of ze nog steeds zulke prachtige kleren naaide.

Omdat Francina in Johannesburg woonde, was het meeste aan haar voorbijgegaan, maar haar moeder had lange tijd met de valse schaamte moeten leven. Om dat te vergoeden waren zelfs honderd balen hooi niet genoeg, laat staan twintig. Francina hoopte en bad dat Winston er nog meer zou sturen, hoewel de prijzen de pan uit rezen naarmate de droogte langer duurde.

Ze stopte net de brief weer in haar zak, toen Monica binnenkwam, haar rok onder de bruine spetters, haar gezicht glimmend van het zweet en haar haren in de war.

'Wat is er met jou gebeurd?'

'Het werd allemaal nogal hectisch.' Ze bukte zich om de jongens een zoen te geven. 'Sorry dat ik zo laat ben. Fijn dat je even opgepast hebt. Kun je je voorstellen dat ik in deze staat kennis heb gemaakt met de burgemeester? Het is een dikke, vrolijke man. Het was net of ik de kerstman aan het bedienen was.'

'Misschien is hij de broer van de kerstman,' opperde Mandla. Deze keer hield Sipho zich in en corrigeerde hij zijn broertje niet. Francina was trots op hem.

Toen ze de deur achter zich dichttrok, moest ze plotseling grinniken bij de gedachte dat zij en Monica nu allebei in Abalone House werkten. Het leven kon toch wel grappig zijn. Zou Monica zin hebben om donderdag mee te gaan naar de kaartmiddag van het personeel? Ze grinnikte nog harder toen ze zich Monica voorstelde met een kop thee, zittend op de stoep, en ze bleef grinniken terwijl ze haar weg zocht door de maanverlichte tuin. Toen ze de abrikozenbomen voorbij was, bleef ze staan om naar de sterren te kijken. Ze probeerde te bedenken of ze dat in Johannesburg wel eens had gedaan, maar ze kon zich geen enkele keer herinneren. Ze ging 's avonds eenvoudigweg niet naar buiten. Hercules zou nu vast met een paar prachtige volzinnen op de proppen zijn gekomen om de schoonheid van de nachtelijke hemel te beschrijven, maar zij kon alleen maar denken dat het net was of God de lichten had aangelaten. De nachtlucht was prettig koel tegen haar blote armen. Van onder de dakspanten van het grote huis klonk de roep van een uil en ze vroeg zich af of dat nu de uil was die Sipho Mandla had aangewezen door zijn slaapkamerraam.

Hoewel Durban, de beroemde kustplaats, niet ver van haar dorp lag, was ze toch maar één keer in haar leven naar het strand geweest. Dat was op een schoolreisje, vlak na de overgangsexamens. De jongens hadden zich uitgekleed tot op hun ondergoed en elkaar het water in getrokken. De meisjes hadden hun jurken opgeschort en waren tot aan hun knieën het water in gewaad, maar zij was op het strand blijven staan kijken hoe ze bij iedere volgende golf gillend terug kwamen rennen.

De golven voor de kust bij Lady Helen waren lang zo hoog niet. Ze ontstonden pas vlak voor het strand en kwamen dan zachtjes aanrollen. Misschien dat ze er op een dag tot haar knieën in zou durven gaan. Het liefst deed ze dat in de ochtend- of in de avondschemering, maar ze had Sipho horen vertellen dat dat juist het moment was waarop de haaien meestal aanvielen. Hij had ook gezegd dat het gevaarlijk was om in je eentje te gaan zwemmen, dus zou ze Monica moeten vragen om mee te gaan. Het zou wel fijn zijn geweest als ze een speciaal iemand had gehad voor zulke uitstapjes, maar na wat haar met Hercules was overkomen, zou dat nooit meer gebeuren.

Als een vleermuis die op jacht gaat, daalde Kitty's man de volgende ochtend eindelijk van de zolder af en verscheen met een triomfantelijke grijns aan het ontbijt.

'Het is klaar,' verkondigde hij aan alle onbekenden die hij daar aantrof, want hoewel ze intussen al twee weken in de Oude Stal woonden, had hij hen nog niet één keer gezien.

'De hemel zij dank,' zei Kitty en stapelde zijn bord zo vol met pannenkoeken dat Mandla's ogen haast uit zijn hoofd vielen.

Ze leek te vergeten dat er nog geen wederzijdse kennismaking had plaatsgehad, en daarom stelde Monica achtereenvolgens zichzelf, Francina en de jongens aan hem voor.

'Welkom,' zei James, alsof ze net waren aangekomen. 'Als jullie tijdens het verblijf hier ergens om verlegen zitten, geef je maar een gil.'

Francina haalde diep adem om haar ergernis te verbergen.

'Er wordt hier buitengewoon goed voor ons gezorgd,' zei Monica haastig.

James legde zijn hand op de rug van zijn vrouw.

'We werken ook hard om het onze gasten naar de zin te maken, waar of niet?'

'Zeker weten,' zei Kitty en ze vulde de kan met versgeperst sinaasappelsap nog eens bij. Zelfs uit de klank van haar stem kon je niet opmaken of ze boos was omdat haar man met de eer van haar inspanningen leek te willen gaan strijken.

Hoewel James nog maar net veertig was, was zijn golvende, schouderlange haar al volkomen grijs. Hij droeg een verschoten T-shirt, een flodderige korte broek en sandalen en Monica had moeite zich hem in een pilotenuniform voor te stellen.

'Ik wil van de gelegenheid gebruikmaken om een mededeling te doen,' zei hij nu. Kitty bleef halverwege de keuken stokstijf staan, met een stapel vuile borden in haar handen. Blijkbaar was wat hij nu ging zeggen ook voor haar een verrassing.

'Ik start een nieuwe activiteit. Vanaf morgen neem ik gasten mee in een boot om de haaien te voeren.'

'Monica!' zei Mandla met paniek in zijn stem en hij greep haar bij de pols.

'Schrik maar niet, lieverd,' zei ze en sloeg haar armen om hem heen. 'Hij bedoelt niet dat hij de mensen aan de haaien gaat voeren, maar dat de mensen de haaien vis mogen geven.'

James barstte in lachen uit. 'Dacht je nou echt dat ik..? Wat een grap!' Hij streek Mandla door zijn haar, maar die trok zijn hoofd terug en kroop bij Monica op schoot.

'Ik had een kooi besteld en die is gisteren aangekomen. Hij staat nu in de garage,' zei James.

Het viel Monica op dat Kitty stomverbaasd keek.

'De jongens moeten beslist eens met me mee,' vervolgde James. De reactie van Sipho op zijn woorden ontging hem volkomen. 'Er daalt één persoon tegelijk in de kooi af, en dan gooi ik een stuk bloederige tonijn in het water; de haai ruikt dat van kilometers afstand en komt als een speer naar de kooi gezwommen, alsof hij in geen maanden te eten heeft gehad.' Nu zag hij eindelijk de ontzetting op Sipho's gezicht. 'Het kan helemaal geen kwaad, hoor. De duiker heeft een speer bij zich, en daarmee steekt hij de haai de stukken vis toe. Wil je de kooi zien?'

Sipho gaf geen antwoord. Zijn afschuw en angst waren groter dan zijn aangeleerde goede manieren. Monica realiseerde zich dat ze moest ingrijpen om geen verkeerde verwachtingen te wekken.

'Sorry, ik heb hem nodig om wat onderzoek voor me te doen in de bibliotheek. Maar bedankt voor het aanbod.'

James knikte. 'Een andere keer dan maar,' zei hij en legde zijn mes en vork neer. 'Dank je wel, Kitty; het was weer uit de kunst. Ik ga nu de boot nakijken. Heb jij soms zin om de kooi te zien?'

Misschien dat hij niet merkte hoeveel moeite het zijn vrouw kostte om hem een rustig antwoord te geven, maar Monica zag het wel.

'Ik moet eerst dit opruimen,' zei ze, wijzend op de overblijfselen van het ontbijtbuffet. 'En dan moet ik de kamers in

orde maken voor twee Duitse echtparen die vanmiddag arriveren. Later misschien?'

James zoende zijn vrouw vol op de mond en liet zijn vingers
door haar haren glijden. Sipho keek strak op zijn bord en
Kitty liep snel de kamer uit, haar wangen even rood als de
verse aardbeien die ze voor het ontbijt had geserveerd.

Francina wees naar haar voorhoofd en Monica was blij dat
Sipho en Mandla dat niet zagen. Ze begreep dat ze iets meer
over die haaienvoederij te weten moest zien te komen, al
was het alleen maar om Sipho's angst weg te nemen. Maar
misschien zat er ook wel een goed artikel in. Het was tenminste een wat avontuurlijker onderwerp dan het zesduizendste boek van de bibliotheek. En over de bibliotheek
gesproken: het was hoog tijd om te vertrekken en ze had
inderdaad Sipho's hulp nodig. Hij had gezegd dat hij de catalogus wel wilde nakijken, zodat Monica in haar artikel iets
kon zeggen over het soort boeken waar deze bibliotheek
een voorkeur voor had.

De bibliothecaresse heette Doreen Olifant. Ze was de onoffi-
ciële stadshistoricus en in het weekend verzorgde ze alle
spoedbestellingen. Ze had dus een druk bestaan, maar
omdat ze weduwe was en haar enig kind en kleinkind in
Australië woonden, wilde ze dat ook maar al te graag. Ze
had de geschiedenis van haar familie nagetrokken tot de tijd
dat de overgrootmoeder van haar overgrootmoeder vanuit
Maleisië naar de Kaap was getransporteerd om er als slaaf te
werken. Ze had de gewoonte om voortdurend te switchen
tussen het Engels en het Afrikaans, haar moedertaal, totdat
ze in de gaten kreeg dat Sipho niet alles kon verstaan wat ze
zei.

'Sorry,' zei ze toen. 'Ik vergeet steeds dat Afrikaans op
school niet langer verplicht is.'

Doreen was in de vijftig, maar haar huid was nog steeds
wonderbaarlijk glad, als die van een jong meisje. Ze droeg

een lichtgroene, linnen wikkelrok met een los, bijpassend jasje eroverheen en haar haar was opgerold in een wrong die achter in haar nek onzichtbaar met spelden bij elkaar werd gehouden. Iedereen hier in de stad leek wel handgemaakte sieraden te dragen en Doreen was geen uitzondering. Ze had een ketting om van grote, doorzichtige kralen met een gekleurde kern.

Sipho hoefde niet in kaartenbakken te rommelen, omdat de catalogus in de computer was ingevoerd. In tien minuten had hij vastgesteld dat Doreen een enthousiast fan was van Zuid-Afrikaanse romans, maar voor informatieve boeken toch buiten de grenzen keek.

'Het komt me voor,' zei Monica tegen haar, 'dat je meer vertrouwen hebt in je landgenoten wanneer het gaat om verhalen vertellen dan wanneer het gaat om feiten.'

Het was een vrijpostige opmerking, maar Doreen keek haar recht in de ogen en zei kalm: 'Dat klopt. Ik ben gewend dat er tegen me gelogen wordt. Over bepaalde onderwerpen, zoals geschiedenis, zou alleen geschreven mogen worden door mensen die van buiten komen. Alleen een buitenstaander kan de waarheid vertellen.'

Nadat het beroemde zesduizendste boek tevoorschijn was gehaald en Sipho alle foto's van de kleurrijke Zuid-Amerikaanse volkskunst had bewonderd, verlieten ze de bibliotheek en gingen bij Mama Dlamini een milkshake drinken. Terwijl ze zich in een hoekje van het café nestelden, klonken Doreens woorden nog na in Monica's oren: 'Alleen een buitenstaander kan de waarheid vertellen.' Het leek wel of Max haar met opzet naar Doreen had gestuurd, in de wetenschap dat zij juist die woorden zou gebruiken. Zij was per slot van rekening een buitenstaander. De artikelen waar ze voortaan aan zou werken mochten dan onbenullig lijken, maar deze mensen hadden een soort kalme waardigheid over zich die nadere beschouwing verdiende. Ze hielden zich niet bezig met grootschalige projecten om de welstand van arme mensen te bevorderen, of achtergestelde groepen meer invloed te geven, of politieke en juridische hervormingen te bewerkstelligen. Toch betekenden ze waarschijnlijk evenveel voor hun land als de leden van het parlement, door hun vreedzame en beschaafde levenswijze en hun respect voor de medemens, zonder aanzien van ras of stand. In hun leven was iets te zien van de toekomst waarover Ella had gedroomd en waarnaar ze zo had verlangd, maar die ze niet meer had mogen beleven.

Tegen de tijd dat haar milkshake op was, had Monica zich voorgenomen zich in haar werk nooit meer door trots te laten leiden. De waarheid was nooit onbenullig of onbelangrijk. Ze vormde de basis van een gemeenschap, door haar waren de leden aan elkaar verantwoording schuldig. En het was haar taak de waarheid te ontdekken en onvervalst aan het licht te brengen – een taak die dus van veel groter belang was dan ze ooit had gedacht.

Elf

I n een plaats als deze leek het volkomen vanzelfsprekend om samen met Monica naar de kerk te
gaan, al zou de gedachte vroeger zelfs niet bij
Francina opgekomen zijn. Dienstbodes, huisbedienden,
huishoudelijke hulpen of hoe je hen verder ook maar wilde
noemen, gingen gewoon niet naar dezelfde kerk als hun
werkgevers. Jarenlang had ze dus in kerkelijk opzicht een
eigen leven gehad, dat helemaal losstond van haar leven
thuis. Iedere zondag verzamelden zij en haar zusters – in
hun rood-zwarte kooruniformen net een zwerm exotische
insecten – zich in het gebouw van de padvinderij. Daar gingen ze gewoon verder op het punt waar ze de vorige week
waren gebleven, alsof de tussenliggende zes dagen van slo-
ven niet hadden bestaan; alsof er geen ander leven was dan
het samenzijn tussen deze muren, behangen met instructies
hoe je een vuurtje moest stoken en welke knoop kon voorkomen dat je tent wegwaaide in een storm. Nooit spraken ze
over hun gezinnen; niet over de gezinnen waarin ze dienden
en ook niet over de gezinnen die ze hadden achtergelaten in
dorpjes her en der in het land. Deze dag stond in het teken
van aanbidding, en dan aanbidding van een door merg en
been dringende intensiteit. Soms verwachtte Francina half en
half dat het dak eraf zou vliegen van hun luide gezang en ze

vroeg zich af hoe het mogelijk was dat de mensen die hier op maandag kwamen vergaderen de echo van de lofzangen niet hoorden.

De enige keer dat de vrouwen zichzelf een gesprek over hun dagelijks leven permitteerden, was als ze weer eens op reis gingen voor een concours. Dan hoorde je hen klagen over de echtgenoot die geen geld voor de kinderen meer stuurde, of over de zoon die voortijdig van school was gegaan om in een nachtclub in Nelspruit te gaan werken – en dat terwijl zijn moeder jarenlang de toiletten van anderen had geschrobd om zijn schoolgeld te kunnen betalen. De een liep te tobben over haar moeder, die in een dorp in Empangeni voor de kleinkinderen zorgde, maar de laatste tijd hele gesprekken voerde met verwanten die al dood waren sinds de tijd van president P.W. Botha. Een ander vertelde over haar zoon die een studiebeurs van de universiteit van Witwatersrand had gewonnen; ze telde de maanden af tot zijn afstuderen, want dan zou hij leraar worden en kon zij naar haar dorp terugkeren.

Een voor een onderbraken ze hun gezang voor het een of andere verhaal. Het deed er niet eens zo veel toe of er wel iemand luisterde; ze vonden het al fijn dat ze hun ei eens kwijt konden. Toch kreeg het zingen hen altijd algauw weer te pakken. Ze zongen zich los van hun zorgen, terwijl de minibus onverdroten voort rammelde, beschut en beschermd door de prachtige stemmen van al die vrouwen in zwart en rood.

En nu had Monica voorgesteld dat ze samen een kerk zouden gaan zoeken! Het was een vreemde gewaarwording, maar Francina was bereid een poging te wagen. Voor haar en Monica was al zoveel gewoon geworden wat eerst vreemd was. Bovendien was ze aan haar vorige gemeente zo verknocht geweest dat de moed haar ontbrak om in haar eentje een nieuwe start te maken.

Daar ging ze dus, voor de eerste keer sinds haar tienerjaren, naar de kerk zonder haar kooruniform, omdat Monica dat niet zo'n goed idee vond. 'We willen niet opvallen,' had ze gezegd.

De kans dat dit zou lukken was volgens Francina niet groot, gezien de ongebruikelijke samenstelling van hun gezin, maar goed. Ze droeg nu de jurk die ze had gemaakt voor de kennismaking met Hercules' moeder. Toen ze de rok gladstreek, gingen haar gedachten terug naar die omvangrijke dame, die in haar eigen huis moest aanzien hoe haar zoon zijn leven achterstevoren leefde. Dat ze voorgoed het verlangen naar kleinkinderen op wilde geven, was een groot offer.

Voor het eerst sinds ze vanuit de taxibus nog een laatste keer naar Hercules had gezwaaid, stak haar een gevoel van schuld. Misschien had God hem wel met een bepaalde bedoeling op haar weg geplaatst. Nee, God verwachtte vast niet van haar dat ze de rol van dokter ging spelen, en een dokter was wat Hercules nodig had. Maar stel nu eens dat hij niet alleen een dokter, maar ook een goede vriendin nodig had?

Francina zei er niets over, maar ze vond de opmerking van Monica dat ze een aantal kerken zouden gaan 'uitproberen' getuigen van weinig eerbied. Het huis van God was geen restaurant dat je kon beoordelen op bediening en netheid. Monica had echter uitgelegd dat het belangrijk was om een plek te vinden waar ze zich allemaal op hun gemak zouden voelen. De eerste kerk waar ze heen gingen, was meteen de grootste van Lady Helen, niet zozeer qua gebouw, maar qua aantal gemeenteleden. Kitty had hen gewaarschuwd dat ze er vroeg moesten zijn, als ze tenminste niet anderhalf uur wilden staan. Het vooruitzicht van een paar zere voeten was voor Francina voldoende om ervoor te zorgen dat de jongens kant en klaar stonden lang voordat het tijd was om te vertrekken.

Het Kerkje aan de Lagune was het eerste kerkgebouw dat in Lady Helen was neergezet. Zoals de naam al zei, was het gebouwd aan de rand van de lagune aan de noordkant van het stadje, in een tijd waarin nog geen aandacht bestond voor het welzijn van de duizenden trekvogels die hier ieder voorjaar kwamen nestelen. Inmiddels was iedereen het erover eens dat uitbreiding van het kerkgebouw niet mogelijk was zonder de vogels te storen, en er waren zelfs mensen die ijverden voor afbraak. Tien jaar geleden was de parkeerplaats al gesloten en tegenwoordig moesten de kerkgangers op zondag rubberlaarzen aan om vanaf de nieuwe parkeerplaats droogvoets de achthonderd meter lange oversteek over het wad te kunnen maken. Mannen die tijdens de preek het slik van hun laarzen zaten te wrijven of kinderen die met hun voeten moddertekeningen maakten op de vloer vormden een normaal verschijnsel in elke dienst. Iedere maandag waren twee dames de hele ochtend bezig om de plavuizen weer schoon te schrobben.

Francina was blij dat Kitty hen van tevoren voor het wad had gewaarschuwd, maar in stilte hoopte ze dat deze kerk Monica niet zou bevallen. Het leek niet gepast om op zulke bemodderde laarzen Gods huis binnen te stampen. Maar onderweg werden ze door de meeste mensen die ze tegenkwamen hartelijk begroet, alsof ze oude bekenden waren, en Francina begon meer en meer te denken dat dit stadje precies op haar eigen dorp leek.

De predikant stond op de trap voor de kerk en heette iedereen persoonlijk welkom. Francina had al gehoord dat het haar van dominee Van Tonder wit was aan de voorkant en pikzwart op de rest van zijn hoofd, maar ze moest zich toch bedwingen om hem niet aan te gapen. Nog nooit had ze een man gezien met zo'n wonderlijke haardos. Monica gedroeg zich alsof ze zoiets dagelijks zag en schudde de man hartelijk de hand. Daarna gaf ze ook de vrouw die naast hem stond een hand en de dominee stelde haar voor als zijn vrouw, Ingrid.

De stakker kan zich nauwelijks bewegen in zo'n jurk, dacht

Francina, die haar ogen niet kon geloven bij het zien van de stugge stof en de slechte pasvorm. *En door die roze kleur lijken haar rode krullen net verbrande krakelingen.* In gedachten ontwierp ze op hetzelfde moment een japon van golvende organza, die veel prettiger zou zitten – en de vrouw in kwestie een stuk aantrekkelijker zou maken.

'Wat een prachtige jurk heeft u aan,' zei de domineesvrouw, terwijl ze Francina een hand gaf.

'Ik kan er voor u ook wel een naaien,' flapte Francina eruit voor ze er erg in had. 'Ik ben naaister.'

En zo, op die modderige treden, omringd door duizenden vogels en een paar honderd mensen in hun zondagse goed, had ze zichzelf zomaar gepresenteerd als een vrouw met een echt beroep, iemand die klaarstond om haar steentje bij te dragen aan de economie van haar nieuwe woonplaats. Ze had ook kunnen zeggen dat ze modeontwerpster was, want dat was ze ook, maar een mens kon het overdrijven en ze was niet gewend zichzelf zo op te blazen. Toch zou ze dat ook moeten leren, bedacht ze. In het verleden had ze puur uit liefde al die kleren voor vriendinnen en familieleden genaaid, maar als ze van plan was haar creativiteit te gelde te maken, zou ze iets van marketing moeten weten. Plotseling besefte ze dat ze voor het eerst van haar leven het woord 'creativiteit' in verband bracht met zichzelf. Dat was alvast een veelbelovend begin!

Ze vertelde Ingrid waar ze haar kon vinden – wat eigenlijk onnodig was, want dat wist iedereen natuurlijk allang – en maakte meteen een afspraak voor het opnemen van de maten.

'Wat is er met het haar van die meneer gebeurd?' vroeg Mandla, toen ze hem naar zijn zondagsschoolklasje gingen brengen.

'Hij heeft met kleurpotloden op de boeken van zijn broer gekrast,' zei Sipho en Mandla sperde zijn ogen open van schrik.

'Sipho, jokken is verkeerd,' zei Monica. 'Mandla zal het nooit meer doen, nietwaar Mandla?'

Het jongetje knikte plechtig.

'Die meneer is dominee Van Tonder en God heeft hem zo gemaakt,' legde Monica nu uit. 'Hij is gewoon anders dan anderen, dat is alles.'

Met een vrolijke zwaai nam Mandla afscheid, voegde zich bij de andere kinderen en stevende regelrecht op de grote, rode brandweerauto af die naast de kist met speelgoed stond. De jonge vrouw die de leiding over het groepje had, vertelde dat ze de kleintjes altijd eerst tien minuten lieten spelen, en dan de rest van het uur besteedden aan het zingen van liedjes en het lezen van een bijbelverhaal.

'Hij kan heus goed luisteren,' zei Francina tegen haar. 'Als hij de bladzijden voor je mag omslaan, kan hij urenlang stilzitten.'

Sipho ging met een stuk minder enthousiasme naar zijn eigen klas, die bijeenkwam in de centrale hal van het zondagsschoolgebouw. Van Francina had hij wel mee gemogen naar de kerk, maar Monica vond het belangrijk dat hij met andere kinderen in contact kwam.

Toen ze zichzelf eenmaal verboden had naar het haar van dominee Van Tonder te staren, raakte Francina helemaal in de ban van diens woorden. Hij was veel minder vurig dan de dominee in haar vroegere kerk, maar hij praatte alsof hij het tegen een stel oude vrienden had, warm en hartelijk, met af en toe een grapje voor het evenwicht. Ze vroeg zich af of hij echt iedereen hier persoonlijk kende, en hoe meer ze daarover nadacht, hoe meer ze besefte dat dat zeer wel mogelijk was. Niemand riep hier hardop 'Amen' of 'Dank U, Jezus,' en geen enkele keer draaiden mensen zich naar elkaar toe om elkaar te omhelzen of op de rug te kloppen. In plaats daarvan knikten ze slechts naar elkaar wanneer de dominee iets zei wat hen ontroerde, maar toen een oudere vrouw onwel werd, onderbrak de dominee zijn preek tot ze door een aantal vrijwilligers de kerk uit was gedragen voor wat frisse lucht. Ook in deze kerkfamilie gaven de mensen oprecht om elkaar, dat zag Francina wel, en ze dacht dat ze ook wel zou kunnen gaan houden van deze plek, die zo dicht bij de zee lag dat je tijdens de preek het zout op je lippen kon proeven.

Het koor daarentegen was een heel ander verhaal. De vijf dames droegen geen kooruniform en hoewel het toch hun taak was het kerkgebouw tot de nok toe te vullen met triomfantelijke halleluja's, stonden ze zo dicht op elkaar dat het wel leek alsof ze achter elkaar wilden wegkruipen. Niet één keer stonden ze te swingen, of hieven ze hun handen op in aanbidding, of knipten ze met hun vingers. Dat kon ook eigenlijk niet, want er zat totaal geen pit in de treurige melodieën, die met zulke zuinige mondjes werden gezongen dat de mensen op de achterste rij er beslist niets van hoorden, laat staan de mensen die in de hal moesten staan waar de koorzang concurrentie had van schuifelende laarzen en krijsende vogels. Kon ze hen allemaal maar eens meenemen naar een concours om te laten horen wat de bedoeling was! Hier was werk aan de winkel, dat was duidelijk.

In haar deftige jurk en haar belachelijke laarzen was ze de afgelopen anderhalf uur dus niet tegen één, maar zelfs tegen twee banen aangelopen. Ze zou de rest van haar leven haar handen vol hebben.

Na de dienst wilde Mandla onmiddellijk het wad op.

'Ik vind dit een leuke kerk,' verklaarde hij, terwijl hij een aanloopje nam en met een grote sprong op twee voeten tegelijk landde. De modder spatte alle kanten op en Sipho zat eronder.

'Denk erom,' zei Francina, die Sipho's overhemd probeerde schoon te vegen met haar zakdoek, 'dat mag je niet meer doen, Mandla.' Ze zei het zacht, maar dreigend genoeg om te voorkomen dat het jochie er opnieuw vandoor sprintte.

Aan de teleurstelling op zijn gezicht was wel te zien dat hij dat nu juist van plan was geweest.

'Het nieuwtje van die modder gaat er wel af, hoor.' Het was de stem van Zach Niemand. Monica had de dokter tijdens de dienst niet opgemerkt. Ze keek om zich heen of ze zijn vrouw en dochter ook ergens zag, maar hij leek in zijn eentje te zijn.

'Ik zal je maar op je woord geloven,' antwoordde ze hem.

'Wat toevallig dat ik je hier ontmoet. Ik was net van plan Abalone House te bellen, want ik wilde iets met je bespreken. Heb je vandaag nog gelegenheid om even naar het ziekenhuis te komen?'

Monica zag Francina haar wenkbrauwen optrekken.

'Direct na de lunch lukt het vast wel.'

'Fijn,' zei hij. 'Ik moet er nu snel vandoor. Tot straks dan.'

Hij zwaaide naar Francina en de jongens en liep op een drafje naar de parkeerplaats.

'Ze kunnen het ook nooit laten, die mannen,' zei Francina, 'zelfs niet op de drempel van Gods huis.'

'Waar heb je het over?' zei Monica. 'Hij wil gewoon iets zakelijks met me bespreken. Bovendien is hij getrouwd.'

'Ik mis dan wel een oog, maar ik zie alles,' zei Francina.

Omdat het haar niet zo'n geschikt onderwerp leek om in aanwezigheid van de jongens te bespreken, ging Monica er verder niet op in. Bovendien vond ze het nogal belachelijk.

Na de lunch ging Mandla een middagslaapje doen en Francina wilde wel op hem passen, zodat Monica naar het ziekenhuis kon. Sipho ging mee; zijn interesse voor de medische wereld leek met de dag groter te worden.

In de lege wachtkamer zat dezelfde verpleegster die Monica bij haar eerste bezoek had ontmoet. Ze staarde naar een stuk papier dat voor haar op tafel lag. Het allegaartje aan stoelen stond her en der in de kamer, de erfenis van een drukke zaterdagavond. Dokter Niemand had vanmorgen een vermoeide indruk gemaakt; alhoewel, Monica had hem ook nog nooit anders gezien.

De verpleegster keek op toen Monica met Sipho binnenkwam.

'Als je had gewild, had je ons kunnen helpen,' zei ze vlak.

'Nu is het te laat.'

Monica was met stomheid geslagen.

De verpleegster schoof het vel papier heftig in haar richting,
alsof de woorden haar met afkeer vervulden. 'We hebben
nog maar zes weken. Dat is niet voldoende, zelfs niet als er
een wonder gebeurt.'

'Ik denk dat hier sprake is van een misverstand,' wist Monica
eindelijk uit te brengen.

De vrouw schudde haar hoofd. 'De vorige keer heb ik
gevraagd of ik je kon spreken zodra je klaar was. Ik heb je
nooit meer gezien.'

'O, nee toch,' zei Monica geschrokken. Ineens herinnerde ze
het zich weer. 'Ik was zo vol van dat verhaal over die brandwondenafdeling dat ik het helemaal ben vergeten. Het spijt
me echt heel, heel erg. Wil je er misschien vandaag nog over
praten?'

'Het is nu te laat. Dokter Niemand is daar binnen.'

'Waarom is ze boos op jou?' vroeg Sipho, terwijl Monica hem
aan de hand meenam door het gangetje.

'Ik ben een afspraak met haar vergeten. Zit er niet over in, ik
zal proberen het op te lossen.'

'Ik ben hier,' hoorden ze, terwijl ze langs een kleine zieken-
kamer liepen die vroeger, toen het ziekenhuis nog een boerderij was, een slaapkamertje geweest moest zijn.

Zach stond naast een tienerjongen die in bed soep zat te
eten. De jongen besteedde geen aandacht aan hun binnenkomst, maar zette de kom aan zijn lippen en slurpte het laatste restje eruit.

'Oké, dok, mag ik nu weg?' vroeg hij en hij rukte aan zijn
ziekenhuispyjama.

Zach hielp hem met het losknopen van de koordjes aan de
achterkant. 'Ik hoop dat je niet zult vergeten wat ik heb

gezegd,' zei hij streng.

De jongen keek even scheel naar Sipho. 'Eén enkel feestje en je bent voor de rest van je leven de kwaaie aap. Hou ze in de gaten, hoor, de lui hier in deze stad. Ze geven je de kans niet om te leven.'

Monica keek wel uit om Sipho onder de ogen van deze jongen en van Zach opnieuw bij de hand te grijpen, maar ze had hem graag in de armen gesloten om hem nooit meer los te laten. Zelfs zo'n paradijselijke plaats als Lady Helen kende dus zijn valkuilen voor jonge mensen. Hoe zou zij het doen als moeder van twee tienerjongens?

De jongen trok een T-shirt en een spijkerbroek aan, waar de alcohollucht nog uit wasemde.

'Je moeder kan hier over vijf minuten zijn,' zei Zach tegen hem.

De jongen kreunde. 'Heeft u haar gebeld?'

'Brian, door wie denk je eigenlijk dat je hierheen bent gebracht?'

'Mooi niet door haar,' zei de jongen hoofdschuddend. 'Ze zat in Kaapstad voor de opening van haar nieuwe tentoonstelling.'

'Ik denk dat het hoog tijd wordt dat je moeder en jij eens met elkaar praten,' meende Zach. 'En nu blijf je zitten waar je zit, want ze moet nog een paar formulieren tekenen voordat je echt weg mag.'

'Best hoor,' mompelde de jongen.

Zach ging Monica en Sipho voor naar zijn kantoor, en Sipho greep Monica's hand. Hij was duidelijk van streek door het gedrag van de oudere jongen en Monica deed in stilte een schietgebedje dat dit ook zo zou blijven.

'Koffie?' vroeg Zach. Hij pakte twee kopjes en schoteltjes uit een kastje. 'Deze zijn speciaal bestemd voor gasten.'

'Graag,' antwoordde Monica.

Zach vulde de waterkoker en deed voor zichzelf drie schepjes oploskoffie in een mok.

'Voor mij maar één schepje, alsjeblieft. Ik kan niet tegen te veel cafeïne.'

'Dit spul is bijna pure cichorei,' stelde hij haar gerust. 'Mijn dochter drinkt het ook. Wil je ook een kopje, Sipho?'

Sipho keek naar Monica. Thuis kreeg hij nooit koffie.

'Wat frisdrank lijkt me beter,' zei ze.

Zach gaf hem een blikje en hij nam het dankbaar aan. Haar woord was blijkbaar nog steeds wet voor hem, en de verleiding was deze keer nog zonder moeite overwonnen.

Hoewel ze niet wist of Zach wel wilde praten over de zaken van zijn medewerkers, besloot ze toch bij hem te informeren of hij misschien wist wat het probleem van de verpleegster aan de receptie was.

'Daphne en haar ouders behoren bij de mensen die in de jaren zestig verjaagd zijn uit het Zesde District, waar ze woonden,' verklaarde Zach in reactie op haar vraag.

'Dat is verdrietig, zeg,' zei Monica. Ze herinnerde zich de oude foto's die ze wel eens had gezien van de ooit zo bruisende wijk. Het was zeer waarschijnlijk dat deze ingreep in de sociale structuren van de samenleving door het toenmalige apartheidsregime grote psychische schade had aangericht bij vele jonge mensen. Het moest verschrikkelijk zijn om met eigen ogen te zien hoe een bulldozer je huis platreed en vervolgens te worden weggestuurd naar een speciaal woongebied voor 'kleurlingen'.

'Het is vreemd om te bedenken dat we zo veel hebben bereikt, en dat het toch weer gebeurt,' vervolgde Zach ondertussen.

Ze keek hem niet-begrijpend aan.

'De uitbreiding van de golfbaan,' verduidelijkte hij, toen hij haar verwarring zag. 'Iedereen heeft de petitie ertegen getekend, maar het gaat toch door.'

Was zij, de nieuwe redacteur van de *Lady Helen Herald*, de enige in het stadje die niet van dit sensationele nieuws op de hoogte was? Waarom had Max hier niets over verteld?

De Maleisische zakenman die eigenaar was van het golfcomplex ten noorden van Lady Helen was van plan een extra baan met achttien holes aan te leggen, vertelde Zach haar nu. Daarvoor had hij zijn oog laten vallen op een stuk land pal aan de noordgrens van het stadje, waar op dit moment vijftien gezinnen woonden in evenzovele eenvoudige huizen, die daar al vijftig jaar stonden. Dit buurtje stond bekend als Sandpiper Drift. Het stuk land en de negentig onbebouwde hectares eromheen behoorden toe aan de staat, maar nadat was vastgesteld dat er in de bodem van leisteen en zand geen diamanten te vinden waren, was de grond aan het stadje in bruikleen gegeven voor een periode van tweehonderd jaar. De enige voorwaarde was dat een bewoner die een diamant vond, dat onmiddellijk moest melden bij het ministerie van Delfstoffen in Kaapstad.

Zach lachte even sarcastisch toen hij dit vertelde en Monica zag aan Sipho's gezicht dat die niet begreep waarom. Wat was het toch een lieve jongen!

Deze overeenkomst met de regering liep pas over honderdvijftig jaar af, maar toch was er onlangs een regeringsvertegenwoordiger gekomen die een vergadering had belegd, waarbij hij de aandacht had gevestigd op de kleine lettertjes van het contract. Daarin werd bepaald dat het stuk land onmiddellijk moest worden teruggegeven als er een diamant werd gevonden die waardevol genoeg was om permanente mijnbouw te rechtvaardigen. Deze opmerking had zo'n bulderend gelach veroorzaakt, dat de wanden van het Groene Blok, waar de vergadering werd gehouden, ervan trilden. Iedereen wist immers dat de enige glimmende voorwerpen die je in Sandpiper Drift in het zand kon vinden, frisdrankblikjes waren en de metalen dobbers die de jongetjes hadden laten vallen als ze met hun hengels op weg waren naar de oceaan. De ambtenaar had echter volgehouden dat er vlak bij de vijftien woningen een behoorlijk waardevolle diamant was gevonden.

Een week later kwam hij terug met een groep bewapende veiligheidsmensen en een stapel dwangbevelen voor de bewoners van Sandpiper Drift. Ondertussen had de spion van Lady Helen die in het hotel werkte het nieuws over de uitbreiding ervan verspreid en de inwoners van de stad eisten opheldering over wat er gaande was.

Het bleek dat een deel van het land, waaronder de strook waarop Sandpiper Drift was gebouwd, aan de Maleisische zakenman was verkocht zodat die de mijnbouw ter plaatse kon financieren. De mijn zelf zou aan het oog worden onttrokken door bomen die daarvoor uit Kaapstad zouden worden aangevoerd.

Monica wilde wel in de grond zakken. Wat een prutjournalist was ze toch. Nu was haar het nieuws op een presenteerblaadje aangeboden en ze had er niet eens naar gekeken!

'Wat vind jij eigenlijk van het ziekenhuis, Sipho?' vroeg Zach onverwacht.

De jongen was duidelijk overrompeld door de plotselinge wending in het gesprek.

'Fantastisch,' hakkelde hij.

'Voor zo'n klein stadje is het inderdaad helemaal niet gek,' zei Zach. 'Maar toch zitten we ergens dringend om verlegen – om beademingsapparatuur.'

'Hoe kom je aan zoiets?' wilde Monica weten. 'Dien je een verzoek in bij het ministerie of zo?'

Zach knikte. 'Maar dan gaan er jaren overheen en we zitten erom te springen. Dus begin ik een inzameling, en daar heb ik jou voor nodig.'

Dit keer lag het er duimendik bovenop dat ze werd gebruikt als een pion in een schaakspel.

'Hoe hoog is het bedrag waar we over praten?'

'Niet zo hoog als dat voor de brandwondenafdeling, maar toch nog fors.'

Ze verwachtte half en half dat hij zich zou verontschuldigen voor het feit dat hij dit van haar vroeg, maar dat deed hij niet. Hij gaf er geen pr-draai aan en evenmin probeerde hij 'het verhaal op te kloppen', om met Ella te spreken, om het een grotere nieuwswaarde te geven. In plaats daarvan zette hij gewoon de feiten helder op een rijtje: als het ziekenhuis beschikte over eigen beademingsapparatuur, zouden er minder sterfgevallen zijn, omdat de patiënten niet meer naar Kaapstad getransporteerd hoefden te worden – een tocht van anderhalf uur.

Monica bewonderde zijn oprechtheid en het stak haar dat deze serieuze, toegewijde man al getrouwd was. *Hou daar nu meteen mee op,* sprak ze zichzelf bestraffend toe. *Je hebt bovendien niet eens tijd voor romantiek.*

Al voordat hij zijn verhaal had beëindigd, wist ze dat hij van haar de gewenste publiciteit zou krijgen. Haar omstandigheden waren immers veranderd? Vanaf nu was ze boven alles aan deze stad loyaliteit verschuldigd. Desondanks aarzelde ze met haar antwoord, want daarmee zou ze de beslissende grens overschrijden tussen objectieve journalistiek en... Ze wist niet eens hoe het eigenlijk genoemd werd.

Hij keek haar aan, duidelijk in afwachting van haar reactie. Hij had zelfs geen 'alsjeblieft' gezegd, bedacht ze, maar dat was niet vanwege een gebrek aan fatsoen, maar eerder vanwege een allesoverheersend geloof in de goede zaak en het onvermogen om te begrijpen dat niet iedereen daar hetzelfde over hoefde te denken.

'Goed, ik doe mee,' zei ze ten slotte en merkte tot haar verbazing hoe goed dit voelde.

Hij glimlachte en voor het eerst zag ze dat hij allemaal lachrimpeltjes om zijn ogen had.

'Mooi zo. Ik heb nog tien minuten voordat ik aan mijn ronde moet beginnen. Is er iets wat je graag zou willen zien, jongeman?'

Sipho sprong bijna van zijn stoel. 'Ja, alles. Ik wil graag alles zien, alstublieft.'

Op maandagochtend kreeg Monica van Dudu een kop rooibosthee 'om erin te komen'. Dudu had nooit eerder als receptioniste gewerkt, maar gezien haar vrolijke aard was Monica blij dat ze de onpersoonlijke camera en intercom door een echt mens had vervangen. Het was haar eerste daad als hoofd van de krant. Dudu's onverstoorbaar pragmatisme was het gevolg van de jarenlange zorg voor haar drie kinderen, nu zes, acht en tien jaar oud. Het was nog een heel probleem geweest om iemand aan te trekken en dat de *Lady Helen Herald* nu toch over een receptioniste beschikte, was alleen te danken aan het feit dat Dudu's jongste sinds kort naar school ging. Verder had in Lady Helen iedereen die genoodzaakt was om te werken ook daadwerkelijk een baan. Monica vroeg zich af of dit misschien een van de oorzaken was van de harmonieuze verhoudingen tussen de verschillende rassen in het stadje. Als mensen zeker wisten dat ze hun kinderen konden voeden, kleden en naar school sturen, waren ze waarschijnlijk minder geneigd om de mensen van een ander ras met een scheef oog aan te kijken.

Max had zijn kantoor verplaatst naar de vergaderruimte en leek voorlopig nog niet van plan thuis zijn memoires te gaan schrijven. Hij hoorde haar verwijt glimlachend aan en probeerde zichzelf op geen enkele manier te verdedigen toen ze hem uit de doeken deed hoe belachelijk ze zich had gevoeld bij het vernemen van het nieuws over de uitbreiding van het golfterrein. 'Nu kun je eindelijk aan het verhaal beginnen,' zei hij alleen.

'Dus je hebt er geen spijt van dat je het me nooit hebt verteld?'

'Nee. Ik wilde zien hoe lang het zou duren voor je er zelf achterkwam. In je vorige baan was je waarschijnlijk gewend om overal persberichten over te krijgen. Maar pas als een bedrijf het stilzwijgen bewaart, moet je op je tellen passen, want dan broeit er echt nieuws.'

Monica was sterk geneigd net zo lang met hem te redetwisten tot ze een schuldbekentenis van hem had losgepeuterd, maar ze wist dat ze bij voorbaat kansloos was.

'Hoe lang had je me gegeven, voordat je het me zelf had verteld?' vroeg ze hem.

'De deadline was pas over drie dagen. Gefeliciteerd!'

Het was een vreemd functioneringsgesprek, en toch was ze onwillekeurig in haar nopjes omdat ze opnieuw een proef met goed gevolg had doorstaan.

Twaalf

O p de brievenbus liet een Afrikaanse hop het luide hoephoep horen dat Mandla zo graag na-aapte. Bij Francina's nadering vloog de vogel verschrikt op. Mandla was eerder in slaap gevallen dan anders. Waar tikkertje spelen in de tuin toch al niet goed voor was! Of het ook goed was voor een veertigjarige vrouw zou morgen bij het wakker worden wel blijken. Sipho was naar school, waar hij het geweldig naar zijn zin had, en Monica zat op haar werk. Ze had zich zonder problemen aangepast aan een volledige werkweek en dat vervulde Francina met trots, omdat ze heel goed wist dat zij degene was die dat mogelijk maakte. Sinds de kennismaking met Ingrid van Tonder waren pas een paar dagen verstreken, maar de nieuwe jurk vorderde al flink. Eigenlijk werden het er twee: een donkerblauwe met een discreet patroon van kleine pluimpjes met daaroverheen een overgooier van dunne organza in dezelfde kleur. Als ze hem aanhad, leek Ingrid dertig pond lichter en ze kon dan ook bijna niet wachten tot de jurk klaar was en iedereen haar nieuwe look kon bewonderen.

Er was Francina veel aan gelegen dat haar eerste betalende klant meer dan tevreden zou zijn en daarom had ze elke avond tot in de kleine uurtjes zitten werken. Als ze nog meer bestellingen kreeg, zou ze dit tempo onmogelijk kunnen volhouden. Ze had zich erg ongemakkelijk gevoeld bij het noemen van de prijs, maar inmiddels wist ze dat ze het dubbele had kunnen vragen en dan nog zou Ingrid er drie extra hebben besteld. Als ze nu voortaan twee uur langer opbleef en om vijf uur opstond in plaats van om zes uur, dan kon ze een jurk in een week af hebben. Haar vriendinnen hadden altijd wel drie weken geduld gehad, maar een betalende klant kon je niet laten wachten.

Ook de tijd die ze doorbracht in de vreemde badkuip met de dierenpoten had ze al teruggebracht van dertig naar tien minuten. Kat vond het niet erg dat haar naaimachine tot diep in de nacht stond te snorren, maar ze had wel gezegd dat ze na acht uur geen hete chocolademelk meer kwam brengen omdat dat extra werk opleverde. Extra werk! Ha! En wie had al die antieke houten meubelen in de woonkamer gewreven tot ze weer als nieuw stonden te glanzen?

Francina maakte de brievenbus open. Maar... dat kon toch niet? Boven op de stapel brieven lag de bekende blauwe envelop, met dezelfde postzegel van een reiger met een vis in zijn snavel, hetzelfde handschrift, netjes, maar licht, alsof de schrijver bang was geweest om te hard op zijn pen te drukken, en ten slotte het vertrouwde poststempel van Dundee. Hoe had hij haar gevonden? Ze draaide de brief om en om alsof het onkruid was dat ze uit haar moestuin had getrokken. Met een schok besefte ze dat het veel eenvoudiger zou zijn om de brief direct op de afvalhoop te smijten, maar ze wist ook dat ze hem nooit ongelezen weg zou kunnen doen. Francina gooide nooit iets weg. Je kon alles opnieuw gebruiken, of repareren of opknappen – alles, behalve Hercules.

Deze brief kon niet wachten tot ze vanavond in bad lag. Bovendien leek het haar ongepast hem in haar blootje te lezen. Ze liet zich op de stoep voor de Oude Stal zakken en sneed de envelop open met een scherp stokje dat ze daar op de grond had gevonden.

De brief besloeg nog geen kantje. Hercules was altijd een man van weinig woorden geweest, alsof hij woorden te kostbaar vond om te verspillen. In zijn brief had hij zorgvuldig een al te grote vertrouwelijkheid vermeden en daar was ze hem dankbaar voor. Als hij haar bijvoorbeeld had aangesproken met 'lieve Francina' zouden de vlammen haar zijn uitgeslagen – en niet van blijdschap.

Ze las de brief twee keer, en ook al had hij ondertekend met het formele 'Met vriendelijke groeten,' toch keek ze nog eens in de envelop om te controleren of ze misschien een velletje over het hoofd had gezien. Hij verlangde helemaal niets van haar; hij vroeg niet of hij haar opnieuw kon ontmoeten, of hij nog eens mocht schrijven, niets van dat alles. Hij wilde haar alleen maar het beste wensen in haar nieuwe woonplaats.

Aardig van hem, dacht ze, terwijl ze de brief weer in de envelop schoof. En toch voelde ze zich verraden. Het lezen van de brief had haar het gevoel gegeven dat ze een etalage stond te bekijken: alleen de fraaie buitenkant was zichtbaar, maar de overvolle rekken, de krappe paskamers en de door graaiende klanten verrommelde planken bleven buiten beeld. Wat ze met Hercules had meegemaakt, had pijnlijke sporen nagelaten, en nu bracht hij haar zijn goede wensen over in woorden die zo luchtig en inhoudsloos waren dat ze bijna van het papier af waaiden. Toen hij haar vroeg haar leven met hem te willen delen, had ze hem afgewezen. Nu was hij in deze brief nog slechts de keurige, wellevende man die hij altijd zou zijn, ziek of niet.

Er lag nog een brief voor Francina bij de post. *Twee op een dag*, dacht ze. *Dat is nog nooit vertoond!* De afzender ontbrak en de postzegel ook. Blijkbaar was de brief eigenhandig bezorgd. Francina had nog nooit zo'n envelop gezien. Hij was gemaakt van ruw papier waar her en der gedroogde bloemblaadjes in waren geperst. Het was gewoon jammer om hem open te snijden. Iemand zou eens zo'n stof moeten ontwerpen. Het briefje luidde:

'Over drie weken is het landelijke burgemeestersbal. Ik heb niets om aan te trekken, tenminste, niet iets waarin ik Lady Helen met goed fatsoen kan vertegenwoordigen. Ik kom vrijdag bij u langs om mijn maten op te laten nemen. Volgens Ingrid van Tonder bent u een genie. Ik moet minstens vijftien centimeter groter lijken dan ik ben.'

De ondertekening was nauwelijks te ontcijferen, maar leek een beetje op 'Evette'.

Het begon er sterk op te lijken dat ze onder de Afrikaner vrouwen van het dorp een zekere reputatie kreeg – en het zou niet meevallen om aan die verwachtingen te voldoen. Het was niet zo moeilijk om door middel van slim gebruik van kleuren en materiaal iemand een paar pondjes lichter te laten lijken, maar iets toevoegen aan iemands lengte kon nog een heel probleem worden. Er hing echter veel van af: als ze erin slaagde de vrouw van de burgemeester tevreden te stellen, was haar kostje als naaister gekocht.

De dag na haar confrontatie met Max belde Monica Daphne op om nogmaals, en deze keer formeel, haar excuses aan te bieden. Daphne accepteerde die niet van harte, maar stemde er wel mee in om Monica door de kleine, bedreigde woonwijk rond te leiden. 'Het zal zoiets zijn als het bezoeken van de begrafenis van iemand die je met eerste hulp had kunnen redden,' zei ze tegen Monica.

Het viel Monica zwaar zich op haar werk te concentreren in afwachting van de donderdag, de enige dag in de week dat Daphne 's morgens thuis was. Toen het eindelijk zover was, arriveerde ze lang voor de afgesproken tijd in Sandpiper Drift.

Het wijkje bevond zich ten oosten van de lagune en lag iets verder landinwaarts dan de kerk. Laarzen waren hier niet nodig omdat de bodem niet bedekt was met modder, maar met een laag fijn wit zand, waaruit hier en daar dorre rietstengels en de houterige stronkjes van de protea omhoogstaken. De lage huisjes waren uit kalksteen opgetrokken en de deuren en kozijnen waren in heldere kleuren geschilderd. Iedereen had deuren en ramen opengezet om zo veel mogelijk te profiteren van de frisse oceaanbries die over de lagune blies. Aan de waslijnen, die gespannen waren tussen de dakrand aan de ene kant en een ijzeren paal aan de andere kant, wapperden overalls, luiers en eenvoudige katoenen jurken. Het was het tafereel dat toeristen altijd deed stoppen om foto's te maken, zonder zich te bekommeren om de privacy van de moeder die haar spelende kinderen in de gaten hield, of van de grootmoeder die het erfje aan het vegen was.

Monica was zich er echter pijnlijk van bewust dat ze hier een indringer was, zelfs al voordat een jonge man haar tamelijk bars vroeg wat ze hier zocht. De mensen van Sandpiper Drift stonden op het punt hun huizen te verliezen door toedoen van een zakenman uit een land hier duizenden kilometers vandaan. Was het niet ironisch dat hij afkomstig was uit hetzelfde land dat ooit de slaven aan de Kaap had geleverd, in de tijd dat het nog een Nederlandse kolonie was? Het was zelfs niet ondenkbaar dat hij in de verte nog familie was van de mensen die hij binnenkort van hun grond zou verjagen.

Het huisje waar Daphne samen met haar ouders woonde, was het laatste aan de linkerkant. Het onderscheidde zich van de overige veertien door de bloembakken in de vensterbank, gevuld met rode, oranje en gele geraniums.

'Als je ze hier in de grond zet, wordt het niks,' legde Daphne uit bij wijze van groet. Ze gedroeg zich niet langer vijandig, maar haar houding bleef afstandelijk. Of was ze alleen maar doodmoe?

'Ik moet nog zien dat het ze lukt om in dit zand golfbanen en gazons aan te leggen. Kom binnen. Mijn ouwelui verwachten je.'

Na het schelle zonlicht leek de zitkamer schemerig en het duurde even voor Monica's ogen eraan gewend waren.

Daphnes ouders stonden geduldig te wachten tot ze haar konden begroeten; ze waren het duidelijk gewend dat bezoekers even tijd nodig hadden om te acclimatiseren. Het licht hier boven de oceaan was echt feller dan Monica ooit ergens had gezien.

'Mammie, pappie, dit is de dame van de krant, die in de plaats van Max is gekomen.'

'Je bedoelt meneer Andrews,' verbeterde Daphnes moeder haar. 'Ik zal nooit wennen aan dat gejij en gejou. Het hoort niet. Ik heb geleerd dat je mannen meneer noemt en vrouwen mevrouw. Meneer Andrews is een gerespecteerd inwoner van deze stad, die kun je niet zomaar met Max aanspreken.'

Daphne zuchtte. Dit was duidelijk een regelmatig terugkerend punt van discussie.

'Hij is maar een paar jaar ouder dan jij, mammie. Waarom zou je hem meneer Andrews noemen, terwijl jij door iedereen Miemps of tannie wordt genoemd?'

'Ik heet nou eenmaal Miemps en tannie is gewoon een respectvolle aanspreekvorm. En ik ben niet belangrijk, zoals meneer Andrews.'

'Jij bent net zo belangrijk als hij,' viel Daphne uit.

'Mijn dochter houdt er een paar vreemde ideeën op na,' zei Miemps tegen Monica.

'Ga zitten, alsjeblieft,' zei Daphnes vader. 'Anders gaan die twee nog uren door.'

Monica liet zich op de met plastic overtrokken bank zakken. Ze had het warm gekregen van haar wandeling in de omgeving en haar bezwete benen plakten aan het plastic vast. In een hoek stond een draagbare televisie aan.

'Cricket,' lichtte Daphnes vader toe, die zichzelf inmiddels had voorgesteld als Reginald, 'Zuid-Afrika tegen India.'

'Gaan we winnen?' vroeg Monica.

Heel even won zijn ongeloof het van zijn beleefdheid. 'De Indiërs zijn nog niet aan slag geweest!'

'Ik wil niet onbeleefd zijn, maar mijn dienst begint over een uur,' kwam Daphne ertussen.

'Vind je het goed dat ik het gesprek opneem?' vroeg Monica. 'Dan gaat het wat vlotter.'

'Ga je gang.'

Het vraaggesprek leverde Monica geen nieuwe feiten op, behalve de prijs die het gezin voor hun huis geboden had gekregen: een miserabel sommetje waarvoor ze in de stad nog geen tweekamerwoning zouden kunnen kopen. Wel ontdekte ze hoeveel pijn het deed als zoiets je voor een tweede keer overkwam. Toen het apartheidsregime in 1968 het Zesde District had laten platwalsen om ruimte te maken voor een blanke buitenwijk, hadden Miemps en Reginald geen cent gezien. Ze hadden een uit betonblokken opgetrokken tweekamerwoninkje toegewezen gekregen op een troosteloos stuk grond buiten de stad, met de mededeling dat ze het maar hadden te accepteren, als ze tenminste niet dakloos wilden raken.

Toen Monica het schemerige huisje weer verliet, stond daar buiten in het felle zonlicht een meisje op haar te wachten. Ze was rond de negen jaar oud en droeg een dooiergele jurk. Het was duidelijk dat ze daar niet toevallig rondhing en daarom ging Monica op haar hurken zitten om haar gezichtje goed te kunnen zien.

'Maar jij bent Zukisa!' riep ze toen uit.

Het meisje lachte verlegen. 'Ik wilde u bedanken. Door u ben ik op de tv gekomen en toen heeft de baas van mijn vader mij gezien en toen mocht mijn vader twee weken naar huis om voor me te zorgen.'

'Dat is fijn,' zei Monica. 'En hoe gaat het nu met je?'

Het meisje tilde haar jurkje een beetje op tot net boven de knie, zodat Monica de littekens van de huidtransplantatie kon zien.

'Het gaat al veel beter. Ik zal aan de buitenkant nooit meer mooi zijn, maar mijn moeder zegt dat dat niet geeft, omdat

God naar de binnenkant kijkt.'

Onwillekeurig dacht Monica terug aan de keer dat ze haar moeder betrapt had toen die spijtig in de spiegel haar zwangerschapsstriemen stond te bekijken.

'Jij bent vanbinnen en vanbuiten even mooi,' zei Miemps en pakte het meisje bij de hand. 'Hoe gaat het met je moeder, liefje?'

'Druk,' antwoordde Zukisa. 'Ik moet nu naar Mama Dlamini om te vragen of ze nog oude dozen overheeft.'

'Ze gaan naar Kaapstad verhuizen,' legde Miemps aan Monica uit.

'Dan kunnen we bij mijn vader wonen,' voegde Zukisa eraan toe. 'Ons nieuwe huis is dicht bij de visfabriek, dus mijn vader kan dan zelfs thuiskomen voor het middageten.'

Miemps wachtte totdat Zukisa was weg gehuppeld voordat ze haar gezicht in een misprijzende plooi trok, die duidelijk moest maken wat ze van het nieuwe huis van de familie vond.

'De buurt is daar niet zo best,' zei ze en ze trok haar neus op alsof ze de stank hier kon ruiken. 'Zukisa's moeder zal haar de hele tijd binnen moeten houden. Er gebeuren daar de vreselijkste dingen met kleine meisjes.'

Onderweg naar kantoor zag Monica voortdurend die lieve Zukisa in haar vrolijke jurkje voor zich, op de uitkijk naar haar vader, terwijl in de schaduwen allerlei ongure types op de loer lagen. Ze werd er zelfs een beetje misselijk van. Plotseling werd ze getroffen door een invallende gedachte: waarom waren Reginald en Miemps niet vervuld van woede en verontwaardiging, zoals hun dochter?

Hetzelfde had ze opgemerkt bij mevrouw Dube, de oude dame die in het ziekenhuis naast haar had gelegen. Ook zij leek zich neer te leggen bij het onrecht dat haar was overkomen. Haar man was bij het oversteken ergens in Johannesburg door een auto doodgereden, en toch koesterde ze geen wrok jegens de politieman die wel een krant over zijn lichaam had gelegd, maar in afwachting van de ambulance niet de moeite had genomen ook maar een van de getuigen naar de toedracht van het ongeluk te vragen. Zou de geestkracht van oude mensen na een leven lang lijden onder de apartheidspolitiek definitief gebroken zijn? Of waren het gewoon zachtmoedige mensen die weinig eisen aan het leven stelden? Hoe dan ook, Monica zou alles op alles zetten om ervoor te zorgen dat Reginald en Miemps hun huis mochten behouden en ze was zelfs bereid daarvoor haar rol als objectief verslaggever op te geven. Maar wat Max daarvan zou vinden?

Op weg van school naar huis vertikte Sipho het om Francina een hand te geven en Mandla dus ook. *Wat moet ik toch beginnen met twee van die dwarskoppen?* vroeg ze zich in stilte af en ze ging tussen Mandla en de stoeprand lopen, zodat ze hem in elk geval kon grijpen als hij de weg op wilde vliegen. Ondertussen vertelde Sipho dat hij nu twee keer zoveel huiswerk had als eerst, omdat hij twee leerjaren in een keer deed. Als je het haar vroeg, kon hij beter wat vaker buiten spelen met de kinderen uit de buurt, in plaats van binnen te zitten tobben hoe hij het moest klaarspelen om zijn school af te maken in de helft van de tijd die ervoor stond. Ze nam zich echter voor dat niet tegen Monica te zeggen zolang Sipho geen tekenen van stress vertoonde. En daarvan was geen spoor te bekennen. Integendeel, ze had hem nog nooit zo enthousiast meegemaakt. Het duurde hem veel te lang voor ze thuis waren, zo graag wilde hij beginnen aan zijn werkstuk over zonne-energie.

'Schiet nou eens op, Mandla,' spoorde hij zijn broer aan, toen die bleef staan kijken naar een slak die zijn glimmende slijmspoor over de stoep trok. Francina pakte Mandla's hand en trok hem mee. Ook zij had haast om thuis te komen, omdat ze bezoek verwachtte van de geheimzinnige Evette.

Net toen ze de veranda op liepen, stopte er een witte

Mercedes voor Abalone House. Een onbekende vrouw gleed met een sierlijke beweging achter het stuur vandaan. Francina vroeg zich verbaasd af of ze misschien voor het hotel kwam. Kat had haar niet gevraagd een kamer in orde te maken.

'Ben jij Francina?' vroeg de vrouw haar. Ze was niet veel groter dan Sipho.

'Ja,' zei Francina, verbaasd omdat de vrouw haar naam kende.

'Ik ben Evette.'

Francina wist dat de verbazing hoorbaar zou zijn in haar stem als ze nu iets zei, en ze wilde de vrouw niet voor het hoofd stoten, dus zweeg ze.

'Je verwachtte geen zwarte, hè?' lachte de vrouw. 'Mijn moeder heeft me vernoemd naar de Afrikaner vrouw voor wie ze werkte.'

Francina lachte niet mee.

'Je zou je eigen gezicht eens moeten zien,' plaagde Evette haar. 'Kom nou, zeg, het is toch grappig dat je dacht dat ik blank was?'

'Je man is zeker blank,' zei Francina nu.

Evette schudde haar hoofd.

'Weet je het zeker?'

'Natuurlijk,' lachte Evette weer. 'Waarom denk je in vredesnaam dat hij blank is?'

'Monica, mijn werkgeefster, heeft hem op een avond bediend bij een diner en zij zei dat hij precies op de kerstman leek.'

Evette giechelde. 'Hij heeft inderdaad een baard – vreselijk vind ik dat. En ik zeg altijd tegen hem dat hij te veel snoept.'

'Maar de kerstman is blank,' viel Francina haar in de rede.

'Wie zegt dat?'

Sipho en Mandla kwamen wat dichterbij; ze vonden het gesprek interessant worden.

'Dat weet toch iedereen,' zei Francina. Hulpzoekend keek ze

naar Sipho, maar toen besefte ze dat die beter zijn mond kon houden zolang Mandla erbij stond.

'Mijn kinderen weten zeker dat hij zwart is,' zei Evette.

'Op kerstkaarten is hij altijd zo wit als mijn lakens,' gaf Francina terug.

Mandla's blik vloog tussen hen beiden heen en weer alsof hij een tenniswedstrijd probeerde te volgen.

'Hij is echt zwart,' zei Evette.

Mandla begon opgewonden te springen. 'Ik heb hem bij de winkels gezien en toen was hij rood!'

'Rood?' vroeg Francina verbaasd en ze legde een hand op zijn schouder om te voorkomen dat hij op Evettes tenen zou springen.

'Echt waar,' zei Sipho. 'Ik denk dat hij verbrand was door de zon.'

De twee vrouwen keken elkaar aan en barstten in lachen uit.

Francina ging Evette voor naar haar kamer, terwijl de jongens aan tafel gingen zitten voor de lunch die zij voor hen had klaargemaakt. Ze nam Evettes maten op, maar kon haar aandacht niet bij het vriendelijke gebabbel houden. Ze zou er een zware dobber aan hebben om te zorgen dat dit kleine vrouwtje er echt als een vrouw ging uitzien en niet langer als een kind. De bloemetjesjurk die ze nu droeg, was duidelijk afkomstig van de kinderafdeling. Misschien dat ze op die manier heel wat geld uitspaarde, maar een vrouw van in de veertig hoorde haar ceintuur niet meer vast te knopen in een grote strik op haar rug. Evette was een lief mens, maar Francina kon er met de pet niet bij dat ze ooit een burgemeester aan de haak had kunnen slaan.

'Sipho is boos,' kondigde Mandla aan toen Monica vrijdagmiddag uit haar werk kwam. Het was de dag na haar bezoek aan Sandpiper Drift. De jongens zaten naar een documentaire over haaien te kijken en Francina stond te koken en in zichzelf te mompelen over vrouwen met stropdassen.

Sipho liet geen oog van het scherm af. Een grote witte haai duwde met zijn neus tegen een stalen kooi, waarin een duiker zat die bewapend was met een verdovingsgeweer. De tanden van het reusachtige beest blikkerden in de schijnwerper van de fotograaf.

'Sipho zegt dat James een moordenaar is.'

Sipho wierp zijn broertje een woedende blik toe.

'Is dat waar?' vroeg Monica hem.

Hij durfde haar niet aan te kijken.

'Ik weet zeker dat James de haaien geen kwaad zal doen.'

'Maar als een haai nou eens een duiker te pakken krijgt?'

'James zal alles in het werk stellen om zijn klanten te beschermen.'

'Maar als er veel bloed in het water is, dan volgt de haai gewoon zijn natuur. En als die persoon dan toevallig erg dom is, dan raakt hij gewond. En dat is net goed.'

Zijn woorden, maar meer nog de toon waarop hij het zei, deden Monica schrikken. Het paste helemaal niet bij hem.

'Dat is niet aardig van je, Sipho.'

'Het is de schuld van mensen zoals James dat het gevaarlijk wordt om in zee te zwemmen. De haaien komen steeds dichter en dichter naar de kust, op zoek naar hun volgende maaltje. Je moet het tegen hem zeggen, Monica.'

'Sipho, wij zijn bij James te gast. Het is niet aan mij om hem te vertellen wat hij wel en niet mag doen.'

Hij keerde zich weer naar de televisie, maar Monica had de teleurstelling in zijn ogen wel gezien.

'Hij is nog steeds boos,' merkte Mandla op. 'We moeten hem kietelen.'

Hij stortte zich op zijn broer en nam hem te grazen op de plekken die hem anders de luidste kreten ontlokten, maar in plaats van terug te kietelen duwde Sipho hem zonder een woord opzij. Verward keek Mandla naar Monica.

'Kom,' zei die en nam hem bij de hand. 'Sipho wil graag even alleen zijn.'

Ze nam hem mee naar de slaapkamer voor een vrolijk kussengevecht, in de hoop dat Sipho tot bedaren zou komen en James en de haaien zou vergeten.

Twee dagen na het gesprek met de familie die op het punt stond haar huis te verliezen, kreeg Monica bericht dat er een huis beschikbaar was dat ideaal zou zijn voor haar gezin. Het echtpaar dat er op dit moment woonde, had besloten kleiner te gaan wonen, nu hun beide zonen in Kaapstad werk hadden gevonden. Het huis had drie slaapkamers, twee badkamers en een dubbele garage en Monica zou getekend hebben zonder het huis te zien, als Francina niet had gezegd dat dit het stomste zou zijn wat ze ooit had gedaan. Het eerste vertrek dat de makelaar hun liet zien, was de keuken. Francina wierp een blik op de gloednieuwe, roestvrijstalen apparatuur, die nogal uit de toon viel in een huis uit de jaren twintig, en zei tegen Monica dat ze een bod moest uitbrengen.

'We weten niet eens of er wel een geschikte kamer voor jou is,' protesteerde Monica.

'We kunnen de garage toch verbouwen,' meende Francina. 'Als je maar geen huis koopt met een ouderwetse keuken, zoals die van Kat. Ik snap niet dat ze geen nieuwe spullen koopt; ze barst van het geld. Mijn moeder heeft in haar dorp een mooiere keuken dan zij.'

Kitty's houtgestookte fornuis was echt antiek, en dus veel geld waard, en de keuken had nog steeds de oorspronkelijke kranen, gootsteen, kasten en keukentafel. Het enige moderne apparaat was de koelkast. Wanneer de porseleinen gootsteen er een beetje armoedig uit begon te zien, liet Kitty hem opknappen, wat haar meer kostte dan het aanschaffen van een nieuwe.

Francina's voortdurende gehakketak met Kitty was een van de redenen waarom Monica dankbaar was voor dit huis. Ze moesten nodig verhuizen om de kou uit de lucht te halen.

Het was verder helemaal niet zo'n gek idee om de garage te verbouwen. Francina kon wel wat meer ruimte gebruiken dan de gemiddelde dienstbode, vooral nu ze een eigen naai-ateliertje had.

De makelaar opende de achterdeur om de tuin te laten zien en Mandla schoot joelend van pret naar buiten. Hij had een klimrek ontdekt. Sipho wachtte tot Monica naar buiten was gegaan. De eigenaars van het huis zaten onder een grote sering en stonden op om hen te begroeten. Monica herkende de vrouw onmiddellijk als degene die hun in het café haar tafeltje had afgestaan toen ze in Lady Helen waren voor het sollicitatiegesprek.

'Ik zei toch al dat Max enthousiast over je zou zijn?' zei de vrouw tegen haar. Ze gaf haar man een duwtje. 'Dit is de nieuwe hoofdredacteur van de *Lady Helen Herald*.'

'We lezen uw artikelen met plezier,' zei hij. Hij had een zachte stem en keek haar over zijn halve brilletje vriendelijk aan. 'Het stuk over de bibliotheek was erg leuk.'

'O, David, het was zo droog als gort,' zei zijn vrouw.

De makelaar werd een beetje zenuwachtig en vroeg Monica of ze de garage misschien wilde zien, nu ze toch buiten waren. Monica wist niet goed hoe ze de opmerking van de vrouw moest opvatten. Er lag een glimlach op haar gezicht en haar toon was speels, maar toch had Monica het gevoel dat ze zichzelf moest verdedigen.

'Ze heeft even tijd nodig,' zei Francina ondertussen.

Zij was het blijkbaar met de vrouw eens. Dat had Monica niet verwacht.

'Neem het Gift maar niet kwalijk,' zei haar man. 'Ze zegt altijd wat ze denkt.'

'Ik neem het ook niet terug, want ik meen het,' zei zijn vrouw. Haar afrokapsel leek enigszins ingekort, vergeleken met de vorige keer, en in plaats van de handgemaakte, aardewerken kralen die Monica zich herinnerde droeg ze nu een choker van repen gekleurd leer.

'Ik moet de fijne kneepjes nog leren,' zei Monica.
Gift lachte naar haar. 'Zulke nederigheid kom je niet veel
meer tegen in de wereld. Ik heb zo'n idee dat we nog dankbaar zullen zijn dat jij je glanzende televisiecarrière eraan
hebt gegeven.'
Ze moest eens weten, dacht Monica. Er was nu echter geen
tijd om over de mislukkingen uit het verleden te piekeren.
De huizenmarkt was krap en ze moesten verhuizen; daarom
deed ze snel een schietgebedje om Gods leiding bij de
beslissing.
'Ik heb heel veel gelukkige herinneringen aan dit huis,' zei
Gift. 'Het zou fantastisch zijn als hier opnieuw twee kleine
jongens konden opgroeien.'
Dat leek het teken waar Monica God om had gevraagd. Nu
de beide eigenaars toch aanwezig waren, bracht de makelaar
meteen Monica's bod over en zij accepteerden het ter plek-
ke.
Nadat het contract was getekend, ging Monica op zoek naar
Francina. Ze vond haar in de garage, waar ze stond te bekij-
ken hoe ze de ruimte het beste kon indelen.
'David kent een goede aannemer,' zei ze. 'En ik denk dat ik
deze keer liever een bad heb dan een douche.'
'Dat zal geen probleem zijn,' meende Monica.
'Maar ik wil geen ouderwets bad op vogelpootjes.'
'Nee, stel je voor! Verder nog wensen?'
'Ik wil graag vanuit mijn bad tv kunnen kijken. En die
afschuwelijke garagedeuren moeten eruit. Denk je dat we er
van die openslaande deuren in zouden kunnen zetten? Dat is
ook een mooi gezicht voor mijn klanten.'
Afgezien van het esthetische aspect, zouden de garagedeuren sowieso niet kunnen blijven zitten, omdat ze niet goed
genoeg isoleerden tegen de ijzige winterwind waar de mensen hier steeds voor waarschuwden.
'Goed, vraag even het telefoonnummer van die aannemer.
Tussen twee haakjes, we hebben het huis gekocht.'

169

'God zij dank,' zei Francina en maakte een paar danspasjes.
Het was voor het eerst dat Monica Francina zag dansen.
Mandla begon onmiddellijk mee te doen en stampte met zijn
voet op het ritme van Francina's handgeklap. Sipho stond
erbij te lachen, maar hield zich verder afzijdig, net als
Monica zelf.
'Moet je dat stelletje slome duikelaars nou eens zien,' zei
Francina. 'Vooruit, Mandla, grijp ze eens.'
Dat liet Mandla zich geen twee keer zeggen. Hij greep hen
bij de hand en probeerde hen mee te trekken. Het was vergeefse moeite en zodra Mandla dat in de gaten kreeg, begon
hij te jammeren. Dat vond Monica nou ook weer sneu en
dus begon ze totaal uit de maat aan een nogal stuntelig wals-
je. Sipho stond het nog steeds aan te kijken en zei: 'Jullie zijn
alle drie niet goed wijs. Mijn moeder had dit vast leuk
gevonden.'
Monica bleef met een ruk staan, maar Francina ging naar
Sipho toe zonder haar dansje ook maar een ogenblik te
onderbreken.
'Doe het dan voor haar,' zei ze tegen hem, pakte allebei zijn
handen en zwaaide ze heen en weer alsof hij een pop was.
Hij probeerde tegen te stribbelen, maar nu botste Mandla
van achteren tegen hem aan en algauw stond Sipho te grinniken en zijn armen en benen als een robot heen en weer te
bewegen. Het duurde wel vijf minuten voor ze in de gaten
kregen dat ze publiek hadden.
'Ga vooral door,' zei Gift. 'Ik kan dit huis alleen achterlaten
zonder tranen met tuiten te huilen als ik weet dat er
opnieuw een gelukkig gezin in komt.'
Wat voor Monica tot nu toe een gok was geweest, werd met
deze woorden definitief bevestigd: Lady Helen was de perfecte woonplaats voor haar gezin! Niemand vond hen raar of
apart. Niemand kwetste hen met ondoordachte opmerkingen. Iedereen accepteerde hen zoals ze waren. Het gaf haar
een onverwacht en ongekend gevoel van bevrijding.

Dertien

*D*e mannen in Francina's dorp beschilderden zichzelf wel eens voor speciale gelegenheden, maar altijd met afwasbare verf. De man die tegenover Abalone House een nieuw hek aan het zetten was – het oude was inderdaad ingestort, precies zoals Francina had voorspeld – had op zijn arm echter een afbeelding van onuitwisbare inkt.

'Dat is Medusa,' zei hij, toen hij Francina er openlijk naar zag staren.

'Waarom komen al die slangen uit haar hoofd?'

Hij haalde zijn schouders op. 'Ze was vroeger een heel mooi meisje met een prachtig glanzende haardos. Maar de godin Athene veranderde haar haren in sissende slangen en iedereen die ernaar keek, werd van steen.'

'Uit welk Afrikaans land kwam ze?'

'Het is een verhaal uit de Griekse mythologie.'

'Wat is dat?'

Francina had er meer dan genoeg van om altijd maar net te doen of ze alles begreep. Deze man was geen onderwijzer, maar iemand die hekken maakte, en zelfs hij wist zomaar dingen die zij in Sipho's encyclopedie zou moeten opzoeken.

'Dat is gewoon een deftig woord voor oude verhalen,' antwoordde de man op haar vraag. 'Als je veel op zee zit, heb je veel tijd om te lezen.'

Hij stelde zich voor als Oscar en zei dat hij vernoemd was naar een beroemde Engelse toneelschrijver, van wie hij echter nooit iets had gelezen omdat hij niet hield van verhalen die zich afspeelden in een enkele kamer. 'Geef mij maar verhalen over vreemde landen en over mensen in berenvellen of met kleren van boomschors.'

Francina dacht hier even over na en stelde toen vast dat ze dat tijdverspilling vond. Alleen haar eigen land beschikte al over meer verhalen dan een mens in zijn hele leven zou kunnen verwerken. Zij zou al blij zijn als ze de gewone, alledaagse dingen een beetje leerde begrijpen: waarom het in Kaapstad alleen 's winters regende en in Johannesburg alleen 's zomers; wat de mensen bedoelden als ze het hadden over die geweldige nieuwe grondwet; en de betekenis van woorden als 'ironisch', 'fanatiek' en 'elliptisch', waar Monica te pas en te onpas mee strooide. Ze had er genoeg van om altijd maar te knikken alsof ze volkomen begreep waar iedereen het over had, en ze had er genoeg van om zich te beperken tot opmerkingen waar ze zich geen buil aan kon vallen, alleen maar om beleefd te lijken.

'Zou iemand een diploma kunnen halen zonder naar school te gaan?' vroeg ze.

'Ik zou niet weten waarom niet,' zei Oscar. 'Maar meester D. weet daar vast wel meer over. Zou je dat graag willen?'

Ze knikte. 'Een mens zonder opleiding is als een boom die geen water krijgt. Hij groeit nooit.'

Oscar glimlachte. 'Dan ben ik zeker ook maar een klein boomstronkje.'

Francina staarde hem vol ongeloof aan. 'Helemaal niet. Je praat net als een leraar.' Ze bedwong zich. 'Nou, niet echt eigenlijk. Ik wil je niet beledigen, maar ik ken iemand die leraar is en hij klinkt nog veel slimmer dan jij.'

Oscar lachte weer. 'Mij beledig je niet zo makkelijk, hoor.'

172

'Ik bedoel eigenlijk dat je heel veel weet, maar dat je niet zo stijf en professorachtig praat.'

'Je kunt alles wat je weten wilt op je eigen houtje uit een boek leren.'

'Maar ik zou het leuk vinden om een echt diploma te hebben. Dan kan ik het aan de muur hangen, zodat mijn klanten het meteen zien als ze binnenkomen.'

'Als ik je ergens mee kan helpen, zeg je het maar.'

Ondanks die rare tekening op zijn arm was deze man precies de juiste persoon voor haar plan, dacht Francina. Monica had het te druk, ze piekerde er niet over om het aan Kat te vragen en Sipho had zijn eigen schoolwerk. Een eigen naaiatelier, haar werk voor Monica en nu dit weer – haar leven begon behoorlijk in een stroomversnelling te raken!

Omdat Monica meende dat ze na het weekend meer kans zou hebben om Yang, de Maleisische zakenman, te treffen, wachtte ze tot maandagmorgen en ging toen op weg naar het golfcomplex. Misschien kon ze nog iets doen om Daphnes huis te redden.

De bouwkeet bevond zich achter een drie meter hoog hek dat ook nog eens onder stroom stond – een veiligheidsmaatregel die in Johannesburg geen opzien zou hebben gebaard, maar hier verdacht was. *Alleen mensen met een rein geweten slapen rustig*, dacht Monica, terwijl ze haar auto naast het toegangshek parkeerde.

'Kan ik u helpen?' vroeg een gewapende bewaker haar.

'Ik zou meneer Yang graag willen spreken. Ze hebben me verteld dat hij hier op de bouwplaats zou zijn.'

'Hij zit in vergadering,' zei de bewaker en keek op zijn klembord. 'U staat trouwens niet op mijn lijst.'

'U hebt mijn naam niet eens gevraagd.'

'Luister eens, dame, ik heb orders om geen enkele vrouw meer toe te laten. En nu moet ik u verzoeken om te vertrekken. Dit is privéterrein.'

Geen enkele vrouw meer toelaten? Wat bedoelde hij daarmee? Zou Daphne hier ook al geweest zijn? Bij haar ouders thuis had ze een grote mond, maar zou ze toch bij Yang zijn komen smeken om hun huis te sparen?

'Ik ben van de pers,' zei Monica, zwaaiend met haar perskaart. 'Ik wil een artikel schrijven over de nieuwe golfbaan, omdat die de meest prestigieuze van het land lijkt te worden.'

De bewaker fronste zijn wenkbrauwen, maar Monica zag dat hij een afweging stond te maken.

'Goed dan,' zei hij ten slotte. 'Maar u zult moeten wachten tot de vergadering voorbij is.'

'Bedankt,' zei Monica.

'Dat kan nog wel meer dan een uur duren, hoor,' waarschuwde hij.

'Ik kan ondertussen een kijkje in het clubhuis gaan nemen.'

Hij tikte met zijn pen op het klembord. 'Dat kan alleen in gezelschap van een lid, maar als u op meneer Yang staat te wachten, bent u feitelijk zijn gast.' Hij overhandigde haar een bezoekerspas die ze aan de bewaker bij de ingang van het golfterrein moest laten zien. 'Als u maar uit de bar wegblijft. Vrouwen hebben daar pas toegang na het diner.'

'Geen zorgen, ik ben niet van plan welke mannelijke pret dan ook te bederven,' zei Monica, maar haar sarcasme was aan hem niet besteed.

Het clubhuis was opgetrokken uit natuursteen en had metershoge ramen die een schitterend uitzicht boden over de oceaan en de koppies rondom Lady Helen. Met voldoening stelde Monica vast dat het stadje zelf aan het oog werd ontrokken door de dicht op elkaar staande palmbomen langs de begraafplaats. Er was echter wel een onbelemmerd zicht op de vijftien witgepleisterde huisjes van Sandpiper Drift en op het Kerkje aan de Lagune. Met een bezitterigheid waar ze zelf van schrok, besefte Monica dat de golfers hier met een cocktail in de hand in alle rust de trekvogels over het wad konden zien scharrelen. Dat gunde ze hun niet, merkte ze.

Kosten noch moeite waren gespaard bij de bouw van het clubhuis, dat een fitnessruimte, een beautycenter en een restaurant bevatte. Behalve in het restaurant, dat betegeld was met zwarte leisteen, lagen overal kalkstenen plavuizen, waarvan de Italiaanse herkomst voor Monica meteen duidelijk was. In de toiletruimte, waar ze even haar lippen bijwerkte, was de vloer van marmer en met een schok drong het tot haar door dat dit marmer misschien wel door haar vader aan Yang was geleverd. Nee, dat kon niet. Ze kon zich niet herinneren dat hij ooit naar deze streek was afgereisd.

Aan een van de tafels in het restaurant zat een stel zonverbrande mannen, in het beautycenter liet een aanstaande bruid samen met haar vriendinnen haar nagels manicuren en in de lounge zaten een paar oudere mannen de krant te lezen. Monica vroeg zich net af waarom die extra baan van achttien holes eigenlijk nodig was, toen ze in de lift per ongeluk op de verkeerde knop drukte en in de parkeergarage terechtkwam. Die was helemaal vol, wat betekende dat ook de golfbaan helemaal bezet zou zijn. Het hotel zelf keek uit op zee en omdat de gevel niet de blikvanger van het terrein was, was die niet van natuursteen gebouwd, maar gewoon gepleisterd in de kleur van zandsteen.

Toen ze zich vijftig minuten later liet registreren bij de bewaker van het bouwterrein, was de vergadering van Yang nog steeds gaande.

'Waar komt die diamantmijn precies te liggen?' vroeg Monica de bewaker.

'Daar ergens,' zei de man en maakte een vaag gebaar in de richting van Sandpiper Drift.

'Raar, hoor – een diamantmijn op een golfterrein,' zei Monica. 'Waarom staat er geen hek omheen? Moeten er geen bordjes hangen met "Verboden Toegang – staatseigendom" of iets dergelijks?'

Op dat moment ging de deur van de bouwkeet open en de bewaker slaakte een hoorbare zucht van opluchting. Er kwamen twee Aziatische mannen naar buiten, allebei gekleed in een pak en de grootste van de twee met een rol bouwtekeningen onder de arm. De bewaker ging in de houding staan en daaruit maakte Monica op dat een van hen de meneer Yang moest zijn die hier geen vrouwen meer wilde zien.

'Ze is van de landelijke pers, meneer,' haastte de bewaker zich te zeggen toen de mannen dichterbij kwamen.

De landelijke pers?

De man met de tekeningen zei iets wat Monica niet kon verstaan en stapte daarna in een wachtende auto.

'Van welke krant?' vroeg de achtergeblevene haar. Dat moest dus de heer Yang zijn.

Haar gedachten vlogen naar Max' onberispelijke reputatie na vijftig jaar eerlijk werk. Daarna dacht ze aan de bloembakken die Reginald op de vensterbanken van zijn witgepleisterde huisje had geplaatst. *O, God, vergeef me mijn leugen*, bad ze in stilte.

'Van de *Sunday National*,' zei ze toen.

Helaas kon hij haar niet uitnodigen in zijn kantoor, zei Yang, omdat hij over tien minuten door een helikopter zou worden opgepikt voor een vergadering in Kaapstad. Daarom gingen ze de bouwkeet binnen en onmiddellijk werd hij van alle kanten belaagd door mannen met kaarten, vellen met berekeningen en computerdiagrammen. Hij wuifde hen weg en keek hen glimlachend na, tot ook de laatste zijn hielen had gelicht.

Monica had eigenlijk een wat oudere man verwacht, maar Yang was hooguit vijf of zes jaar ouder dan zij. Hij was ook veel kleiner en zijn op maat gesneden kostuum deed zijn stierennek en brede borstkas extra goed uitkomen. In een andere omgeving zou hij voor een worstelaar of gewichtheffer hebben kunnen doorgaan.

'Volgens mij wordt dit het toonaangevende golfterrein van

heel zuidelijk Afrika,' opende Monica het gesprek. Ze voorzag dat vleierij hem wat toegeeflijker zou maken. 'Zeg maar gerust van het hele zuidelijk halfrond,' zei hij. Aha, ze had zijn eerzucht dus nog onderschat! Vijf van de haar toegestane tien minuten moest ze luisteren naar een uitputtende beschrijving van het nieuwe terrein. Tussen neus en lippen door liet hij zich zelfs ontvallen dat er ook al plannen bestonden voor een derde terrein, maar dat mocht niet in de krant, omdat de onderhandelingen in een gevoelig stadium verkeerden. Onderhandelingen waren alleen gevoelig als een van beide partijen dwarslag, dacht Monica. Om wiens grond zou het deze keer gaan?

'Nu even over de diamanten,' zei ze toen op een quasivertrouwelijk toontje. 'Even onder ons – er zijn helemaal geen diamanten, of wel soms?'

Heel even gleed er een glimlach over zijn gezicht, maar toen werd hij meteen weer zakelijk. 'Iemand uit de stad heeft er anders een gevonden.'

'Wie was dat dan?' vroeg ze meteen. Zou hij een fictieve naam opgeven?

In de verte hoorde ze de helikopter al ronken.

'Wie?' herhaalde ze.

'De persoon in kwestie wilde graag anoniem blijven,' zei Yang. 'Wilt u misschien nog een foto van mij maken bij de helikopter?'

De piloot zette zijn toestel driehonderd meter verderop aan de grond, dicht bij Monica's auto. Haar filmrolletje was net vol en daarom deed ze maar net alsof ze Yang fotografeerde die naast de metallic blauwe wentelwiek met het logo van de Yangcorporatie op de staart was gaan staan.

Terwijl de wieken steeds sneller begonnen te draaien, ging ze op een drafje naar haar auto, maar net toen ze de deur wilde openrukken, wervelde het stof al om haar heen. Hoestend en niezend probeerde ze haar ogen voor de zandstorm af te schermen. Haar longen voelden aan alsof ze zouden barsten en plotseling drong de vraag zich aan haar op: waar haalde Yang in deze woestenij water vandaan om zijn golfbanen groen te houden?

Twee weken na de geslaagde transactie overhandigden Gift en David Monica de sleutels van hun huis. Volgens het contract hoefden ze er pas over twee weken uit, maar hun nieuwe huis was klaar en ze merkten wel dat Monica en de jongens stonden te popelen. Monica belde de makelaar met de opdracht voor die twee weken huur te betalen, maar volgens de makelaar hadden Gift en David erop gestaan hun die weken cadeau te doen als welkomstgeschenk in het nieuwe huis.

Gift en David hadden veel van hun huis gehouden en ondanks de ouderdom was het in prima staat. De man die door David was aanbevolen voor de verbouw van de garage bleek dezelfde te zijn als degene die indertijd het hek rond het standbeeld van Lady Helen had gerepareerd. Toen Oscar de dag na de verhuizing arriveerde om met de klus te beginnen, herkende Mandla hem onmiddellijk en vroeg of het nu zijn beurt was voor de 'vuurstok'. Francina leek al min of meer met hem bevriend; meteen de eerste dag zaten ze na afloop van het werk een poos bij elkaar. Monica vroeg er verder niet naar en Francina liet niets los over wat ze daar onder de sering bespraken tot de avondkoelte inviel, maar het viel Monica wel op dat Oscar een boek bij zich had.

Kitty had hen met tegenzin laten gaan, maar volgens Monica was het ook voor haar beter dat zij en haar man hun huis in ieder geval af en toe voor zichzelf hadden. Als dat nooit gebeurde, zou, zo vreesde ze, Kitty waarschijnlijk in haar oude patroon vervallen en zich weer op iets heel anders storten. Het was jammer dat ze nu niet meer iedere avond samen op de veranda konden zitten babbelen bij een kop koffie, maar er was geen enkele reden waarom ze daarvoor niet af en toe even zou aanwippen als ze tijd had.

Zolang de renovatie van de garage nog niet klaar was, sliep Francina in de derde slaapkamer, die daarna van Mandla zou worden. Mandla had nog nooit een eigen kamer gehad en Monica wist niet zeker of hij het wel leuk zou vinden. Het stapelbed was inmiddels uit de opslag, maar hij weigerde erin te slapen en ze had toegegeven aan zijn meelijwekkende gebedel of hij bij haar in bed mocht. Er waren de laatste tijd zo veel dingen in hun leven veranderd – voor een driejarige was het waarschijnlijk allemaal te veel.

Sipho lag graag met de gordijnen open, zodat hij vanuit zijn bed kon kijken naar de maan en de sterren die glansden boven de zwarte silhouetten van de koppies. Hij kon niet wachten tot het stapelbed doormidden was gezaagd, want dan had hij veel meer ruimte voor zijn dierenposters. Bovendien was hij bezig met een experiment voor zijn biologielessen, waarvoor hij een hele verzameling glazen potten kwijt moest, met plantenwortels en zaadjes van verscheidene inheemse plantensoorten.

Ook Ebony leek in haar schik met het nieuwe huis. Ze waagde zich zelfs al buiten de deur, wat ze in Abalone House nooit had gedurfd.

Op de derde avond in het nieuwe huis zat Monica met de jongens in de woonkamer een spelletje te doen, terwijl Francina buiten alweer met Oscar zat te praten. Alles rook naar vloerwas.

Raar eigenlijk, dacht Monica, *de leren sofa's van mijn moeder lijken hier meer op hun plaats dan in het moderne huis in Johannesburg.*

De koffietafel en de televisiekast waren beide gemaakt van oude bielzen en waren bijna identiek aan de exemplaren die ze hier in de meubelwinkel aan de Hoofdstraat had gezien. Het handgeweven Navajotapijt lag nu opgeborgen in de dekenkist in haar slaapkamer, omdat de originele houten vloer, die vorig jaar nog helemaal was opgeknapt, veel te mooi was om er iets overheen te leggen. Monica's gedachten gingen naar Daphne, Miemps en Reginald, die op ditzelfde moment in hun eigen woonkamer op de met plastic overdekte bank zouden zitten. Zij waren het enige gezin dat nog niets had ingepakt. Telkens als Miemps er een begin mee maakte, pakte Daphne alles weer uit en zette de prullaria terug in de vitrinekast.

Een stel arbeiders in staatsdienst had het stuk land dat grensde aan Sandpiper Drift inmiddels omheind en waarschuwingsborden opgehangen die overtreders dreigden met rechtsvervolging. Tijdens de afwas had Miemps niet langer zicht op open land, maar op prikkeldraadversperring. De bulldozers zouden over drie weken komen en Monica had geen idee wat Daphne van plan was. Het dwangbevel lag in snippers op de draagbare televisie en Daphne had haar moeder verboden het weer aan elkaar te plakken of weg te gooien.

Drie gezinnen, waarvan de kinderen in Kaapstad werkten, zouden verhuizen naar goedkope woningen in de buitenwijken van die stad. 'Sloppenwijken,' zei Daphne. 'Zelfs de kinderen zijn daar al aan de drugs.' Zukisa en haar moeder hadden een woning betrokken in de buurt van de scheepswerf van Kaapstad. Een andere familie was naar Bloubergstrand gegaan. Twee gezinnen hadden van hun werkgever woonruimte aangeboden gekregen in de bediendenvleugel. De conciërge van het Groene Blok was van plan met zijn gezin in de leegstaande werkplaats achter de school te trekken. De zes overige families stonden bepakt en bezakt klaar, maar hadden geen idee waar ze naartoe moesten.

Aan het eind van die eerste week zat er een pakje bij de post. Het was niet op naam geadresseerd en daarom scheurde Francina het bruine pakpapier eraf, voorzichtig, om de postzegel met de schildpad heel te houden voor Sipho. Er kwam een schoenendoos tevoorschijn en toen ze het deksel eraf haalde, dacht ze even dat ze droomde. Er zat alleen maar een steen in. Waarom zou iemand hun in vredesnaam een steen sturen, helemaal vanuit Johannesburg? Nu de stad gonsde van de praatjes over diamanten, bekroop haar even het vermoeden dat er misschien een diamant in zat, maar daar werd het alleen nog maar gekker van. Er zat geen kaartje bij, geen naam, geen afzender.

Ze had echter geen tijd om lang bij het vreemde pakketje stil te blijven staan. Evette kon elk ogenblik hier zijn om voor het laatst haar nieuwe jurk te passen en Francina wilde die nog even een strijkbeurtje geven. De jurk was gemaakt van ivoorkleurige zijde, met in de lengte ragfijn gouddraad erop gestikt. Bovendien had Francina de jurk langer gemaakt dan gebruikelijk, zodat hij zelfs de vloer nog zou raken als Evette op hoge hakken liep. Zelfs Sipho moest toegeven dat ze tien centimeter langer leek. Omdat Evette ook nauwelijks vrouwelijke vormen had, was het nog een hele toer geweest haar er vrouwelijk te laten uitzien. Francina had in de boekwinkel eindeloos door modetijdschriften zitten bladeren, tot ze op het idee kwam om de hals bijna schandalig laag uit te snijden en dat te camoufleren met een ruche die een volle boezem suggereerde en de jurk tegelijk een volkomen degelijk karakter gaf.

'Ik lijk net een prinses uit een sprookje,' had Evette geroepen toen ze de jurk voor de eerste keer paste. 'Waag het niet om deze nog voor iemand anders te naaien!'

Het geld dat Francina van Ingrid had gekregen, plus de bonus die de predikantsvrouw erbij had gedaan omdat 'haar prijzen belachelijk laag waren,' had ze naar haar moeder gestuurd, zodat die er een wasmachine van kon kopen. Haar moeder had weliswaar een bedankbriefje geschreven, maar daarin ook gezegd dat ze de kleren van haar gezin al meer dan veertig jaar met de hand had gewassen, en dat niemand kon zeggen dat haar kinderen er niet altijd brandschoon en keurig hadden uitgezien. Daarom had ze het geld, verpakt in een plastic zak, in het meelblik verstopt voor als Francina het ooit nog eens nodig mocht hebben. Per slot van rekening had ze geen man en ook geen kinderen die op haar oude dag voor haar zouden zorgen. Alsof Francina het nodig had nog eens herinnerd te worden aan het feit dat ze niet meer was dan een batterijkip, goed genoeg om de eieren van een andere hen warm te houden en afgedankt te worden zodra de kleine snaveltjes zich door de eierschaal een weg naar buiten hadden gepikt.

Veertien

as na een week kwamen ze erachter dat ze naast S.W. Greeff waren komen wonen. Sipho, die de brievenbus was gaan leeghalen, kwam de woonkamer binnenrennen en zwaaide de elektriciteitsrekening van de beroemde kunstenaar boven zijn hoofd alsof hij die bij een verloting had gewonnen. Monica duwde de envelop midden in de nacht bij hun buurman in de brievenbus. Ze wilde zich eerst een beetje inlezen in het werk van de man, voordat ze hem persoonlijk ontmoette.

De volgende ochtend ontdekte ze bij het wegrijden in de tuin van S.W. Greeff een nieuw vogelbadje. Op de rand balanceerde een Kaapse wevervogel. Er zaten altijd vogels in die tuin en volgens Oscar kwam dat omdat er alleen maar inheemse planten in stonden. Monica wierp een blik op de rozenstruiken voor haar eigen huis. David had het goed bedoeld, maar ze leken hier gewoon niet op hun plaats. Dit huis had maar één minpuntje en dat was het ontbreken van een eigen bougainvillea. Ze was dan ook van plan er zo snel mogelijk een te planten, zodra ze het jongste nummer van de krant persklaar had. Wat zou er allemaal veranderd zijn in haar gezin tegen de tijd dat de ranken langs het dak en over Francina's nieuwe huisje kropen?

Ze had vanaf haar huis best naar het ziekenhuis kunnen

lopen, maar ze wilde na haar afspraak met Zach nog even door naar Miemps en Reginald. Ze wist niet waarom Zach haar wilde spreken. Toen ze bij het ziekenhuis arriveerde, stond hij haar op de veranda al op te wachten.

'Ik moet je iets laten zien,' zei hij toen ze de trap opklom. Hij vroeg niet eens naar de jongens of naar haar nieuwe huis, wat erg ongebruikelijk voor hem was.

Ze liepen de wachtkamer door, waar een moeder vergeefs probeerde haar peuter te beletten met de stoelen te schuiven. Daphne was nergens te bekennen.

Voor een van de deuren in de lange gang bleef Zach staan.

'Probeer niet naar de patiënt te staren,' zei hij, een beetje buiten adem van opwinding.

In de kamer was het donker. Anders dan in de overige ziekenkamers waren de ramen hier dicht en hingen er zware, groene gordijnen voor. Boven hun hoofden klonk het ritmische getik van een plafondventilator, maar er was ook nog iets anders te horen, een zuigend geluid als van een moeizame ademhaling. De patiënt in de hoek had een buis in zijn keel, die bevestigd was aan een apparaat met een grijs beeldscherm waarop getallen knipperden.

'Hoe kom je daaraan?' vroeg Monica geluidloos.

'Dat vertel ik je straks,' fluisterde hij terug. Zijn gezicht stond weer ernstig.

De vrouw die naast het bed in een schommelstoel zat, stond nu op om Zach een hand te geven. Monica voelde zich een indringer en maakte aanstalten om weg te gaan.

'Blijf gerust, hoor,' zei de vrouw. Haar stem klonk moe. 'Mijn man is nu buiten levensgevaar, dankzij dit wonderapparaat. Hij heeft een epileptische aanval gehad.' Ze barstte in snikken uit. 'Hij had de rit naar Kaapstad nooit overleefd. Ik moet er niet aan denken wat er gebeurd zou zijn als het ziekenhuis deze apparatuur niet had gehad.'

Zach, die net de vitale functies van de patiënt aan het controleren was, onderbrak zijn werk even om een hand op haar schouder te leggen.

'Gelukkig hebben we die nu wel, Goddank. Waarom gaat u niet even naar huis om lekker uit te rusten?'

De vrouw protesteerde zwakjes, maar gaf algauw toe.

'Ik dacht dat je nog maar een fractie van het benodigde geld bij elkaar had,' zei Monica toen ze weer op de gang stonden. 'Dat was ook zo,' zei Zach. 'Maar ik heb de vent die deze dingen importeert net zo lang aan zijn kop gezeurd tot hij me er een gaf. Ik ben hem nog duizenden rands schuldig.'

'Je hebt er blijkbaar slag van om mensen naar je hand te zetten,' merkte Monica op.

'Lang niet altijd,' zei hij hard.

Het was voor het eerst dat ze heel even een glimp opving van de man achter het professionele masker. Ze wachtte tot hij nog meer zou zeggen, maar hij staarde voor zich uit en deed er verder het zwijgen toe. Het gaf haar een onbehaaglijk gevoel en daarom veranderde ze snel van gespreksonderwerp. Ze zou haar artikel omwerken, zei ze, en er een smeekbede om geld van maken ter aflossing van een enorme schuld. Hij moest er wel rekening mee houden dat de mensen minder snel tot geven geneigd zouden zijn nu het felbegeerde apparaat al was aangeschaft, maar er was al een leven door gered en dat maakte de inspanning de moeite waard. Misschien wilde de vrouw van de patiënt wel een interview toestaan.

Het duurde niet lang of Zach had zijn slechte bui weer van zich afgeschud en hij gaf haar een beeldende beschrijving van de manier waarop ze vroeger onderweg naar Kaapstad de patiënten handmatig zuurstof moesten toedienen met behulp van een pompje. Daarna bedankte hij haar nog eens uitvoerig.

'Jij weet altijd de juiste woorden te vinden. Je bent net een moederkloek die haar geschrokken kuikens tot rust brengt.'

Monica had nog nooit zo'n raar compliment gehad en ze wist niets beters te doen dan beleefd te glimlachen.

'Nee, dat zei ik helemaal verkeerd. Ik bedoel dat je iets over je hebt waardoor mensen het gevoel krijgen dat alles goed zal komen, dat er niets zomaar...'

Hij brak af, toen hij Daphne zag aankomen. 'Het gaat prima met hem,' zei hij tegen haar. 'Houd alleen zijn bloeddruk goed in de peiling.'

Hij wendde zich tot Monica. 'Met die beademingsapparatuur beschikken we nu officieel over een intensive care en Daphne is de enige verpleegster hier die een ic-training heeft gehad.'

'Nou, de kans is anders groot dat je me over twee weken kwijt bent,' snauwde Daphne. 'Die rijke, inhalige stinkerd zal beslist niet van gedachten veranderen.'

Monica had graag iets gezegd om Daphne te troosten, maar ze wist dat de troostwoorden van bevoorrechte mensen maar al te vaak hol klinken. Het was ook haar eigen ervaring geweest, nadat ze was neergeschoten. Achter de bezorgde blikken van de mensen school altijd de opluchting dat het hun niet was overkomen.

'Als we iets kunnen doen...' zei Zach nu.

Het was goed bedoeld, maar klonk precies zoals Monica had gevreesd.

'Je zou Yang aan zijn verstand kunnen brengen dat het immoreel is wat hij doet.'

Nu was Monica er zeker van dat Daphne de zakenman met een bezoekje had vereerd en dat zij er de oorzaak van was dat er geen vrouwelijke bezoekers meer werden toegelaten.

'Ik zal mijn best doen,' zei Zach.

Het was een attent gebaar, maar Monica wist wel dat het niets zou opleveren. Alleen het vooruitzicht van een groot financieel verlies zou Yang kunnen tegenhouden. En hoe zou een ervaren zakenman als hij ooit zo'n verlies lijden? Wat was er, behalve diamanten, in deze streek nog meer van grote waarde?

Natuurlijk! Water! In dit droge gebied was water meer waard

dan wat dan ook. Voor zover Monica wist, was de ondergrondse bron van Lady Helen de enige in de wijde omtrek. Yang moest dus zijn water uit Lady Helen betrekken, als hij het tenminste niet per pijpleiding uit Saldanha Bay wilde laten komen – wat mogelijk was, maar gezien de afstand niet waarschijnlijk. Wisten de inwoners van Lady Helen dit? Dat zou toch wel! Maar waarom stemden zij met een dergelijke regeling in, terwijl Yang juist alles in het werk stelde om zijn hotelgasten bij de middenstand van het dorp vandaan te houden? En, wat nog belangrijker was, waarom stonden ze nog meer van hun kostbare watervoorraden af ten behoeve van een tweede – en in Monica's ogen onnodige – golfbaan? In haar achterhoofd begon een stemmetje te zeuren. Ze probeerde het eerst nog tot zwijgen te brengen, want als ze zou luisteren, waren de gevolgen niet te overzien. De grens die ze was overgegaan toen ze Zach was gaan helpen bij zijn fondswerving leek daar onbeduidend bij. Ze zou zichzelf niet langer een journalist mogen noemen in de ware zin van het woord.

Maar de stem liet zich niet het zwijgen opleggen. *Wat zou er gebeuren als Yang werd afgesneden van het kostbare water van Lady Helen?* Het kwam toch vaker voor dat er met een afspraak iets mis ging, door slechte planning, slechte uitvoering of gewoon door domme pech. In deze situatie moest iemand ervoor zorgen dat de bestaande regeling spaak liep en diep in haar hart wist ze dat zij daarvoor de aangewezen persoon was.

'Als je woonruimte nodig hebt, kun je wel bij mij komen wonen,' zei Zach ondertussen tegen Daphne. 'En je ouders kunnen er ook wel bij. We hebben ruimte genoeg.'

'Dat zal niet nodig zijn,' was Daphnes antwoord. 'We gaan ons huis niet uit.'

Zach knikte. Hij leek niet beledigd door haar bitse reactie.

Monica betrapte zich erop dat ze benieuwd was naar de vrouw die het geluk had het leven van deze meevoelende man te delen. Ze had haar slechts af en toe uit de verte gezien, wanneer ze haar dochter Yolanda bij school afzette. De andere moeders bleven na de bel nog wel eens een poosje hangen voor een kletspraatje, maar mevrouw Niemand deed dat nooit. Wat kon toch de oorzaak zijn van Zachs kwade bui daarnet? Hij leek alles te hebben wat een man zich maar wensen kon.

Miemps en Reginald zaten met hun middageten voor de televisie toen Monica bij hen aanklopte. Op weg hierheen had ze zich voorgenomen voorlopig niets over haar inval te zeggen – niet tegen hen, of tegen wie dan ook.
'Waarom kijken we eigenlijk naar die stomme soapseries? Hebben we in ons eigen leven al geen drama's genoeg?' vroeg Reginald zich hardop af.
Miemps stond erop ook voor Monica een bord vol te scheppen en zette daarna de tv uit.
'Ik maak me zorgen over Daphne,' zei ze. 'Ze doet geen oog dicht en ik mag van haar helemaal niets inpakken.' Ze keek naar haar verzameling miniatuurtheekopjes in de vitrinekast. 'Als ik die zorgvuldig in wil pakken, heb ik toch echt even tijd nodig.'
'Waar gaan jullie heen?' informeerde Monica.
'Mijn zus in Paarl heeft een kamer voor ons beschikbaar,' zei Reg. 'Maar voor Daphne is dat te ver in verband met haar werk hier.'
'Ze kan daar toch wel een baan krijgen,' zei Miemps en uit haar geprikkelde toon bleek wel dat er over dit onderwerp al heel wat ruzies waren geweest.
'Dokter Niemand zou haar erg missen,' zei Monica.
'Ik weet niet wat ze van plan is, maar ik weet wel dat ze niet zal vertrekken,' zei Reginald.
'Dat heb je er nou van als je je dochter ver van huis naar de universiteit laat gaan,' zei Miemps.
'Wat had je dan gewild? Dat ze de beurs had geweigerd? Dat

ze de rest van haar leven huizen had moeten schrobben?'
Miemps snikte in haar kanten zakdoek. Half en half in de
verwachting de kous op de kop te krijgen, greep Monica
haar hand, maar Miemps klampte zich aan haar vast alsof het
de natuurlijkste zaak van de wereld was.
'Heb je gezien hoe hoog het zand ligt in de twee huizen die
al leegstaan?' vroeg Reginald ondertussen. 'Die vrouwen
veegden elke dag hun huis en al na een paar weken ziet het
eruit alsof er nooit iemand heeft gewoond.' Hij schudde zijn
hoofd. 'In de woonkamer van de familie DeVillier zit zelfs
een krabbenfamilie.'
'Wat kan hun dat nou schelen? Al voor het dwangbevel
kwam, hadden ze een nieuw huis in Bloubergstrand, met
een torentje en uitzicht op de Tafelberg.' Miemps snoot luidruchtig haar neus.
'Dat heeft de kleinzoon van DeVilliers ons verklapt,' legde
Reginald Monica uit. 'Hij zei ook dat ze een toegangshek
hebben dat met een druk op de knop opengaat. Je kunt van
een zesjarige ook niet verwachten dat hij een geheim bewaart. En het is een schande dat een simpele automonteur
zich een dergelijk huis kan veroorloven.'
'Hoe zou hij dan aan het geld gekomen zijn?' vroeg Monica.
'Door te gokken,' zei Miemps. Ze spuwde de woorden bijna
uit. 'Ze hadden altijd tot diep in de nacht van die ongure
types over de vloer en dan zaten ze samen te kaarten.'
Monica betwijfelde sterk of je met een spelletje kaart in een
modaal woonhuis, gespeeld door mannen die te voet waren
gearriveerd, een huis met uitzicht op de Tafelberg zou kunnen financieren. Zodra ze weer in haar auto zat, moest ze
een paar aantekeningen maken. Je wist maar nooit wanneer
deze informatie nog eens van pas kon komen.
'Het nieuwste nummer van de *Herald* komt morgen uit,' vertelde ze Miemps en Reginald. 'Jullie staan op de voorpagina.'
Miemps was in de zevende hemel, totdat Reginald haar er
fijntjes op wees dat ze voor het hele land te kijk zou staan

als iemand die op het punt stond dakloos te raken.

'Niet voor het hele land,' corrigeerde Monica hem. 'Alleen voor de mensen van Lady Helen. Maar als het artikel goed genoeg is, neemt de landelijke pers het misschien over.'

Dat was een begin, maar eigenlijk moest de zaak op een dramatischer manier aangepakt worden. Jammer genoeg had ze onderweg te weinig tijd gehad om een goed plan uit te werken. De tijd begon te dringen. Over twee weken zouden alle families van Sandpiper Drift uit hun huis worden gezet.

'Jij bent onze heldin,' zei Miemps en kneep even in haar hand. 'We hebben alle vertrouwen in jou.'

De straat, waar de vorige keer nog kleine jongens voetbalden en buren nieuwtjes uitwisselden, lag er nu verlaten bij. De achtergebleven bewoners bleven binnen om niet geconfronteerd te hoeven worden met het spinnenweb van plastic afzettape, dat de plaatsen markeerde waar met behulp van het puin van hun huizen heuveltjes zouden verrijzen die zo gesitueerd waren dat je vanaf elke hole op de golfbaan goed zicht had op de oceaan.

Zukisa's moeder had meegenomen wat ze kon. In plaats van de prachtige, koperen lantaarn, het gietijzeren hek en het handgesneden houten huisnummer zag je nu alleen nog maar gapende gaten en afgebikt pleisterwerk. De voordeur was open gewaaid, net als de voordeur van de DeVilliers, en in de woonkamers lag een tapijt van fijn, wit zand. Over een maand of wat zou de deur niet eens meer dicht kunnen, maar zo veel tijd zou de natuur dit keer niet krijgen.

Zich bewust van het feit dat ze van alle kanten door de kiertjes tussen de gordijnen werd bespied, kon Monica een gevoel van teleurstelling niet onderdrukken. Deze mensen wisten inmiddels heel goed wie zij was en toch hielden ze zich met opzet in hun huizen voor haar schuil. Zou ze hier altijd een buitenstaander blijven, of hadden deze mensen geen vertrouwen meer in de ambitieuze, maar krachteloze hulppogingen die in de loop van de tijd ten behoeve van hen waren ondernomen? Ze nam nog een paar foto's, stapte weer in haar auto en reed terug naar de stad. Ze had het gevoel dat haar plan uitzonderlijk goed moest zijn, anders zouden al die huisjes eindigen zoals ze begonnen waren: als losse stenen, her en der over de zandvlakte verspreid.

Vijftien

iets wees erop dat deze dag anders zou verlopen dan andere dagen. Ze woonden nu twee weken in het nieuwe huis en zoals gewoonlijk werd Francina ook deze ochtend iets voor vijven wakker. De maan was al aan het verbleken tegen de lichter wordende hemel, er woei een koele, maar niet al te harde bries en de vogels hadden hun vrolijke ochtendconcert al met de gebruikelijke geestdrift ingezet. Het beloofde een dag te worden zoals ze die in Lady Helen gewend waren: warm, droog en zonnig.

De jurk waaraan ze nog de laatste hand moest leggen en die de reden was voor haar vroege opstaan, was bestemd voor een kunstenares aan wie in Johannesburg de prijs voor Innovatief Geïntegreerd Mediagebruik zou worden uitgereikt. Toen de dame in kwestie het haar vertelde, had Francina haar van trots bijna omhelsd – ze had elke afzonderlijke term begrepen.

Die Oscar is echt een genie, dacht ze, terwijl ze een draad door de naald prikte om de zoom met de hand af te werken. Daar kon Hercules nog een puntje aan zuigen. Ha, had ze daar zomaar even een spreekwoord gebruikt! Ze begon het Engels al aardig onder de knie te krijgen, wat niet meeviel, omdat het een taal was die je af en toe behoorlijk bij de neus nam. Denk alleen maar eens aan al die woorden die hetzelfde klonken maar toch verschillend werden gespeld. Ja, het Engels was net een vermomde vrijer die je voortdurend ontglipte – die uitdrukking moesten ze maar aan hun spreekwoordenrepertoire toevoegen!

Het ontwerp voor deze jurk was niet ingewikkeld geweest. De enige wens van de kunstenares was om wat minder mager te lijken en iedereen wist hoe je dat voor elkaar kreeg: met een gedurfde print, gedurfde kleuren en horizontale strepen.

Terwijl ze zat te naaien, kwam de zon boven de koppies uit en vulde de vallei met gouden licht. Francina onderbrak haar werk. Het uitzicht was te mooi om er niet even van te genieten. In plaats van de rust die normaal gesproken over haar neerdaalde wanneer ze naar buiten keek, bekroop haar echter een gevoel van onbehagen. Doe niet zo mal, zei ze tegen zichzelf. Maar de zon rees hoger en hoger, het zachte licht werd feller en feller, en nog kon ze het gevoel dat er iets buitengewoons op til was niet van zich afschudden.

Nadat ze Mandla in bed had gelegd voor zijn middagslaapje, maakte ze het zich even gemakkelijk met een kopje thee. Sipho zat op school, Monica was op haar werk en Oscar had het metselwerk aan de garage even neergelegd om met een vriend te gaan lunchen. Afgezien van de druppelende keukenkraan, die Oscar beloofd had te zullen repareren, was het volkomen stil in huis.

Plotseling werd er op de deur geklopt. Francina schrok zo, dat ze bijna haar theekopje liet vallen. Als vanzelf terugvallend in Johannesburgse behoedzaamheid tilde ze de vitrage voor het keukenraam een beetje op om te zien wie het was. Ze hapte naar adem. Het was Hercules!

Ze liet het gordijn vallen en drukte zichzelf plat tegen de muur. Toen de schrik een beetje begon weg te ebben en ze weer helder kon denken, besefte ze dat ze zich gedroeg alsof hij een misdadiger was met kwaad in de zin. Ah, hoe was het mogelijk dat ze zelfs op een moment als dit nog in uitdrukkingen dacht? Ze deed de deur van het slot.

'Dag Francina,' zei hij en nam zijn hoed af. Het was een vreemde hoed die hem het uiterlijk gaf van een jazzmuzikant uit de jaren vijftig. 'Bedankt dat je niet net doet of je weg bent.'

Ze nodigde hem binnen en schoof een stoel bij de keukentafel. Hij leek magerder dan ooit, maar toen ze hem een bord met stoofschotel voorzette, peuzelde hij het tot haar voldoening met smaak leeg. Hij was vanaf elf uur gisteravond onderweg geweest, vertelde hij ondertussen, en had maar twee of drie uur geslapen. Hoe hij haar adres had ontdekt, of waarom hij was gekomen, vroeg ze hem niet. In plaats daarvan probeerde ze opnieuw de woede en gekwetstheid op te roepen die ze die nacht in zijn huis in Dundee had ervaren. Het lukte haar niet. Ze voelde zich alleen nog maar schuldig omdat ze hem in de steek had gelaten toen hij zo overduidelijk haar hulp nodig had. Ze had nagelaten het goede te doen, en pas nu drong het tot haar door dat ze hiervoor vergeving moest vragen, niet alleen aan Hercules, maar ook aan God.

Ze schepte hem nog een tweede keer op, zonder zich erom te bekommeren dat er niet genoeg voor de rest van de familie overbleef en zij dus iets in elkaar moest zien te flansen van wat er nog was.

'Hercules, het spijt me heel erg,' begon ze, zonder te weten hoe ze verder zou gaan. 'Ik had moeten...'

'Nee, het spijt mij juist,' viel hij haar in de rede. 'Ik begrijp nu waarom je bang was. Ik had geen idee dat ik aan een depressie leed. Door jouw vertrek werd ik me er eindelijk van bewust dat er iets niet in orde was. Mijn huisarts heeft me naar een psychiater verwezen, en van hem heb ik medicijnen gekregen.'

'En hoe voel je je nu?'

'Veel beter. Zelfs zo goed, dat ik voor ik hierheen kwam in

staat was alle kleren van mijn vrouw naar de rommelmarkt van de kerk te brengen.'

Francina vond het een akelig idee dat iemands complete garderobe zo'n onwaardig einde vond. Al die graaiende, grabbelende handen – dat getuigde toch van weinig eerbied. Maar beter zo dan dat een man erdoor belemmerd werd om de draad van zijn leven weer op te pakken.

'De slaapkamer is opnieuw behangen,' ging Hercules verder. 'Mijn moeder vond beige een geschikte kleur voor een man.'

Heer, bad ze in stilte, mijn berouw komt een beetje laat, maar wilt U me alstublieft vergeven dat ik deze zachtzinnige man de rug toegekeerd heb.

'Ik dacht bij mezelf dat woorden op een stuk papier niet voldoende zouden zijn om je ervan te overtuigen dat ik de weg naar herstel ben ingeslagen,' zei Hercules. 'Het spijt me dat ik je zo heb overvallen, maar ik vermoedde dat je me zou vragen weg te blijven als ik je vooraf toestemming had gevraagd om te mogen komen.'

Dat kon Francina niet ontkennen.

'Je hoeft nergens bang voor te zijn,' vervolgde hij. 'Ik zou graag zien dat we allebei een enorme stap terug doen naar het punt waarop we ons bevonden voordat jij naar Dundee kwam. Denk je dat dat zal lukken? Dat we weer gewoon vrienden kunnen zijn?'

Francina knikte, al wist ze niet precies hoe ze daaraan in deze situatie vorm zouden kunnen geven.

'Ik heb ontslag genomen als leraar,' vertelde hij nu.

'Maar Hercules!' zei ze geschrokken. 'En je hield zo van je werk en van je leerlingen.'

Hij fronste zijn wenkbrauwen en voor het eerst merkte ze weer iets van de zorgelijkheid die ze zich van hem herinnerde.

'Ik was mezelf niet meer de laatste maand dat ik daar werkte. En zodra je leerlingen hun respect voor je hebben verloren, is het onmogelijk om nog langer goed les te geven.'

Francina kon zich niet voorstellen hoe hij ooit het respect van zijn leerlingen had kunnen verliezen, maar ze merkte wel dat de herinnering nog pijnlijk vers was en drong dus niet verder aan.

Volgens hem had hij genoeg gespaard om samen met zijn moeder negen maanden van te kunnen leven. Aangezien de relatie met Francina in de korte tijd dat ze elkaar kenden voornamelijk via brieven was verlopen, was hij van plan die maanden te gebruiken om haar 'in het echt' te leren kennen, als zij dat tenminste goed vond.

En dan? dacht Francina. Het leven in Lady Helen beviel haar uitstekend en ze had geen zin om hier weer weg te gaan.

Toen Mandla wakker werd, gaf Francina hem een beetje vruchtensap en daarna brachten ze Hercules naar Abalone House, voordat ze Sipho van school gingen halen. Het vervulde haar met trots dat ze erin slaagde voor Hercules een speciaal tarief te bedingen, maar ze was tegelijk blij dat Kat hem niet haar kamer gaf. Dat had ze onkies en ongepast gevonden. En die moeilijke woorden die ze tegenwoordig allemaal kende – voorlopig zou ze Hercules daar maar niets van laten merken.

Zestien

onica telde de dagen als een kind dat zijn speelgoed sorteert. Ik zit nu twee weken in mijn nieuwe huis, jij hebt nog maar een week te gaan in je oude. Over zeven dagen al zouden de bulldozers arriveren om de huizen van Sandpiper Drift met de grond gelijk te maken en nog steeds had Monica geen plan.

Haar artikel was inmiddels verschenen en had in Lady Helen voor een kortstondige opwinding gezorgd, maar aangezien Yang de volledige steun van de regering genoot, voelden de mensen zich bij voorbaat machteloos tegenover de rijke zakenman. 'Het is een schande dat dit soort dingen in het nieuwe Zuid-Afrika nog steeds kan gebeuren,' was de meest verkondigde opinie in het stadje. Geen enkele andere krant had de moeite genomen het artikel te publiceren. Het leek erop dat conflicten over grond in het hele land schering en inslag waren.

De eerste keer dat Monica haar beroemde buurman S.W. Greeff in het oog kreeg, stond hij net een rubberen eendje uit zijn vogelbadje te vissen. Monica wist niet of hij misschien boos zou zijn omdat haar kinderen zonder toestemming op zijn terrein waren geweest en daarom verstopte ze zich achter de vuilcontainer, met vuilniszak en al. Zwaar leunend op een knoestige wandelstok bestudeerde hij op zijn gemak de onbekende bezoeker van zijn tuin.

'Een zeldzame soort, moet ik zeggen,' zei hij, zo luid dat Monica zich afvroeg of hij misschien doof was. Normaal gesproken praatten mensen niet zo hard in zichzelf, maar ja, hij was een kunstenaar en zulke mensen doen wel vaker dingen die anderen niet doen.

'Je krijgt nog een slag in je ruggengraat als je zo op je hurken blijft zitten,' zei hij toen met een blik in haar richting. Met een vuurrood gezicht kwam Monica overeind en stak een beetje halfslachtig haar hand op.

'Het spijt me dat mijn jongens in uw rotstuin geklommen zijn. Ik zal er voortaan op letten dat ze aan deze kant van de afscheiding blijven.'

'Onzin. Dit joch heeft gevoel voor humor, dat mag ik wel. Hij kan gaan en staan waar hij wil.'

'Dank u, meneer Greeff.'

'Noem me maar S.W.,' zei hij. 'En mocht je je afvragen waar dat voor staat: het is de afkorting van Stephen Walter. Mijn Afrikaner ouders dachten dat ik later een deftig beroep zou kiezen – advocaat of zo – als ze me maar een degelijke Engelse naam gaven.' Hij grinnikte even. 'Komt Max nog steeds elke dag naar kantoor?'

Monica knikte.

'Ouwe dwazen zoals wij weten nu eenmaal niet van ophouden. Ik zal ook schilderen tot ze me onder de grond stoppen. Ik heb mijn grafsteen al af, trouwens. Je moet hem eens een keer komen bekijken.'

'Graag,' zei Monica zwakjes.

S.W. stond haar zwijgend aan te staren, alsof hij iets van haar verwachtte.

'Ik heb gehoord dat u alleen maar inheemse planten in uw tuin hebt,' zei ze, in een poging het gesprek weer op gang te brengen.

'Omdat dat minder water kost,' zei hij. 'Lady Helen beschikt over een eigen, natuurlijke waterbron, maar niemand weet hoe lang die het nog uithoudt.'

Aangezien hij degene was die Lady Helen opnieuw had ontdekt, kon hij misschien haar vermoeden bevestigen dat het golfcomplex zijn water uit diezelfde bron kreeg. Ze vroeg hem er dus naar en in reactie op haar vraag gaf hij met zijn wandelstok een klap tegen de voet van het vogelbadje. 'Dat was de grootste fout die we ooit hebben gemaakt,' zei hij met een frons. 'We hadden geld nodig om de stad weer nieuw leven in te blazen – om de wegen te herstellen, het rioolsysteem op te lappen, de openbare gebouwen te restaureren en het park aan te leggen. Dus toen ze ons kwamen vragen of ze tegen betaling van ons water gebruik mochten maken, hebben wij meteen toegehapt. We waren zo goed van vertrouwen dat we het contract niet eens door een jurist hebben laten controleren. Gerekend naar de huidige tarieven krijgen ze het water bijna voor niets.'

'Wat zal er gebeuren als er een baan bij komt?' vroeg Monica.

'Dat is het enige wat we goed hebben geregeld,' zei S.W. 'De gemeenteraad moet stemmen over iedere verwachte gebruikstoename.'

'Maar ik heb helemaal niets gehoord over een aanstaande stemming.'

'Daar zit dan ook precies mijn zorg. Als onze eigen nieuwsredacteur er al niets van weet, dan weet niemand er iets van. De stemming is morgenavond. Ik weet dat alleen omdat Lady Helen het kind is dat ik nooit heb gehad en daarom waak ik angstvallig over haar welzijn. En net als elke ouder worstel ik met schuldgevoelens, in dit geval omdat ik door het contract met de golfers te ondertekenen ernstig tekort ben geschoten tegenover Lady Helen. Ik heb het gevoel dat ik iets goed te maken heb.'

Monica glimlachte om de vergelijking met het ouderschap en ze voelde het helemaal aan. Zelfs al bedoelde je het nog zo goed, dan nog konden je woorden en je daden zich op een later tijdstip tegen je keren en je voldoening bederven.

'Ik ben blij dat u me dit verteld hebt,' zei ze.

'Het is nog niet alles. Als je het mij vraagt, is dit ook het uur van de waarheid voor onze burgemeester, die moet laten zien dat hij de verleiding van buitenlands geld kan weerstaan. Als hij wil, kan hij het onderwerp ter tafel brengen in combinatie met iets anders en het er zo bijna ongemerkt doorheen loodsen. De meeste inwoners woonden hier nog niet toen het contract werd opgesteld en zijn dus onkundig van het feit dat hun water wordt afgetapt. Als onze burgemeester het wil, kan het gebeuren dat zijn onderdanen er pas iets van horen na de stemming, als alles al in kannen en kruiken is. Maar stel nou eens dat de pers erachter zou komen...'

Hij grijnsde haar breed toe en Monica besefte dat het geen toeval was geweest, dat hij naar buiten kwam op het moment waarop zij altijd de vuilniszak buitenzette.

Monica kon zich heel goed vinden in de overtuiging van Doreen Olifant, dat alleen een buitenstaander de waarheid kon vertellen, omdat die opmerkte wat mensen die hier al tientallen jaren woonden ontging. Betekende dat ook dat een buitenstaander het nieuws zelf moest creëren? Daar leek niets op tegen. Maar een journalist die zelf het nieuws creëerde – dat kon absoluut niet. Vervuld van deze en andere gedachten – zoals dat wat ze nu ging doen behoorlijk fout zou kunnen lopen – ging ze na de lunch op weg naar het kantoor van burgemeester Oupa Sithole.

'Ah, Monica, ik vroeg me al af wanneer je me met een bezoek zou komen vereren,' zei de burgemeester, die haar in hoogst eigen persoon opendeed. Hij leek niet over een medewerker te beschikken. Zijn kantoor, een vroegere ijzerwarenwinkel, stond ingeklemd tussen het huis van Lady Helen en een fotostudio.

'Welkom. Ga zitten, dan zet ik even een kop thee.'

Het trof haar opnieuw hoe hij op de kerstman leek.

'Mijn vrouw raakt niet uitgepraat over de kwaliteiten van Francina,' vertelde hij, terwijl hij de elektrische waterkoker aanzette. 'Ik was zo trots op haar tijdens het burgemeestersbal in Kaapstad. Ze gedroeg zich zo zelfbewust als een koningin. Suiker en melk?'

'Alstublieft, burgemeester.'

'Noem me alsjeblieft Oupa, dat is genoeg.'

Ze knikte beleefd, maar ging niet op het aanbod in. Oupa was Afrikaans voor grootvader en hoewel hij met zijn grijze baard en haardos precies op een opa leek, gaf het haar toch een ongemakkelijk gevoel om hem zo te noemen. Hij gaf haar een mok thee en haalde toen een doos chocoladebiscuitjes uit een la van zijn bureau. Voordat hij de la weer dichtschoof, ving Monica nog net een glimp op van de voorraad koekdozen en chocoladerepen die daarin lag opgeslagen.

'We hebben in jaren niet zulke ontspannen dagen gehad, en dat allemaal dankzij de jurk die Francina heeft genaaid. Andere jaren probeerde mijn vrouw zich altijd achter mij te verstoppen en liep ze om de haverklap naar het toilet, maar deze keer leek ze wel een ander mens.'

Monica nam een slokje thee en hij maakte van de gelegenheid gebruik om een loflied op Lady Helen aan te heffen. Het klonk grotendeels als een uit het hoofd geleerde reisbrochure, maar uit zijn gezichtsuitdrukking bleek wel dat hij oprecht hart had voor de stad die hij sinds zes jaar zijn thuis mocht noemen.

In Johannesburg zou Monica hem in de rede zijn gevallen met een vraag die direct te maken had met de werkelijke reden van haar komst, maar in Lady Helen ging het er allemaal iets gemoedelijker aan toe. Alvorens ter zake te komen informeerden de mensen eerst naar elkaars gezondheid en familieomstandigheden, waarbij ze ook nog eens oprecht in de antwoorden geïnteresseerd waren. En als iemand zich gedrongen voelde je een lang verhaal op te dissen over de problemen die hij had met de mieren in zijn huis, dan luisterde je beleefd tot hij was uitgepraat en je het gesprek op een natuurlijke manier op jouw eigen besognes kon brengen.

'Ik heb het gevoel dat dit niet zomaar een gezelligheidsbezoekje is,' zei de burgemeester, en pakte een zesde biscuitje uit de doos.

Monica schaamde zich. Nu had ze gedacht dat ze de kleinsteedse omgangsvormen zo goed onder de knie had, en toch had hij blijkbaar gemerkt dat haar gedachten er niet helemaal bij waren.

'Neem me niet kwalijk,' zei ze. 'Ik gedraag me onbeleefd.'

Hij keek haar niet-begrijpend aan en wees toen naar haar recorder.

'Je hebt je wapentuig bij je, dus ik neem aan dat je een uitspraak van me wilt.' Hij schraapte luidruchtig zijn keel. 'Eerst even een slok thee. Zo, dat is beter. Vooruit maar.'

Hij was zo ontwapenend aardig dat Monica aarzelde om te beginnen met de vragenreeks die ze op kantoor had voorbereid. De kerstman zou zich toch niet laten omkopen? De kerstman zou een stemming, waar zoveel van afhing, toch niet wegmoffelen in een discussie over een ander punt, of een gemeenteraadsvergadering met opzet zo lang rekken dat de leden alles zouden goedkeuren wat maar ter tafel kwam, alleen om eindelijk naar huis te kunnen? Onder de koekjesvoorraad in de la lag hoogstwaarschijnlijk een folder over de aanstaande stemming, klaar voor verspreiding onder de bevolking. En het was zeer aannemelijk dat de burgemeester de gemeenteraadsleden inmiddels alle informatie over het onderwerp had verstrekt, zodat ze er al voor de vergadering van morgenavond goed over hadden kunnen nadenken.

Aan de andere kant: Yangs rijkdom ging het voorstellingsvermogen van gewone mensen te boven, ook dat van een eenvoudige burgemeester met een haveloos kantoor, die zich geen secretaris of glimmende vergadertafel kon veroorloven. De vrouw van die burgemeester reed weliswaar rond in een Mercedes, maar de auto was even oud als hun jongste kind en dat zat in de hoogste klas van de middelbare school. Bovendien moesten ze collegegeld betalen voor hun oudste, die aan de universiteit van Stellenbosch studeerde. Hoe je het ook wendde of keerde, burgemeester Sithole zat om geld te springen.

'Geef me een minuutje, dan trek ik mijn colbert even aan,' zei hij.

Ze keek hem een beetje wezenloos aan.

'Ik heb geen zin om verfomfaaid op de foto te gaan,' verduidelijkte hij.

Monica fotografeerde hem zittend achter zijn bureau, met een pen in de hand alsof hij op het punt stond een vredesverdrag te ondertekenen. Toen hij zijn jasje weer uittrok, bekroop haar plotseling het gevoel dat een eerste indruk niet altijd de juiste hoefde te zijn. Het was inderdaad niet haar taak om het nieuws te creëren, maar als ze een klein duwtje in de goede richting kon geven, gaf ze mensen wel de kans om naar eer en geweten zelf een keus te maken. En wie weet, kon ze verhinderen dat ze iets zouden doen waarvan ze later spijt kregen.

'Ik ben eigenlijk gekomen om te vragen wat u denkt van de stemming die morgen gehouden zal worden.'

Hij knipperde met zijn ogen. 'Welke stemming?'

Ze wachtte even om de verschillende mogelijkheden te overwegen. Het was nog niet te laat om toe te slaan als de eerste de beste keiharde en strijdlustige journalist uit Johannesburg. Het kon niet dat de burgemeester niet van de komende stemming op de hoogte was. Haar achterdocht was terecht geweest. Als het besluit erdoor kwam, zou Yang hem daarvoor belonen.

'U weet wel, de stemming over de vraag of het golfcomplex meer water mag gebruiken ten behoeve van de tweede golfbaan.'

Hij knikte begrijpend – te begrijpend, vond Monica.

'Ik heb gehoord dat u bang was dat niet iedereen dit op tijd zou horen. Voor de *Lady Helen Herald* is het een slecht moment, want de krant verschijnt pas over drie dagen' – er sprong iets van opluchting in zijn ogen – 'maar ik heb er iets op gevonden.'

'Ja, ja,' zei hij gespannen. 'Ik ben blij dat je wilde ingaan op mijn verzoek om even langs te komen.'

Zo'n verzoek was er beslist niet geweest.

'We gaan het gewoon op de ouderwetse manier aanpakken,' zei ze. 'Ik zet een mededeling van u op papier, maak er kopieën van en laat die overal in de stad aanplakken.'

Hij glimlachte, maar het kostte hem duidelijk moeite.

Ze zette haar recorder aan.

'Geachte medeburgers,' begon hij. 'Uw gemeenteraad staat op het punt te stemmen over de vraag of Lady Helen de nieuwe golfbaan, die op ons grondgebied zal worden aangelegd, van water moet voorzien.' Over de huizen die daarvoor moesten wijken, zweeg hij. 'Als u uw mening over dit onderwerp wilt geven, zoek de gemeenteraadsleden dan op in Mama Dlamini's Eetcafé of op hun werk. Het is ook mogelijk om morgenavond voorafgaand aan de vergadering naar mijn kantoor te komen.'

Met zijn hand tekende hij een cirkel in de lucht om aan te geven dat hij ging afronden.

'Ik, burgemeester Oupa, heb altijd opengestaan voor uw mening en zal dat blijven doen zolang u mij dat voorrecht gunt.' Hij haalde zijn wijsvinger langs zijn hals, ten teken dat hij was uitgesproken.

'Dank u wel, burgemeester Oupa – Oupa, bedoel ik.'

Hij gaf haar een stevige handdruk. 'Nee, jij bedankt voor je komst.'

Buiten stonden twee oudere toeristen te lezen in de brochure die ze uit het huis van Lady Helen hadden meegenomen. Monica was ervan overtuigd dat de burgemeester op ditzelfde moment al aan de telefoon hing. Nog nooit had ze zo snel en met zo weinig inspanning een artikel in elkaar gezet. Ze opende met het citaat van de burgemeester en beschreef toen nog eens tot in detail hoe vijftien gezinnen op het punt stonden hun huis te verliezen. Ten slotte wees ze erop dat Lady Helen op een dag gedwongen zou zijn haar drinkwater te kopen van de staat en het per pijpleiding aan te voeren, omdat haar eigen natuurlijke bron was opgedroogd.

'Dank u, Heer,' fluisterde ze bij zichzelf, toen ze het voltooide artikel nog eens overlas. Ze wist zeker dat God haar bij het schrijven ervan had geholpen.

Ze zocht het nummer van de grootste krant van Kaapstad en faxte het artikel erheen, met de mededeling *Dringend* erboven. Daarna ontwierp ze haastig een poster met een opvallende kop en liet die aanbrengen op alle winkelruiten en op elke tweede lantaarnpaal.

Toen zich de volgende avond voor het kantoor van de burgemeester een grote menigte verzamelde, was Monica's artikel al gepubliceerd op pagina drie van het grootste dagblad in Kaapstad. De eindredacteur had het stuk over de vijftien gezinnen geschrapt, waardoor alle nadruk kwam te liggen op de eventuele gedwongen watertoevoer in de toekomst. Monica kon niet zeggen of het door dit verminkte artikel kwam of door haar posters dat de inwoners bij horden tegelijk kwamen opdagen, maar het was in ieder geval het gewenste resultaat. De gemeenteraad stemde tegen het opschroeven van de waterleverantie aan het golfcomplex, en nog voor de volgende ochtend tien uur zag Yang zich gedwongen mee te delen dat hij zijn plannen voor een tweede baan in de ijskast had gezet.

Kort daarna was Monica met Reg aan de telefoon, toen Max haar kantoor binnenkwam.

'Ik heb alleen maar het nieuws gebracht,' antwoordde ze op Regs hartstochtelijke dankbetuigingen, waarop Max met zijn wijsvinger schudde. 'Wat is er?' vroeg ze hem, nadat ze afscheid van Reg had genomen.

'Ik dacht dat ik je flink onder de duim had, maar blijkbaar was dat een vergissing.'

'Als je klachten hebt over mijn werk, moet je het maar zeggen,' zei Monica. De laatste tijd begon ze zich steeds vaker af te vragen of Max haar ooit de ruimte zou geven om zelfstandig de krant te leiden.

'Integendeel,' zei hij echter. 'Ik moet je juist feliciteren met wat je hebt gedaan, al heb ik geen idee wat dat was.'

Het was voor het eerst dat hij tegenover haar van onwetendheid blijk gaf. De mentor die haar al zenuwachtig maakte toen ze alleen nog maar de verschillende lettertypen onder de knie probeerde te krijgen, gaf nu openlijk toe dat hij het overzicht kwijt was.

'Ah, Max, doe nou maar niet net alsof. Je hebt heus alles wel in de gaten, zoals altijd,' zei ze plagend, in de hoop daarmee haar ongeduldige reactie een beetje goed te maken.

'Behalve mijn computer dan. Gisteravond heb ik hem voor het eerst aangezet, maar dat is dan ook zo'n beetje alles wat ik voor elkaar krijg. Ik wou dat er iemand was die tijd had om me een beetje wegwijs te maken.'

Monica wist meteen wie daarvoor de aangewezen persoon zou zijn, maar ze vroeg zich af of Max zich misschien beledigd zou voelen als hij de hulp van een tienjarige kreeg aangeboden.

'Sipho zou je kunnen helpen,' zei ze een beetje gespannen.

'Dat zou fantastisch zijn,' zei Max. 'Ik betaal hem er natuurlijk voor.'

Bijna had Monica deze regeling afgewezen, maar waarom zou Sipho eigenlijk niet wat zakgeld mogen verdienen? Hij zou het ongetwijfeld op een verantwoorde manier besteden. Zelf hoopte ze dat deze afspraak haar pleegzoon meer zou opleveren dan een paar rand. De omgang met Max kon een oplossing zijn voor het ontbreken van een oudere man in zijn leven.

Max wilde weer vertrekken, maar draaide zich op de drempel nog even om.

'Vergeet niet dat Yang de uitzetting alleen maar heeft uitgesteld,' waarschuwde hij.

Nog steeds was hij in staat Monica terug te duwen in de positie van een leerling. Hij had gelijk; de overwinning was maar tijdelijk.

Zeventien

ercules was al ruim een week in Lady Helen, toen hij en Francina hun eerste meningsverschil hadden. Het verbaasde Francina dat het zo lang had geduurd. Het was zondagavond en in het stadje hing nog steeds een geladen sfeer na de overwinning op Yang. 's Middags had Francina bananencake gebakken; die zou Sipho de volgende dag meenemen naar school voor de taartenverkoop ten behoeve van nieuwe computerprogramma's. In Sipho's ogen was dit een buitengewoon nobel doel en daarom had hij om twaalf cakes gevraagd, maar zo veel pasten er niet in de oven en dus had Francina het bij zes gelaten – en dan nog een kleintje extra. En terwijl Hercules van de warme rooibosthee zat te nippen en smulde van de cake die Francina voor hem had bewaard, maakte hij haar duidelijk dat hij niet begreep waarom ze zijn hulp bij haar studie afwees.

'Lesgeven is mijn vak,' zei hij. 'Die man die je nu helpt, is maar een klusjesman.'

'Ik weet dat je heel goed kunt lesgeven,' zei ze tegen hem. Ze wilde zijn gevoel van eigenwaarde niet ondermijnen, maar tegelijk ook Oscar niet afvallen. 'Maar Oscar is ook heel wijs. Een man hoeft toch geen stropdas te dragen om veel kennis te kunnen hebben?'

'Natuurlijk niet. Het gaat mij alleen om de lesmethode. Heeft hij wel verstand van de juiste methoden om les te geven?'

'Is tachtig procent geen bewijs genoeg?'

Francina had een proefexamen Engels gemaakt, waarbij ze tachtig procent van alle opgaven goed had. Nu ruimde ze bedrijvig zijn kop en schotel weg en stond hem niet toe ook nog maar één woord over Oscar te zeggen. Sipho mocht dan twee jaar in een keer doen, zij had zojuist een sprong van vier jaar gemaakt.

Het zou Oscar misschien niet veel kunnen schelen als ze een andere leraar nam, maar zij zat er niet om te springen de vruchtbare samenwerking te verbreken. Ze wist dat hij het leuk vond om haar les te geven, al vroeg ze zich soms af of hij het alleen maar deed om indruk op Monica te maken. Hij stelde wel erg veel vragen over haar.

Wanneer Francina overdag aan het werk was, wandelde Hercules door de straten van Lady Helen. Hij praatte met de buurtbewoners – soms zelfs met hun honden – en struinde de galerieën af. De abstracte kunstwerken verbijsterden en fascineerden hem tegelijk. Omdat hij niet onwetend wilde overkomen, bracht hij heel wat uren door in de bibliotheek en las daar alle boeken over kunst en kunstgeschiedenis die Doreen Olifant in de loop der tijd had aangeschaft.

'Kunst is een krachtige manier om een boodschap over te brengen,' zei hij daarna tegen Francina.

'Waarom probeer je het zelf niet eens?' stelde ze voor. 'Ik kan Gift wel vragen of je haar atelier mag gebruiken.'

Maar hij wilde er niet eens over nadenken.

's Avonds, als de lessen van Oscar waren afgelopen, kwam Hercules in haar kamer bij haar zitten en dan praatten ze samen boven het gesnor van haar naaimachine uit. Het amuseerde haar hem op zijn tong te zien bijten wanneer ze het over haar schoolwerk had, maar hij klaagde nooit dat ze te weinig tijd voor hem had en daarom waardeerde ze hem des te meer.

Aan het eind van Hercules' eerste maand in Lady Helen kwam er opnieuw een anoniem postpakketje; deze keer was het een klein stukje van een rubberen autoband. Net als het stuk steen was ook dit pakje aan niemand in het bijzonder geadresseerd.

'Vraag de vorige eigenaren van het huis eens of zij er iets van begrijpen,' raadde Hercules Francina aan, maar die besloot dat ze liever nog even afwachtte. Misschien was het allemaal een grote grap en zou de grappenmaker zich binnenkort zelf wel bekendmaken.

Volgens Hercules kon ze de steen en het stuk rubber maar het beste weggooien, maar dat was ze niet met hem eens. Ze verstopte beide voorwerpen onder een stapel bouwmateriaal achter het huisje dat over twee weken van haar zou zijn. Hopelijk zou Mandla de doos niet vinden en het vervolgens aan Monica vertellen. Iedere dag smeekte hij Francina om met hem mee naar buiten te gaan, zodat hij kon kijken als Oscar aan het werk was. Hij hield haar vreselijk van het werk, omdat ze voortdurend moest opletten dat hem niets overkwam, maar Oscar maakte van de gelegenheid gebruik door haar te overhoren en dus had ze het gevoel dat ze twee vliegen in één klap sloeg. Werkelijk, sommige Engelse uitdrukkingen waren toch wel om van te griezelen.

Oscar had voor Mandla een speelgoedbouwdoos gekocht en Mandla bouwde er met de plastic steentjes lustig op los en sloeg met de hamer denkbeeldige spijkers in stukken hout. Maar onder het bouwvakkertje spelen lette hij steeds goed op of Oscar soms een van zijn gereedschappen onbeheerd liet liggen. Francina kon hem geen moment uit het oog verliezen.

Haar nieuwe status als geniaal modeontwerpster maakte Francina stoutmoedig. Op een zaterdagmiddag marcheerde ze tijdens de koorrepetitie naar binnen als een generaal die ten strijde trekt. Ze had de bemodderde laarzen in Gods huis inmiddels geaccepteerd, maar nooit zou ze zich neerleggen bij het zielige vogelgepiep dat door dit koor werd voortgebracht. Als zij daar niet iets aan deed, deed niemand het. Haar eigen volk zong altijd met hartstochtelijke overgave, zelfs bij een begrafenis – of misschien wel juist bij een begrafenis – maar het gezang van dit stelletje zou de overledenen alleen maar blij maken dat ze hadden mogen vertrekken.

Ingrid was bang dat ze de dames van streek zou maken. 'Je moet wel bedenken dat ze al in het koor zitten zo lang ik me kan herinneren,' had ze gewaarschuwd, maar Francina had niet willen luisteren. En toen ze eenmaal voor het koor stond, was er niemand die protesteerde. In plaats daarvan viel er een lange, nukkige stilte en toen ze hun voordeed hoe ze moesten swingen en tegelijk met hun handen in het rond zwaaien, bleef zelfs het lachsalvo uit dat ze had verwacht. De vrouwen staarden haar alleen maar aan en ze begon bijna te hopen op tegenstand, zodat ze iets had om zich tegen te verweren. Na een halfuur stopte ze Hercules' magische dirigeerstokje weer in haar tas en sloeg haar gezangenboek dicht. Haar staatsgreep was op een faliekante mislukking uitgedraaid. Niemand hield haar tegen toen ze de kerk uitliep, en eenmaal buiten merkte ze dat de tranen langs haar wangen liepen.

'Het geeft niks,' klonk een stem uit de schaduw en daar stond Hercules, klaar om haar naar huis te brengen.

Ze had nog nooit in de armen van een man uitgehuild en hoe kleinzielig ze het zelf ook vond, toch voelde het op een vreemde manier ook goed – alsof ze weer een kind was, met een sterk iemand om voor haar te zorgen. Toen de koorleden de kerk uit kwamen, maakte ze zich van hem los, maar Hercules haalde zijn arm niet van haar schouders. Terwijl het gesop van vijf paar laarzen wegstierf in de verte, zei hij: 'Ik houd van je, Francina,' en zonder enige aarzeling antwoordde zij: 'Ik houd ook van jou, Hercules.'

Onderweg naar huis spraken ze verder niet meer en Francina was er blij om. Ze wilde door niets worden afgeleid van die warme, soepele vingers die zich door de hare hadden gevlochten.

Het derde pakje kwam een week daarna, op de dag dat Francina haar intrek nam in haar nieuwe huis annex atelier. Omdat Monica in de buurt was – ze hielp met de verhuizing van het meubilair – verstopte Francina het pakje ongeopend onder haar bed.

Ze had geprobeerd een toepasselijke naam voor haar huisje te bedenken, een waardoor de mensen meteen begrepen dat hier een naaister woonde, maar alle namen die ze had bedacht klonken even mal. Wie wilde er nou wonen in een huis met de naam 'Het Knopenkot' of 'Zoomzicht'? Uiteindelijk was het 'Jabulani' geworden, de naam van haar dorp. Op die manier wilde ze haar moeder laten weten dat ze eindelijk wat geluk voor zichzelf had gevonden.

Later die avond, toen Monica en de jongens al naar bed waren en Oscar en Hercules nog een beetje rondhingen, beiden in de hoop dat de ander nu eindelijk eens weg zou gaan, haalde Francina het pakje weer tevoorschijn en scheurde het bruine papier eraf.

'Het is een doosje lucifers,' zei ze, terwijl ze Hercules recht aankeek.

Oscar barstte in lachen uit. 'Wat een cadeau om een nieuw huis in te wijden.'

'Het is anders helemaal niet grappig,' snauwde Hercules. 'Dit is al de derde keer dat we zo'n pakje krijgen.'

Het viel Francina wel op dat hij het woordje 'we' gebruikte, en als haar overvoerde hersenen het bij het rechte eind hadden, was dat de eerste persoon meervoud – en voor zover zij wist was zij de enige persoon die hier woonde. Toch zette ze hem niet op zijn nummer, want wat had het voor zin om hem tegenover Oscar voor schut te zetten? Mannen probeerden elkaar al zo vaak de loef af te steken – dat begon al op hun eerste levensdag. Wanneer Mandla in het kinderhoekje van de boekwinkel met de treintjes ging spelen, probeerde hij zo veel mogelijk locomotieven en wagonnetjes te bemachtigen, zodat hij de langste trein van iedereen kon maken, terwijl kleine meisjes met een enkel wagonnetje al tevreden waren.

Ondertussen stond Hercules tegen haar aan te praten, maar ze hoorde er geen woord van, vol als ze was van het verlangen naar een klein meisje van zichzelf, dat ze zou leren voor zichzelf op te komen als de jongens probeerden haar treintje af te pakken. Ze zou Hercules' lengte hebben, maar hopelijk niet zijn bouw, want het was niet goed als een meisje al te mager was.

'Je moet de politie waarschuwen,' zei Oscar. 'We zitten niet te wachten op buitenstaanders die in Lady Helen trammelant komen maken.'

Francina zag Hercules' wenkbrauwen omhooggaan. Hij was er nog niet zo aan gewend dat Oscar geen blad voor de mond nam en dacht dat de opmerking over buitenstaanders op hem sloeg. Dat was nogal vergezocht, zelfs voor Francina's normen, en zij stond toch bekend om haar gevoelige aard. Maar een van de dingen die Francina zo in Hercules bewonderde, was zijn wellevendheid en daarom vertrouwde ze er maar op dat er geen verdere stekeligheden uitgewisseld zouden worden.

Ze had het mis.

'Als je mij soms bedoelt, dan bevinden wij ons nu in een precaire situatie,' zei Hercules, zo dreigend als Francina hem nog nooit had horen praten.

'Kom, kom,' zei Oscar. 'Je hoeft niet zulke dikke woorden te gebruiken. Ik weet heus wel dat jij een leraar bent en ik maar een gewone metselaar.'

'En je hebt bewonderenswaardig metselwerk afgeleverd, maar nu is je taak ten einde,' was Hercules' antwoord.

'Hé, maat, kalm aan! Francina heeft me zelf gevraagd of ik haar met haar studie wilde helpen.'

De lucifers waren vergeten en de mannen leken op het punt te staan elkaar als het eerste het beste stelletje straathonden in de haren te vliegen.

'Hou op!' riep Francina.

Ze draaiden zich allebei naar haar toe. Hercules keek nogal schaapachtig, maar Oscars ogen stonden zo gekweld dat ze even van haar stuk was.

'Ik kan beter gaan,' zei hij en raapte zijn boeken bij elkaar.

'Hoe laat spreken we voor morgen af?' riep ze hem nog na door de open deur.

Als hij al antwoord gaf, ging dat verloren in de harde wind die door het huisje floot voordat Oscar de deur met een klap achter zich dichtsloeg.

'Het is maar goed dat hij nu weet hoe de vlag erbij hangt,' zei Hercules zakelijk.

'Wat bedoel je in vredesnaam?'

'Francina, die man is verliefd op jou,' antwoordde hij, alsof hij het tegen zijn domste leerling had.

Francina schudde heftig haar hoofd. 'Welnee. Hij is verliefd op Monica.'

'Dat zie je echt verkeerd. Ik zag het al van een kilometer afstand. Het heeft al die middagen het uiterste van mijn doorzettingsvermogen gevergd om naar de galerieën te gaan en jou hier alleen met die man achter te laten.'

Er was met geen woord over gesproken en toch hadden de mannen zich tegen elkaar gekeerd als honden die hun territorium verdedigen. Als ze er te lang bij stilstond, zou ze zich misschien nog beledigd gaan voelen en dus besloot ze in plaats daarvan maar bewondering te koesteren voor de durf die ze nooit in Hercules had vermoed en voor de hoffelijkheid waarmee Oscar zich in de donkere nacht uit de voeten had gemaakt. Als ze ook maar enig vermoeden had gehad van zijn gevoelens voor haar, had ze... Ja, wat zou ze dan eigenlijk hebben gedaan? Zou ze hem als leraar hebben laten schieten, terwijl hij het leren zo eenvoudig voor haar maakte dat een diploma inmiddels binnen handbereik leek? Waarschijnlijk niet, maar ze zou hem wel duidelijk gemaakt hebben dat zijn liefde aan haar verspild was. Hopelijk was deze teleurstelling maar gering in vergelijking met wat een andere vrouw hem ooit had aangedaan, want Francina kon de gedachte dat hij verdriet zou hebben niet verdragen.

Hercules trok zijn trui aan en reikte haar de hare.

'Waar gaan we heen?' vroeg ze.

'Naar Gift en David. Ik wil uitzoeken of zij iets over deze pakketjes weten.'

Ze was de lucifers al bijna vergeten.

'Maar ze liggen vast al in bed!'

'Francina, het gaat om een ernstige zaak, het is misschien zelfs wel gevaarlijk.'

Ze was niet overtuigd, maar Gift was zo aardig dat ze misschien zou begrijpen dat een man met een missie zich niet altijd liet tegenhouden.

Toen ze haar uitlegden waarom ze bij haar aanklopten op een tijdstip waarop de meeste mensen al sliepen, was Gift echter woedend; ze reageerde verbazend lelijk. Francina vroeg zich zelfs af of er misschien meer achter zat dan louter irritatie en ze bleek gelijk te krijgen. Toen Gift zag wat er in het doosje zat, moest ze gaan zitten om bij te komen. David kwam achter haar staan en legde zijn hand op haar schouder en toen gaf Gift eindelijk toe dat ze al vier maanden lang dergelijke pakketjes hadden gekregen, meestal om de twee weken. Eerst hadden ze gedacht dat een van de vrienden van hun zoons een geintje wilde uithalen, maar toen ze de grappenmaker niet konden vinden, was Gift gaan geloven dat er iets sinisters aan de hand was.

'Zoals?' vroeg Francina.

'Een betovering,' fluisterde ze. 'Een vloek.'

Dat was iets waar heel veel mensen in geloofden. Francina

zelf niet, maar ze respecteerde de angst ervoor, want die was even reëel als haar eigen angsten voor andere dingen.

'Dan moet je op je knieën gaan en bidden,' zei ze tegen hen en Hercules liet een instemmend gemompel horen.

'Ik ben niet gelovig,' zei Gift.

'Nou, dan zal ik bidden dat God je hart aanraakt,' zei Francina. 'Want alleen bij Hem zul je de kracht vinden om de valstrikken van het leven onder ogen te zien.'

'Amen,' zei Hercules zachtjes.

Achttien

ijna ongemerkt deed de herfst zijn intrede. De bougainvillea's bloeiden gewoon door en aangezien de meeste bomen altijd groen bleven, verliep de seizoenswisseling zonder veel uiterlijk vertoon. De aanwijzingen die er waren, waren subtieler. Francina sprong niet langer uit bed om snel haar bad vol te laten lopen, maar bleef zo lang mogelijk liggen, lekker weggedoken onder het dikke, donzen dekbed dat Monica voor de winter had gekocht. Het was eigenlijk nog niet koud genoeg om het gebruik ervan te rechtvaardigen, maar Francina had het toch al op haar bed gelegd. Ze vond het veel te mooi om in de verpakking te laten zitten.

Nu de zon een stuk later opging, zat ze het eerste uur van de dag in Jabulani Cottage bij lamplicht te naaien. Pas wanneer ze opstond om Monica en de jongens wakker te gaan maken, kroop de zon over de rand van de koppies heen. Het was maar een korte wandeling naar de achterdeur van het huis, maar als ze geen sjaal over haar hoofd deed, voelde ze de kou tot diep in haar hersens doordringen. Mooi zo, zei ze dan bij zichzelf, daar worden de grijze cellen goed wakker van, zodat ze alles vasthouden wat ik vandaag zal bestuderen. De hoogste klas van het Groene Blok zou over een halfjaar examen doen en meester D. had van het ministerie van Onderwijs toestemming gekregen om haar mee te laten doen. Op de ochtenden dat ze haar lijst met bestellingen doorkeek, dacht ze dat ze wel gek moest zijn om zo veel hooi op haar vork te nemen. Daarom besloot ze de lijst alleen 's avonds nog te bekijken, zodat ze de stress die dat opleverde zo snel mogelijk in de doolhof van haar dromen kon achterlaten.

Op een ochtend, toen ze de deur van haar huis opende, kon ze geen hand voor ogen zien door de dikke mist die zich in de loop van de nacht over het stadje had gelegd. Terwijl ze haar weg zocht, bedacht ze dat het hoog tijd werd dat de jongens overgingen op hun lange broek. Ze nam zich voor om het zelf tegen de hoofdonderwijzer te zeggen als Monica het niet zou doen.

Gisteravond had Hercules haar gevraagd om eens een avondje bij hem op de kamer voor de open haard te komen zitten. Het was maar goed dat ze het daar veel te druk voor had, want verleidelijk was het voorstel wel. De jonge vrouwen van tegenwoordig leken er geen enkel probleem van te maken om samen met een man op diens slaapkamer te zitten zonder dat er nog een andere volwassene bij aanwezig was, maar Francina piekerde er niet over, al had ze diezelfde man onlangs haar liefde verklaard. Ze had geen idee hoe zijn plannen voor de langere termijn eruitzagen, en ook niet hoelang hij het zich nog kon permitteren om in Abalone House te logeren, maar ze had zichzelf beloofd dat zij niet de eerste zou zijn die het onderwerp aansneed.

'Psst,' klonk het vanuit de mist.

Francina draaide zich om en rende blindelings terug naar haar huis, met de sleutel in de hand, klaar om die ofwel in het slot, ofwel in het oog van haar belager te steken.

'Schrik maar niet,' zei een stem. 'Ik ben het, Hercules.'

'Ik had wel tegen een boom aan kunnen lopen,' viel Francina uit. Haar hart bonsde luid.

'Neem me niet kwalijk.' Hij klonk ineens een stuk dichterbij en hij legde zijn hand op haar arm. 'Ik moest je gewoon zien.'

'Weet je wel hoe laat het is?'

'Zeker, maar ik ben mezelf niet helemaal vanochtend.'

'Ga maar naar binnen, het is zo koud. Ik moet over een paar minuten Monica en de jongens wakker maken.' Ze deed de deur achter hen dicht en knipte het licht aan.

'Als je daarna maar weer terugkomt,' zei hij.

'Ik moet ook het ontbijt klaarmaken.'

'Kan Monica dat zelf niet doen?'

Ze werd ongeduldig. 'Jawel, maar ik kan het veel beter. En het is nu eenmaal mijn familie, die me nodig heeft.'

'Ik heb je ook nodig,' zei hij zacht.

'Kat zet toch een chic ontbijtbuffet voor je klaar.'

Hij pakte haar hand. 'Francina, dit is niet iets om grapjes over te maken.' Hij liet haar weer los en begon door de kamer te ijsberen. 'Waarom heb ik me ook niet aan mijn voornemen gehouden?' mompelde hij bij zichzelf.

'Hercules, als het zo belangrijk is dat je dwars door dit weer hierheen bent gekomen, kun je het beter meteen zeggen.'

'Goed dan,' zei hij en kwam weer naar haar toe. 'Ik weet dat ik er de vorige keer een potje van heb gemaakt, en ik had je deze keer mee uit eten willen nemen om het precies zo te doen als het hoort, maar ik ben zo bang dat er iets of iemand tussen ons zal komen, dat ik niet langer kan wachten. Francina, wil je alsjeblieft met me trouwen?' Hij haalde een doosje tevoorschijn dat in zilverpapier was gewikkeld.

Ze scheurde het papier eraf en herkende de naam van de juwelier uit de Hoofdstraat.

'Hij is van witgoud,' zei hij. 'En het is een nieuwe.' Voor een buitenstaander had dat laatste misschien banaal en overbodig geleken, maar voor Francina betekende het alles.

'Ja,' zei ze, nam zijn koude gezicht tussen haar nog koudere handen en keek hem diep in de ogen. 'Mijn antwoord is ja. Maar waar...'

'Ik doe het weer helemaal in de verkeerde volgorde. Ik was op weg voor een gesprek met meester D. over een baan op school.'

'En je moeder dan?'

'Als ik de baan krijg, verhuist ze hierheen.'

Het maakte Francina blij dat hij aan zijn moeder had gedacht. Een man die dat niet deed, deugde als echtgenoot evenmin.

Hij trok haar dichter naar zich toe. 'Zelfs als ik die baan niet krijg, vind ik wel iets anders in de buurt. Ik zou wel putjesschepper willen worden, als ik maar bij jou mag zijn.'

'Je krijgt die baan heus wel. Volgens Sipho is meester D. de slimste man van de hele wereld. Als dat echt zo is, neemt hij je ter plekke aan.'

Lang geleden was het haar liefste wens geweest deze lange, magere geschiedenisleraar nog eens aan het glimlachen te krijgen. Toen ze zijn gezicht zag oplichten, raakte ze er opnieuw van overtuigd dat dit doel inderdaad het nastreven waard was geweest. De vrolijke lach zou nu vanzelf wel volgen.

Monica deed één oog open, gluurde naar de rode cijfers op haar wekker en schoot haastig overeind. Sipho kwam te laat op school! Waarom had Francina hen niet geroepen? Naast haar lag Mandla languit. Zijn handjes voelden koud aan, maar hij was diep in slaap. Hoe warm of koud het ook was, altijd schopte hij het beddengoed van zich af. Ze dekte hem weer toe en besloot hem maar te laten liggen, omdat hij toch niet naar school hoefde. Sipho daarentegen moest opschieten, anders had hij vanochtend zijn eerste strafpunt te pakken.

Sipho's kamer leek een stuk groter nu het stapelbed eruit was. Hij had al meer dierenposters opgehangen en zijn boeken lagen overal, alsof hij op die manier de zeggenschap over de ruimte opeiste. Als een molletje lag hij onder het dekbed weggedoken. Toen ze hem voor het eerst zo had zien slapen, was ze in paniek geraakt, omdat ze bang was dat hij geen lucht genoeg zou krijgen, maar hoe vaak ze het beddengoed ook terugsloeg, hij kroop er altijd weer helemaal onder.

'Tijd om op te staan,' zei ze en ze schudde hem zachtjes heen en weer totdat de bovenkant van zijn hoofd tevoorschijn kwam.

Zodra hij uit bed was, zou ze naar Jabulani Cottage lopen om te kijken of Francina soms ziek was.

Op dat moment hoorde ze het geluid van een sleutel die in het slot werd gestoken en daar klonk het vertrouwde gesliffer van Francina's huispantoffels over de gewreven houten vloer.

'Sorry dat ik te laat ben,' zei Francina, toen ze Sipho's kamer in kwam. 'Maar er kwam iets tussen...'

'Is alles goed met je?'

'Maak je geen zorgen, het was niets ernstigs.' Ze stak haar linkerhand uit. 'Hercules heeft me ten huwelijk gevraagd en ik heb ja gezegd. Ik zei ja, ja, ja, ja, ja.' En ze maakte een rondedansje, stampend met haar voeten.

'Je hebt me wakker gemaakt.' Mandla stond op de drempel met zijn pantoffels tegen zich aan. 'Wat doe je?'

'Francina gaat trouwen, baby,' zong ze en tilde hem hoog in de lucht.

'Met Oscar?' vroeg hij en hij wriemelde zich los.

'Nee, domoor, met Hercules.'

'Francina gaat trouwen, Francina gaat trouwen,' zong Mandla en rende rondjes om haar heen.

'Zijn ouders hebben zich wel vergist met zijn naam,' meende Sipho.

'Dat weet ik, mijn kleine prins,' zei Francina. 'Hij ziet eruit als een giraffe, maar geen enkele man die ik ken, heeft zo'n groot hart als hij.'

'Dan is hij ziek en moet hij naar het ziekenhuis,' zei Sipho.

'Gefeliciteerd,' zei Monica en ze omhelsde Francina hartelijk. Ze begreep niet wat er in Sipho was gevaren. Anders deed hij nooit zo kribbig, maar ze wilde voorkomen dat hij dit blijde moment voor Francina zou bederven.

'Dank je wel,' zei Francina. 'En je hoeft niet bang te zijn dat we weggaan, want ik heb net gehoord dat hij een baan krijgt bij het Groene Blok.'

'Wat gaat hij geven?' vroeg Sipho meteen en uit de plotselinge blijdschap in zijn stem maakte Monica op dat hij alleen maar bang was geweest dat Francina zou vertrekken.

'Geschiedenis,' zei Francina trots. 'Dus straks ben ik een onderwijzersvrouw! Ik kan het gewoon niet geloven.'

'Het is maar goed dat we besloten hebben de garage te verbouwen,' zei Monica.

Francina's gezicht betrok. 'Dat is het enige nadeel. Ik moet Jabulani Cottage uit.'

'Nee toch!' zei Sipho geschrokken.

'Voor twee personen is het uitstekend, maar zijn moeder trekt bij ons in.'

'Kun je het huis hiernaast niet kopen?' vroeg Sipho.

'Ik geloof niet dat S.W. van plan is het te verkopen,' zei Monica vriendelijk, 'maar ze zullen vast wel iets in de buurt kunnen vinden.'

Het stelde hem maar matig gerust.

'Wie komt er dan in Jabulani Cottage wonen?' wilde Mandla nu weten.

Ook al was het nog een beetje voorbarig, toch was het een goede vraag. Ze kregen echter geen gelegenheid erover te praten, want op dat moment werd er op de deur geklopt. Verbaasd vroeg Monica zich af wie dat zo vroeg op de ochtend kon zijn.

Het gebrandschilderde glas in de voordeur was prachtig, maar niet zo geschikt om je bezoekers eerst eens goed op te nemen; alleen de silhouetten waren zichtbaar. Er leek meer dan een persoon te staan, en daarom ging Monica naar

Mandla's kamer om een blik uit het raam te werpen. Onmiddellijk dook ze weer weg. Op de veranda stonden zes jonge mannen, die ze geen van allen ooit eerder had gezien.

Gebukt sloop ze terug naar Sipho's kamer, hoewel die voorzorgsmaatregel eigenlijk niet nodig was, aangezien Francina het hele huis van dikke vitrages had voorzien.

'Volgens mij zijn het geen mannen uit Lady Helen,' zei ze tegen Francina. 'Ga jij eens kijken of je ze soms kent.'

'Nee, nee, ik ken helemaal geen mannen.' Francina greep Mandla en Sipho beet.

'Misschien zijn het je broers met een paar vrienden.'

Francina schudde heftig haar hoofd. 'Die zouden hier nooit zomaar komen zonder eerst bericht te sturen.'

Monica ging rechtop staan. 'Dit is belachelijk. Hier gebeuren toch geen akelige dingen.' Ze draaide zich om en wilde de kamer uitgaan.

'Niet opendoen,' smeekte Francina haar.

'Wie is daar?' riep Monica door het glas heen.

'We willen David spreken,' zei een stem.

Ach, natuurlijk. Ze waren gewoon aan het verkeerde adres.

'Hij is verhuisd. Hij woont nu...' Ze keek naar Francina die geluidloos 'nee' zei.

'Geef ons het adres, anders trappen we de deur in,' zei de stem agressief.

'Hij heeft geen adres achtergelaten,' zei Monica. Het klonk tam, maar ze wist zo gauw geen betere smoes.

'Ik weet waar hij woont,' zei Mandla trots en voor Francina of Monica het kon verhinderen riep hij luidkeels de straatnaam en het nummer.

Terwijl Francina de mannen nakeek, greep Monica de telefoon en draaide Gifts nummer. Ze was in gesprek.

'Bel de politie,' riep Francina haar toe.

De politieman aan de lijn zei dat hij en zijn collega meteen zouden komen, maar wel te voet.

'Nee, nee,' zei Monica. 'Jullie moeten hier echt snel zijn.'

Maar de beide politiewagens van het district waren allebei in reparatie en nu meneer DeVilliers was vertrokken was er nog maar één automonteur over.

Opnieuw probeerde Monica Gift te bereiken, maar de lijn was nog steeds bezet.

'Ik ga er met de auto heen,' zei ze tegen Francina. 'Houd jij de jongens binnen.'

'Maar de school dan?' jammerde Sipho.

'Ik leg het meester D. later wel uit,' zei ze en greep haar sleutels.

'Wees voorzichtig,' riep Francina haar na. Daarna deed ze de voordeur op slot en schoof de grendel ervoor.

Als Monica er niet eerder was dan de mannen – die geen auto tot hun beschikking leken te hebben – om Gift en David te waarschuwen dat ze hun deur niet open moesten doen, zou hun iets vreselijks overkomen.

Maar het was al te laat. Nog voor ze de bocht om was, hoorde ze Gift gillen. De mannen hadden David, die blootsvoets was en een gestreepte pyjama droeg, omsingeld en bekogelden hem met stenen.

'Laat hem met rust,' krijste Gift. Ze droeg een strak huispak van blauw velours.

Monica had haar nooit anders dan in een kaftan gezien en zag nu tot haar verbazing hoe dik ze eigenlijk was.

'Wist je niet wat je te wachten stond toen we je die steen stuurden?' schreeuwde een van de mannen, terwijl hij een gebroken baksteen naar David smeet.

'Waar zijn de lucifers die we je hebben gestuurd?' blafte een ander.

Monica greep Gift bij de arm.

'De politie is onderweg,' fluisterde ze. 'Waar zijn de buren?'

'Al naar hun werk,' snikte Gift.

'Ik heb ze niet,' schreeuwde David.

'Waar heeft hij het over?' vroeg Monica.

'Heeft Francina het je niet verteld?'

'Wat verteld?' vroeg Monica, maar Gift was niet in de stemming voor een uitvoerige verklaring. 'De politie is onderweg,' gilde ze naar de mannen.

De man die de leiding leek te hebben grijnsde, een slome, triomfantelijke grijns. 'We hebben hun auto's in de garage op de brug zien staan. We hebben nog wel even de tijd.'

Gift wierp Monica een valse blik toe, rukte zich van haar los en vloog op de kerels af.

'Jullie kunnen mijn geld en mijn sieraden krijgen, of de auto, als je mijn man maar met rust laat.'

De mannen barstten allemaal in lachen uit. 'Wij zijn geen ordinaire criminelen,' zei de aanvoerder. 'Wij zijn van de reinigingsdienst. We ruimen ongedierte op.'

Hij spoog naar David, die geen ander verweer had dan de klodder speeksel van zijn voorhoofd vegen.

'Rotzak!' krijste Gift, stormde op de vent af en gaf hem zo'n duw dat hij even wankelde. Hij hervond echter onmiddellijk zijn evenwicht en trok in dezelfde beweging een mes tevoorschijn. 'Als je je kop niet houdt, mens, krijg jij ook een portie.'

Hij draaide zich weer om naar David, die op zijn knieën was gevallen. Een van de mannen had zijn handen op zijn rug gedraaid en hield ze daar vast.

'Het geeft niet dat je de lucifers kwijt bent. We hebben er nog veel meer bij ons.'

Een ander trok een doosje lucifers tevoorschijn, met een zwaai alsof hij assisteerde bij een goocheltruc.

'Bovendien hebben we besloten dat we de autoband maar laten zitten,' zei de aanvoerder. 'Die rook stinkt veel te erg. Vooruit, man, besprenkel deze jongen eens met parfum.'

Lachend keken ze toe hoe de jongste van het gezelschap Davids haar doordrenkte met aanstekervloeistof.

'Wat heeft hij gedaan?' gilde Gift.

'Hij is ongedierte van het ergste soort, erger dan een kakkerlak of een muis. Een stinkende rat, dat is-ie, nietwaar,

David?' Hij schopte David in zijn ribben. 'Vertel je vrouwtje maar eens hoe je ons bespioneerde tijdens de grote vrijheidsstrijd en hoe je ons verlinkt hebt bij die blanke varkens.'

'Dat is niet waar,' kreunde David.

De aanvoerder schopte hem omver en schreeuwde: 'Je bent een verrader, een politiespion.'

'Nee,' zei David nog eens. Het kwam eruit als een soort gegorgel, alsof hij onder water zat. Uit zijn mond sijpelde bloed op zijn pyjama.

'Jullie hebben de verkeerde te pakken,' schreeuwde Gift nu. Ze probeerde zich door de hecht aaneengesloten kring om David heen te dringen, maar ze versperden haar de weg met hun ellebogen.

'Laat dat mes vallen!' schreeuwde plotseling een stem.

Daar was de politie! Ze hadden dan wel geen voertuig tot hun beschikking, maar dat betekende ook dat ze zonder enig geluid dichterbij hadden kunnen komen. De aanvoerder van de bende wierp een blik op de revolvers die op zijn hoofd gericht waren en deed toen wat hem was opgedragen. Binnen vijf minuten waren alle mannen overmeesterd.

Voor Gift was in de ambulance geen plaats, dus reed ze met Monica mee.

'Laten we samen bidden,' riep Monica boven het gehuil van de sirene uit.

'Nee, nee, dat kan ik niet,' snikte Gift. 'Niet tot die God van jou, tenminste.'

'Wat bedoel je?'

'Hoe kan ik nou bidden tot een God die blanken een voorkeursbehandeling geeft? De apartheidsregering had toch altijd de mond vol van haar christelijke uitgangspunten?'

Monica aarzelde. Dat was waar. En de kerk, waartoe de meeste regeringsvertegenwoordigers in die tijd behoorden, had de rassenscheiding zelfs met een beroep op de Bijbel goedgepraat.

'Je hebt gelijk,' zei ze tegen Gift. 'Maar de kerk heeft zich toch verontschuldigd?'

Gift bleef snikken, maar sprak het niet tegen. Hardop bad Monica tot God of hij Davids leven wilde sparen. Gift bad niet mee, maar hield toch op met huilen en leek aandachtig te luisteren.

Zach kwam de ambulance al buiten het ziekenhuis tegemoet. Voordat hij met de brancard naar binnen verdween, schonk hij Gift en Monica een medelijdende glimlach. Gift beefde zo, dat Monica haar moest ondersteunen op de trap. Zodra ze haar in een stoel had gezet, zou ze Francina bellen om te vertellen wat zich had afgespeeld en daarna zou ze bij Gift blijven totdat David buiten levensgevaar was. De gedachte aan een mogelijk andere afloop drong ze terug door onophoudelijk te bidden of Zach zijn werk goed mocht doen.

Toen Monica haar vroeg wat Gift bedoeld kon hebben met haar vraag of Francina niets had gezegd, deed Francina er het zwijgen toe. 'Laat maar,' zei Monica dus. 'We hebben het er wel over wanneer ik weer thuis ben.'

David lag inmiddels aan de beademingsapparatuur die nog steeds niet was afbetaald. Hij had zes ribben gebroken en een daarvan had zijn linkerlong doorboord. Terwijl Zach en Daphne met hem bezig waren, zat Gift in de wachtkamer zachtjes in haar handen te snikken. Adelaide streelde haar rug; haar armbanden rinkelden zachtjes bij elke beweging. Monica ging naast haar zitten en zei: 'Hij is nu in goede handen.' Iets anders kon ze niet bedenken.

'Dat klopt,' zei Adelaide met haar rustige, vriendelijke stem.

Daphne stak haar hoofd om de deur en zei: 'Jullie kunnen binnenkomen.'

Hier had je nu iemand die eigenlijk gekalmeerd zou moeten zijn nadat de uitzetting was opgeschort, maar ze was nog steeds verre van rustig. Miemps had Monica verteld dat Daphne ervan overtuigd was dat de bulldozers alsnog zouden komen; eerlijk gezegd begon ze zich zorgen te maken over de geestelijke gezondheid van haar dochter.

Monica probeerde Gift nog snel voor te bereiden op de zuurstofslang die haar man in zijn keel had, maar toch hapte Gift van schrik naar adem. Zach was onmiddellijk bij haar. 'Hij merkt alles wat er gebeurt, dus probeer niet overstuur te raken,' zei hij. Gift knikte gedwee.

De zonen van het echtpaar waren zojuist in recordtijd vanuit Kaapstad gearriveerd. Terwijl het hele gezin rond Davids bed dromde, glipte Monica de kamer uit en botste daarbij tegen Zach aan, die net weer naar binnen wilde gaan om zijn prognose aan de familie mee te delen. Monica wist dat hij tegen haar niks zou zeggen, maar zijn ontspannen gezicht sprak boekdelen en in stilte dankte ze God voor de verhoring van haar gebeden.

'Leuke schoenen heb je aan,' zei hij met een blik op haar donzige, blauwe bedpantoffeltjes.

Ze lachte. 'Ik probeer er altijd op mijn voordeligst uit te zien.'

'Ik hoor van mijn dochter dat Sipho bij haar op de club van natuuronderzoekers zit. Hij maakt zich blijkbaar nogal druk over die haaienvoeracties in Lady Helen.'

Monica knikte.

'Hij heeft wel een punt,' zei Zach. 'Maar of er iets tegen te doen valt, weet ik niet. Als je ooit eens behoefte hebt aan een gesprek – je weet wel, over opvoeding en zo – dan bel je maar. Ik denk zelf wel eens dat het gemakkelijker is om arts te zijn dan ouder.'

Het bevreemdde Monica dat een getrouwde man een alleen-staande vrouw vroeg om hem te bellen, al was het maar om over de kinderen te praten.

Doe niet zo belachelijk, zei ze tegen zichzelf. *Dat is alleen maar die grenzeloze vriendelijkheid van Zach.*

De deur ging open en de oudste zoon van Gift en David stak zijn hoofd om het hoekje.

'Ik kom er zo aan,' zei Zach tegen hem en tegen Monica zei

hij: 'Ik spreek je een andere keer wel weer eens – als je er wat acceptabeler bij loopt.'

Hij had vast geen enkel vermoeden van het effect dat zijn ondeugende grijns op Monica had en op haar beurt liet ze niet merken dat ze ter plekke besloot voortaan op veilige afstand te blijven van deze man, die zo aantrekkelijk, maar ook zo onbereikbaar was.

Als Monica boos op haar was omdat ze niets over de pakjes had gezegd, dan moest dat maar. Ze kon briesen en blazen tot ze vuurrood zag, maar Francina vertikte het haar excuus aan te bieden – ze had haar alleen maar de zorg willen besparen.

Nadat Monica naar Gifts huis was vertrokken, was Francina het hele huis doorgegaan om alle ramen te sluiten. Toen ze er zeker van was dat er niemand meer binnen zou kunnen dringen, ging ze terug naar Sipho's kamer waar ze hem bevend als een rietje aantrof, terwijl Mandla om Monica zat te brullen. Ze zette de televisie aan, bakte pannenkoeken met kaneel en bruine suiker voor het ontbijt en belde Sipho's school om door te geven dat hij het een beetje te pakken had. Soms kwamen die rare uitdrukkingen wel eens van pas, vooral als je geen zin had in het geven van een uitvoerige verklaring.

Toen ze net na het middageten Monica's auto de oprit hoorden opkomen, zette ze meteen een ketel water op. Tijdens een strenge ondervraging ging er niets boven een kop sterke thee.

Monica omhelsde de jongens wat langer en steviger dan anders. Zodra ze aan de keukentafel ging zitten, klom Mandla bij haar op schoot en weigerde zich verder te verroeren, zelfs toen hij hoorde dat in de woonkamer zijn favoriete televisieserie begon. Francina was er dankbaar voor, want in aanwezigheid van de kinderen zou het met al dat briesen en blazen wel meevallen.

'Ik weet zeker dat je zo je beweegredenen had om mij niet te vertellen wat er gaande was,' zei Monica met gemaakte opgewektheid.

'Uiteraard,' antwoordde Francina op precies dezelfde toon.

'Zou je zo goed willen zijn me nu te vertellen wat die redenen waren?'

'Ja, hoor.'

Sipho keek van de een naar de ander met een uitdrukking van verwarde minachting op zijn gezicht. 'Mandla en ik gaan televisiekijken,' verkondigde hij en tilde zijn broertje van Monica's schoot.

'Hoeveel pakjes zijn er geweest?' vroeg Monica.

'Drie. Maar je moet begrijpen dat ik er met Gift over ben gaan praten omdat ik niet wilde dat jij je zorgen maakte. Ze heeft toegegeven dat ze ook voor de verhuizing al een aantal pakjes hadden ontvangen. Ik vind eigenlijk dat ze ons wel had mogen waarschuwen.'

Monica knikte instemmend. 'Ik ben een echte tobber, hè?'

'Dat is zo,' zei Francina. 'Maar dat komt omdat je om ze geeft.'

Monica pakte Francina's linkerhand. 'Het is een prachtige ring.'

'Maar eigenlijk is het niet goed, vind je wel, om zo veel geld uit te geven voor een enkel sieraad?'

'Hij houdt van je en wil je gelukkig maken.'

'Het zou me veel gelukkiger maken als hij de ring zou verkopen en het geld aan mijn vader geven. Ik weet dat hij geen bruidsschat hoeft te betalen omdat het mijn eerste huwelijk niet is, maar ik heb toch het gevoel dat het niet goed is dat ik met een diamant aan mijn vinger rondloop, terwijl mijn ouders in geldnood zitten.'

Francina wist niet waarom ze dit eigenlijk met Monica besprak. Die had geen flauw benul van bruidsschatten of van de andere gebruiken van haar volk. Het zou heel wat tijd kosten om haar uit te leggen dat Hercules een bruids-

schat aan Winston zou moeten betalen, als zij hem daadwerkelijk bedrogen had.

'Hij lijkt me een man die respect heeft voor ouders. Je moet
gewoon eerlijk tegen hem zijn.'

Misschien had Monica wel gelijk. Ze had dan wel geen verstand van hun cultuur, maar respect voor ouders was toch
een universele norm.

Negentien

as als de laatste trekvogel uit de lagune was verdwenen om zijn reis naar het warme noorden te beginnen, was de winter in Lady Helen officieel begonnen. De wulpen, grutto's en groene pootruiters waren al een maand geleden vertrokken, maar de regenwulp leek vast van plan van het voedselrijke, ondiepe water langs de westkust te genieten zolang het nog kon. Sipho maakte zich er zorgen om; als ze te laat op weg gingen, zouden ze in slecht weer verzeild kunnen raken of onderweg niet voldoende voedsel meer kunnen vinden.

Op een zondag, toen Monica als gewoonlijk in de kerk zat met Francina aan de ene en Sipho aan de andere kant, zag ze de achtergebleven regenwulpen massaal opvliegen en daarna weer landen, alsof ze zich op het laatste moment toch weer bedacht hadden. Op dat ogenblik glipte een late kerkganger naar binnen en ging naast Sipho zitten. Het was Kitty – alleen, zoals altijd. James beweerde dat de zaken juist op zondagmorgen zo goed liepen dat het niet slim zou zijn om dan naar de kerk te gaan. Kitty glimlachte even naar hen, leunde toen achterover en sloot haar ogen. Sipho keek vragend naar Monica, maar die was al in geen week bij Kitty geweest en moest tot haar schaamte erkennen dat ze geen idee had wat er aan de hand kon zijn.

Tijdens het slotlied klonk er buiten plotseling een oorverdovend gekwetter en hevig vleugelgeruis. Sipho vloog naar het raam.

'Nu gaan ze echt weg!' riep hij opgewonden. Monica en Francina kwamen naast hem staan en samen volgden ze de vogels met hun ogen, eerst omhoog en daarna in een rechte lijn, zodat de treuzelaars de kans kregen om hen in te halen. Tegen de tijd dat ze boven het golfcomplex waren aangeland, vlogen ze allemaal perfect tegelijk.

'God behoede jullie,' zei Sipho, die onlangs de lancering van de spaceshuttle op televisie had gezien. 'En een behouden terugkomst in de lente.'

Ze keken de vogels na tot die in de verte verdwenen waren, langs de kustlijn die hen noordwaarts naar Namibië zou voeren, en vervolgens naar Angola, Congo, Gabon, helemaal tot in Kameroen, waar ze de kust zouden verlaten om hun weg te vervolgen via Nigeria, Niger en Libië, alvorens dapper de oversteek over de Middellandse Zee te wagen, waar hun in Europa een tweede zomer wachtte.

Eindelijk was de lagune verlaten en Sipho wist zeker dat je de kikkers en de krekels kon horen feestvieren omdat ze eindelijk verlost waren van de pikkende snavels van die duizenden hongerige vogels. Monica hoorde slechts het ruisen van de oceaanbries in het riet om de lagune en het bijna militaire ritme van tweehonderd paar laarzen die zich vastzogen in de modder, op weg naar droger land.

'Dus nu is de winter echt begonnen,' zei Kitty en legde een hand op Sipho's schouder. 'Krijg ik eindelijk eens wat rust.'

Monica beduidde Francina met Sipho alvast vooruit te lopen, zodat zij met Kitty een beetje achterop kon blijven.

'Gaat het wel goed met je?' vroeg ze haar vriendin, zodra ze alleen waren.

'Ik zie er verschrikkelijk uit, hè? Het gaat helemaal niet goed tussen James en mij. Of eigenlijk: het zou heel goed gaan als we elkaar af en toe eens zagen, maar hij is nooit thuis. Als ik geen harde bewijzen had dat hij al die tijd op zijn boot zit, zou ik nog gaan denken dat hij een ander had.'

'O, Kitty, wat erg voor je!'

Ze zuchtte. 'Vroeger had ik allang de benen genomen. Maar het huwelijk is nu eenmaal geen bedrijf dat je kunt sluiten. Toen ik mijn trouwbelofte aflegde, meende ik dat ook.'

'Heb je het geld van dat haaien voeren echt nodig?' wilde Monica weten.

Kitty schudde haar hoofd. 'Absoluut niet. Abalone House heeft het afgelopen seizoen uitstekend gedraaid. Maar James is nu eenmaal dol op gevaren en risico's. Hij was gevechts piloot bij de luchtmacht voordat hij bij de commerciële luchtvaart ging.'

'Het water wordt binnenkort zo koud dat hij vast geen klanten meer krijgt,' zei Monica met een bemoedigende glimlach.

'O, dan nog komt er altijd wel zo'n halfgare toerist met een duikerspak opdagen.'

Op dat ogenblik kwam dominee Van Tonder de kerk weer in om zijn laarzen te pakken. Tijdens de dienst droeg hij altijd schoenen, een gewoonte waar Francina hem uiterst dankbaar voor was. Nu zag hij net hoe Monica haar armen om Kitty heen sloeg en hij kwam naar hen toe om poolshoogte te nemen. Monica voelde aan dat Kitty graag met hem wilde praten, dus nam ze afscheid en beloofde dat ze gauw eens langs zou komen.

Francina en Sipho hadden Mandla al opgehaald, maar besloten samen op haar te wachten in plaats van alvast naar de auto te lopen. Ze stonden op een plek waar het wad sterk afliep en het water al tot aan de knieën reikte. Sipho zat gehurkt bij een hol in de hoop dat er een heremietkrab naar buiten zou kruipen.

'Gaat het wel met haar?' vroeg Francina.

Monica wist wel dat Francina en Kitty niet echt met elkaar konden opschieten, maar Francina kon er nu eenmaal niet tegen als ze iemand zag lijden, vooral niet als een man daar de schuld van was.

'Ze zouden eigenlijk in relatietherapie moeten gaan,' meende Monica. 'Dominee Van Tonder praat nu met haar.'

'Brr, al die mensen met relatieproblemen! Denk je eigenlijk dat ik er goed aan doe om te gaan trouwen? Ik heb me tot nu toe uitstekend gered in mijn eentje.'

Dat gold ook voor Monica, maar eerlijk gezegd was ze jaloers op Francina omdat die een man had getroffen die naar de andere kant van het land wilde verhuizen alleen maar om bij haar te kunnen zijn.

'Hij is een goed mens,' zei ze dus tegen Francina. 'Als je het gevoel hebt dat dit Gods weg met jou is, pieker er dan verder niet over, maar geniet ervan.'

Francina knikte, en met hun vieren wandelden ze de lange weg terug naar de auto.

De winter was een echte plaaggeest. De dagen begonnen zo koud, dat Francina haar eigen adem kon zien wanneer ze 's ochtends van Jabulani Cottage naar het grote huis liep. Tegen lunchtijd was het echter al weer warm genoeg om Mandla mee naar buiten te nemen, al moesten ze dan wel een beschut plekje zoeken, in de zon en uit de wind. Hoe koud het ook werd, vriezen deed het nooit en dat verklaarde waarom de bougainvillea's zonder enige extra zorg bleven gedijen, terwijl ze in Johannesburg altijd met zakken afgedekt moesten worden zodra de temperatuur tot onder het vriespunt daalde.

Hercules was inderdaad als onderwijzer aangesteld, zoals Francina had voorspeld, en had de baan zonder verder nadenken geaccepteerd. Hij wilde zo gauw mogelijk trouwen, maar Francina had hem overgehaald te wachten tot na haar examen aan het einde van het schooljaar. Hij zou er begrip voor hebben dat ze ieder vrij uurtje wilde studeren, maar zodra ze zijn vrouw was, zou ze toch elke avond voor hem willen koken en dat kon nu eenmaal niet als ze altijd met haar neus in de boeken zat. Ze verzweeg dat ze graag ook nog wat langer in haar mooie huisje wilde blijven en nog even wilde genieten van het weidse uitzicht over de koppies. Het was het eerste echte huis dat ooit helemaal van haarzelf was geweest; dat miezerige kamertje in de achtertuin van Monica's huis in Johannesburg kon je met goed fatsoen niet meetellen. Ze had zich er weliswaar nooit ongelukkig gevoeld, maar ze had er ook nooit vanuit de badkuip televisie kunnen kijken.

De examens zouden over drie maanden plaatsvinden en stiekem hoopte ze dat Oscar zou terugkomen om haar bij de voorbereidingen te helpen. Hercules was ongetwijfeld beter opgeleid en hij wist hoe hij de leerstof in hapklare brokken moest verdelen, met behulp van thema's en handige ezelsbruggetjes, maar hij had in Jabulani Cottage een schoolbord neergezet waarop hij iedere middag voor de les de datum schreef, plus het aantal dagen dat ze nog te gaan had tot aan het examen. Daaronder zette hij een aantal rondjes, die hij aandachtspunten noemde, met daarachter de doelstelling voor de les van die middag. Oscar had lesgegeven door verhalen te vertellen, zoals haar familie dat ook deed als ze met elkaar rond het vuur zaten, ver weg in de Vallei van Duizend Heuvels. Ook had ze hem altijd alles durven vragen zonder er eerst over na te hoeven denken. Hij lachte wel eens om haar, maar nooit op een kwaadaardige manier. En als hij haar fout had aangewezen en verbeterd, kon ze ook om zichzelf lachen.

Hercules lachte nooit om haar; ze gaf hem er de kans niet voor. Ze stelde nooit vragen en telkens als hij haar iets vroeg, hield ze haar antwoord zo kort mogelijk. Misschien was het ook maar beter zo, dacht ze, want het bespaarde veel tijd die ze vulde met lezen, wanneer hij vertrokken was. Tegen zijn advies in nam ze nog steeds naaiopdrachten aan, al vertelde ze er altijd bij dat de klant langer zou moeten wachten dan anders. Na het avondeten kroop ze steevast achter haar naaimachine, Hercules' ongeduldige blikken negerend, en terwijl hij haar lesgaf, zat zij ondertussen te werken. Ze keek op wanneer hij nieuwe aandachtspunten op het bord schreef, maar meestal zat ze te luisteren en te naaien tegelijk en zich af te vragen hoe zijn leerlingen het uithielden om stil te moeten zitten zonder iets omhanden te hebben.

Sipho had vakantie, tot grote vreugde van Mandla die nu eindelijk iemand had om mee te spelen. In januari zou hij naar de kleuterschool gaan. Monica was van mening dat hij het contact met andere kinderen hard nodig had.

Op een woensdag ging tijdens het middageten de telefoon. Eerst herkende Francina de stem van haar jongste broer niet eens; ze hadden elkaar nooit eerder over de telefoon gesproken, maar toen hij zijn naam noemde, begonnen haar handen te trillen.

'Vertel het me maar gauw, broertje,' zei ze.

'Schrik maar niet, zussie,' antwoordde hij. 'Onze ouders zijn gezond en vader is zelfs gelukkig.'

Francina keek iedere avond naar het weerbericht om te kijken of er in de rest van het land al regen werd verwacht, maar tot nu toe had ze daar niets over vernomen.

'Heeft Winston soms nog meer veevoer gestuurd?'

'Iedere maand,' vertelde haar broer. 'Maar Francina, je moet naar huis komen. We hebben je nodig.'

Had hij zojuist niet gezegd dat hun ouders gezond en gelukkig waren? Wat kon er dan aan de hand zijn?

Dingane legde uit dat hun dorp midden in de feestelijkheden zat, omdat de regering tweeduizend hectare grond had geschonken in het kader van het herverdelingsprogramma. Drie jaar geleden had het dorp als collectief zijn recht doen gelden op een stuk land dat hun aan het eind van de negentiende eeuw door de blanke kolonisten was afgenomen. De boer van wie het land was, had nu eindelijk het bod van de regering aanvaard.

Winston had besloten dat het dorp hier een wildreservaat zou gaan opzetten, met Dingane aan het hoofd, omdat die ervaring had op dat gebied. Voor één keer vond Dingane het niet erg om door zijn ex-zwager gecommandeerd te worden, want voor hem was dit de vervulling van een lang gekoesterde droom. Groot wild hadden ze nog niet, maar Winston had al een lening aangevraagd bij het regeringsfonds voor steun aan zwarte ondernemers.

'God heeft ons rijk gezegend,' zei Dingane tegen Francina. 'We zouden jou graag in die zegen laten delen.'

Als hoofd van de huishouding zou Francina de zorg krijgen voor de vijftien rondavels, de ronde huisjes die de mannen van het dorp samen wilden bouwen. Ze zou niet zelf hoeven schoonmaken, verzekerde Dingane haar, want er waren genoeg jonge meisjes voorhanden die dat werk wilden doen. Haar taak zou bestaan uit het inrichten van de huisjes en toezicht houden op het personeel. Het was haar verantwoordelijkheid dat de gasten zich in hun tijdelijke onderkomen prettig zouden voelen.

'En dan hoef je ook niet langer voor die vrouw te werken,' voegde hij eraan toe.

'Die vrouw heet Monica,' zei Francina, 'en ik kook en poets niet alleen voor haar. Ik doe het ook voor mijn jongens.'

'Kom nou toch, Francina, dit is het nieuwe Zuid-Afrika.'

Hij had gelijk. Ze was ook blij met de voorspoed van haar volk. Maar zelf had ze ook haar bestemming gevonden.

'Ik ga binnenkort mijn schooldiploma halen,' vertelde ze hem, omdat ze niks anders wist te zeggen.

'Dat is geweldig, zeg. Als je het haalt, bevorder ik je tot *guest service manager*.'

'Wat vindt moeder ervan?'

'Je weet toch hoe ze is – als haar geliefde dochter maar gelukkig is.'

Dat was niet sarcastisch bedoeld, wist Francina. Haar broer

zou nooit onaardig tegen haar zijn. Ze had er zo lang van gedroomd, ooit nog eens naar de Vallei van Duizend Heuvels terug te kunnen gaan. Nu was daar werk voor haar en nu aarzelde ze! Waarom verlieten de mensen in dit land toch steeds weer hun woonplaats om elders te gaan wonen? De mannen verlieten hun dorpen om werk in de stad te gaan zoeken, vrouwen lieten hun kinderen achter bij oma om de kinderen van onbekenden op te gaan voeden, arme gezinnen werden door rijke grootgrondbezitters uit hun huizen gezet en zelfs Monica, die toch goed in de slappe was zat, werd voortdurend door haar ouders aan het hoofd gezeurd om ook naar Italië te komen. Francina's voorouders waren verjaagd van hun grondgebied en nu moest een boer diezelfde grond ook verlaten. Was het in dit land eigenlijk wel mogelijk ergens te wortelen, zonder dat je wortels weer werden losgerukt?

Oscar had gezegd dat ze de zaken eens van de andere kant moest bekijken. Misschien zou deze gang van zaken gunstig uitpakken voor het grondeigendom. Op dit moment leken de mensen nog het meest op die hebberige jongetjes die zo veel mogelijk treinwagonnetjes probeerden te bemachtigen, maar ze moesten achterlaten voor de volgende groep kinderen wanneer het tijd was om naar huis te gaan.

De gedachte deed haar glimlachen, ook omdat ze plotseling duidelijk zag wat haar te doen stond. Ongetwijfeld zou het heerlijk zijn om te kunnen terugkeren naar haar geboortedorp, maar er was geen enkele reden om aan te nemen dat ze zich niet voor de rest van haar leven in Lady Helen thuis zou kunnen voelen. Ondanks de drieëntwintig jaar die ze in Johannesburg had gewoond, was ze de stad nooit als haar thuis gaan beschouwen. Een kwart van haar leven was zo voorbijgegaan, vervlogen terwijl zij zich voelde als een ongenode gast. De term zou Monica de rillingen over de rug jagen, maar Francina was nu eenmaal een migrantenwerkster. Het werd tijd voor een ander denkpatroon. Ze zou niet nog eens meer dan twintig jaar een buitenstaander blijven. Ook al zou ze nooit zelf een lap grond bezitten, toch zou deze plek vanaf nu haar thuisland zijn. Alleen als haar ouders haar zorg nodig hadden, zou ze naar de Vallei van Duizend Heuvels terugkeren.

Voor haar broer was het een bittere pil. 'Op een dag zul je een eenzame, oude vrouw zijn, zuster,' zei hij. 'Kom toch terug, zodat ik voor je kan zorgen.'

Ze had hem graag onder de neus gewreven dat ze al jarenlang voor zichzelf had gezorgd, maar ze wilde hem niet beledigen en bracht hem daarom maar op de hoogte van het nieuws dat ze net in een nog niet verstuurde brief aan haar moeder had geschreven: 'Ik ga binnenkort trouwen.'

'Aha,' zei Dingane. 'Dat verklaart alles. En die man, kan die jou onderhouden?'

'Zeker, broer. Hij is leraar.'

Haar broer was diep onder de indruk. Graag had ze uitgelegd dat ze met Hercules ging trouwen omdat ze van hem hield, en niet omdat ze iemand nodig had die voor haar kon zorgen, maar sommige dingen kon je beter voor je houden.

'Vertel het alsjeblieft nog niet aan moeder,' vroeg ze hem in plaats daarvan.

'Maar ze zal zo gelukkig zijn! Ze heeft zich altijd zorgen over je gemaakt sinds die keer dat Winston...' Hij zweeg.

'... mij had geslagen,' had ze bijna gezegd. 'Sinds Winston mij in elkaar had geslagen.' Maar haar familie had nooit gesproken over wat Winston haar had aangedaan, ook niet nadat ze naar huis was gekomen om te proberen haar vader ervan te overtuigen dat ze het niet met andere mannen hield, in tegenstelling tot wat Winston beweerde. Zelfs nu haar broer er vaagjes op zinspeelde, raakte hij nog de kluts kwijt.

'We kunnen beter naar de toekomst kijken,' zei hij, in een poging om positief te klinken, wat jammerlijk mislukte.

'Het geeft niet, broer,' zei Francina. 'God heeft me geleerd om te vergeven.'

'Je bent een goed mens, zusje.'
En ik heb jou je stilzwijgen vergeven, wilde ze zeggen, maar opnieuw deed ze er het zwijgen toe.

Laag hingen de wolken over de vlakke top van de Tafelberg, als een vliegennet over een buffet. De wind joeg over het vlakke land aan de overkant van de baai, en afgezien van een paar krijsende meeuwen die elkaar hebzuchtig de verspreide resten van een lunchpakket met vis betwistten, lag het uitgestrekte strand er verlaten bij. Er waren geen plezierbootjes of surfers op het woelige water te bekennen en toen de wind nog verder aanwakkerde, pakten ook de beide oude mannen die op de pier hadden zitten vissen hun boeltje bij elkaar en reden in een roestig bestelbusje weg.

Monica at haar *fish and chips* op en stapte uit om het bakje weg te gooien. De wind rukte het echter uit haar hand en blies het weg. Als een reuzenmot dwarrelde het hoog door de lucht en kwam neer op het grind van de parkeerplaats, vlak naast het snackbarretje. Ze liep erheen om het op te rapen en toen ze omkeek, zag ze een jongetje op haar auto toelopen en door de achterruit gluren.

'Hé daar!' riep ze.

De jongen draaide zich om, maar rende niet weg. Hij was waarschijnlijk niet ouder dan Sipho, maar tegenwoordig braken ze al op veel jongere leeftijd auto's open, op zoek naar geld om 'tik-tik' van te kopen, zoals de methamphetamine in kristalvorm hier in de regio werd genoemd.

'*Ek love sokker,*' zei hij in een mengelmoes van Afrikaans en Engels, wijzend op de voetbal die Mandla in de auto had laten liggen. Zijn trui was hem veel te klein, zodat zijn navel aan de wind was blootgesteld, en uit de kapotgeknipte punten van zijn gympies staken zijn tenen naar buiten.

'Heb je het koud?' vroeg ze.

Hij schokschouderde. 'Ik loop altijd hard om warm te blijven.'

Ze deed de achterbak open, waar ze wat reservetruien en -dekens bewaarde voor als de auto het in de winter onderweg begaf.

'Trek deze eens aan,' zei ze, terwijl ze de blauwe trui omhooghield die haar moeder ooit voor Sipho had gebreid. Een volwassene zou uit beleefdheid hebben geprotesteerd, maar zo niet het jongetje.

'Dat voelt lekker zacht,' zei hij en streek met zijn vingers langs de mouw.

'Weet jij toevallig hier in de buurt een huis dat wel lijkt op een huis uit een sprookje?' vroeg ze hem.

Hij keek haar niet-begrijpend aan en haar eerste reactie was medelijden, omdat dit kind blijkbaar nog nooit van sprookjes had gehoord. Van Ella had ze echter geleerd om over de grenzen van haar eigen leventje heen te kijken en haar horizon te verbreden. Wat had je aan sprookjes, prinsessen, betoverde kastelen en eenhoorns als je niet eens een passend paar schoenen had, als je niet was ingeënt tegen difterie, of als je eten met onvoldoende voedingswaarde binnenkreeg?

'Ik zoek een huis met een torentje.'

Zijn gezicht lichtte op. 'Die kant op,' zei hij en wees naar een weg die door een slagboom was afgesloten. 'Ik ben er een keer wezen kijken toen de bewaker in slaap was gevallen.'

De bewaker was op dit moment klaarwakker en Monica vroeg zich af met welke smoes ze zich toegang tot de afgesloten wijk zou kunnen verschaffen.

'Wat bewaren ze in die toren?' vroeg de jongen haar ondertussen. 'Goud? Mijn moeder zegt dat alle blanke mensen goud in hun huis hebben verstopt.'

'Deze mensen zijn niet blank,' zei Monica. 'Als ik ontdek wat ze in die toren verborgen houden, zal ik het je komen vertellen, goed? Als je hier tenminste nog bent, wanneer ik terugkom.'

'Ik loop hier altijd te zoeken naar restjes vis en patat,' zei hij.

'Ik woon daar, voorbij die winkels, in Eshowe.'

Op weg hierheen was Monica de krottenwijk en het aangrenzende kleine winkelcentrum gepasseerd. De zinken hutjes hingen tegen elkaar aan als omgevallen dominostenen en in de stoffige steegjes scharrelden de kippen vrij rond.

'Hier, die is voor jou,' zei ze en gaf de jongen Mandla's voetbal. 'Je kunt de naam van mijn zoon wel wegkrassen en er je eigen naam voor in de plaats zetten.'

'Ik kan niet schrijven,' zei hij, maar hij nam de bal met een brede grijns van haar aan. Hij was nog te jong om de tragiek achter zijn bekentenis te beseffen. 'Dank je wel,' zei hij. 'Ik ga later voor Bafana Bafana spelen.'

Dat was ook Mandla's toekomstdroom – spelen voor het nationaal elftal. Monica had grote moeite met de beloningen voor topsporters, in een land waar onderwijzers, brandweerlieden en verpleegsters maar met moeite het hoofd boven water konden houden. Aan de andere kant was de sport jammer genoeg vaak de enige mogelijkheid voor een kind om aan de armoede te ontsnappen. Terwijl ze hem nakeek, toen hij er al balletje trappend vandoor ging, bad ze dat hij echt talent in zijn voeten zou hebben.

De bewaker zwaaide vrolijk terug en tilde de slagboom voor haar omhoog zonder een enkele vraag te stellen. *Die beveiliging is ook geen cent waard*, dacht ze verbaasd.

Ze was helemaal uit Lady Helen hierheen gereden, omdat haar beroepsinstinct haar vertelde dat het verdacht was dat de familie DeVilliers uit Sandpiper Drift was verhuisd nog voordat het uitzettingsbevel was uitgevaardigd.

Het huis was gemakkelijk te vinden tussen de Spaanse villa's, de landhuizen in New-Orleansstijl en de Engelse cottages met hun rieten daken. Ze parkeerde onder een rijk versierde straatlantaarn, die al brandde ondanks dat het pas halverwege de middag was, en drukte op de zoemer naast het hek. Het duurde lang voor er een reactie kwam en ze maakte juist aanstalten om weer in haar auto te stappen om een beetje warm te worden, toen ze een vrouwenstem hoorde. 'Ja?'

Monica noemde haar naam, waarop het reusachtige metalen hek opzij begon te glijden. Dat ging gesmeerd, dacht ze, maar toen het hek helemaal open was, werd de weg haar door twee mannen versperd.

'Wat zoekt u?' vroeg de oudste van de twee.

'Pa, het is die verslaggeefster uit Lady Helen,' zei de ander. Dat moest de vader van die babbelzieke Dewald zijn.

'Ik ben Monica Brunetti,' zei Monica en ze stak haar hand uit, maar geen van beide mannen leek van zins haar de hand te schudden. 'Ik zou graag met u praten over uw vroegere buurt.'

'Wat is er aan de hand?' klonk een vrouwenstem achter hen.

Er verscheen een dame met lang, grijs haar dat achter in haar nek tot een wrong was gedraaid, en Monica vermoedde dat dit mevrouw DeVilliers moest zijn. Ze greep onmiddellijk haar kans en riep de vrouw toe: 'Hoe is uw man aan het geld voor dit huis gekomen?'

'Ga naar binnen,' beval DeVilliers zijn vrouw. 'Jij hebt hier niets mee te maken.'

'Waar heeft ze het dan over?' riep mevrouw DeVilliers, maar haar zoon duwde haar het huis in en posteerde zich met zijn rug tegen de deur zodat ze niet meer naar buiten kon.

'Ga weg, juffrouw Brunetti,' zei de oude DeVilliers. 'Wij hebben u niets te zeggen.'

Voordat Monica kon reageren, begon het hek weer dicht te schuiven en ze moest haastig achteruit springen om niet verpletterd te worden.

'De buurt wordt toch niet afgebroken!' riep ze nog over het hek heen.

Achter het hek werd gefluisterd en ze ving de woorden 'contant' en 'breng weg' op.

'Maar er komt daar mijnbouw.' Dat was de stem van DeVilliers senior.

'Er waren helemaal geen diamanten,' schreeuwde Monica terug.

Het gefluister kreeg een steeds koortsachtiger karakter en ze hoopte dat de mannen het hek weer open zouden doen om er meer van te horen, maar dat gebeurde niet.

'Ga weg en laat ons met rust. We hebben niks te melden!'

Monica wachtte nog even, maar stapte toen weer in haar auto. In verhouding tot de lange reis die ze had gemaakt, was het maar een heel kort gesprekje geweest, maar het was in ieder geval een begin. En zat ook de natuur niet vol verrassingen? De machtige Afrikaanse Zambezirivier die zuidwaarts stroomt in de richting van het Okavangomoeras in Botswana, buigt daarna af naar het oosten en komt uiteindelijk uit in de Indische Oceaan. Als de Zambezi van koers kon veranderen, dan kon een man dat ook, ook al had hij in een poging om het leven van zijn gezin te verbeteren een moment van zwakheid gehad.

Twintig

*N*a een winter waarin een gemiddelde hoeveelheid regen was gevallen, veranderde het landschap rond Lady Helen van de ene dag op de andere in een zee van kleuren. Langs de rotshellingen van de koppies kropen de vygies in lichtpaarse, fletsroze en felrode slingers omhoog, over de groene velden achter de zuivelboerderij lag een deken van oranje Kaapse viooltjes en waar je maar keek, zag je de gele hartjes van de madeliefjes die zich hadden verspreid als een onkruidplaag, begerig naar iedere vrije centimeter van de grofkorrelige grond. Het leek wel of deze hele wereld van kleur en zoete vanillegeuren op een verborgen plaats had liggen wachten tot de dirigent van de natuur het sein gaf dat de lentesymfonie kon beginnen.

Francina zat op het stoepje van het Kerkje aan de Lagune en genoot van de zonnewarmte op haar blote armen. De wind, die gedurende de winter onophoudelijk over het wad had geraasd, was door de seizoenswisseling getemd en het amuseerde haar te zien hoe hij tevergeefs de bladzijden van het natuurkundeboek op haar schoot probeerde om te slaan.

'Ik kom in mijn eentje niet door dit hoofdstuk heen,' lachte ze hardop. Natuurkunde was niet haar sterkste vak en het was het enige vak waarbij ze Hercules' steekwoorden en aandachtspunten echt op prijs stelde.

Een paar zeemeeuwen vochten verwoed om de rottende resten van een grote krab die half in de modder begraven lag. Als je de kalender moest geloven, hadden ze inmiddels hun brutale heerschappij over de lagune en het nabijgelegen strand allang moeten opgeven, maar de trekvogels leken dit jaar geen haast te hebben om terug te komen. Alle lentefestiviteiten van de kerk en van het Groene Blok waren opgeschort tot het moment waarop de eerste vogel in het opgewarmde water van de lagune zou neerstrijken.

Francina was ervan overtuigd dat Hercules op dit ogenblik in de kerk een ijzige ontvangst ten deel viel. Ze had hem gewaarschuwd dat dit koor zich niet zomaar gewonnen zou geven, maar hij had toch een poging willen wagen.

Het examen zou over twee maanden plaatsvinden en de bruiloft twee weken daarna. Haar gezonde verstand zei haar dat ze het leeuwendeel van de examenstof onder de knie moest hebben voordat ze met haar trouwjurk begon, maar desondanks had ze al een paar ontwerpschetsen gemaakt. Ze kon het niet helpen; de jurk van de populairste coupeuse van Lady Helen moest uiteraard iets spectaculairs worden.

Hercules, die goedige lieverd, had niet gezeurd toen ze hem had gevraagd de ring weer te verkopen en het geld aan haar ouders te geven, maar haar moeder had haar gesmeekt dit niet te doen. Alle inwoners van Jabulani kregen voortaan een maandelijkse uitkering uit de winst van het wildreservaat. Hoewel hij het nooit met zoveel woorden had gezegd, wist Francina dat Hercules er blij om was dat ze de ring had gehouden. Hij glom tenminste van genoegen, telkens als iemand haar een complimentje over het sieraad gaf.

Zodra hij weer door de dubbele deuren naar buiten was gekomen, wilde hij haar meenemen de stad in om haar iets te laten zien. Ze vermoedde dat er in de bibliotheek een nieuw kunstboek was aangekomen, of dat zijn moeder hem een studieboek had gestuurd. Over zijn boeken raakte hij nu eenmaal nooit uitgepraat.

Hé, wat was dat? Het lawaai van de meeuwen maakte het moeilijk om de geluiden in de kerk goed te horen, maar ze wist zeker dat ze mensen had horen lachen. Onmogelijk! Maar daar was het alweer. Er werd echt gelachen en deze keer leek er geen einde aan te komen. Ze had Hercules gewaarschuwd voor een kille ontvangst, maar nooit gedacht dat ze hem zouden uitlachen. Arme Hercules. Ze stond op, klaar om hem een arm te geven als hij de kerk uit kwam. Het gelach zwol aan, de deur ging open en daar was Hercules, omringd door de dames van het koor – ze lachten allemaal, Hercules incluis.

'Jullie kennen mijn verloofde al,' zei hij, terwijl hij bleef staan en haar bij de hand pakte. Het was een vaststelling, geen vraag, en het gelach hield abrupt op. Ze keken naar hun voeten, op hun horloge, in hun gezangenboek – overal, behalve naar Francina's gezicht. Nooit eerder had ze mensen zo duidelijk van schaamte blijk zien geven.

Ze had hun nog eens onder de neus kunnen wrijven hoe ze haar hadden gekwetst, ze had hen kunnen negeren en gewoon weglopen, maar in plaats daarvan besloot ze hen te vergeven.

'Ik verheug me echt op jullie lenteconcert,' zei ze tegen hen.

Hier en daar werd zenuwachtig geglimlacht.

'Er is nog geen spoor van de vogels te bekennen, dus als je zin hebt om mee te doen, er is nog tijd genoeg om de liederen te leren,' zei de vrouw die Francina bijzonder hatelijk had bejegend.

'Dank je, dat zou ik leuk vinden,' zei Francina, die in gedachten al bezig was een opvallende blauw-met-witte tuniek voor haar te ontwerpen. Ze vroeg zich af of ze bereid zouden zijn een hoofdtooi te dragen.

Samen met Hercules wandelde ze over de wadden terug naar de stad. Ze wilde het wel uitjubelen tot de omringende koppies ervan weergalmden, zo trots was ze op hem. Hij was geslaagd waar zij had gefaald en hoewel ze daarover had kunnen mokken, ontdekte ze tot haar blijde verbazing geen greintje afgunst bij zichzelf. *Toch grappig wat ware liefde met een mens kan doen,* dacht ze.

Hercules wilde haar zijn geheim niet verklappen en zei alleen dat het in de Hoofdstraat te vinden was. Dan was het dus geen nieuw boek in de bibliotheek; misschien in de boekwinkel. Of misschien wilde hij haar een bepaald schilderij laten zien. In zijn verbeelding had hij al een kunstverzameling van zo'n twintig schilderijen aangelegd, stuk voor stuk realistische landschappen. Moderne kunst was niets voor hem. Hij vond het inhoudsloze egotripperij.

Ze gingen echter ook niet naar een van de galerieën. In plaats daarvan bleven ze staan voor de winkel van de horlogemaker, die gesloten was sinds de oude Richard Kamalo drie maanden geleden in zijn slaap was overleden.

'Nou, wat denk je ervan?' vroeg Hercules.

'Waarvan?' vroeg ze, maar toen ontdekte ze het bord met 'Te koop' erop dat er de vorige dag nog niet had gehangen.

'De zoon heeft besloten zijn vader niet op te volgen,' legde Hercules uit.

Francina dacht aan de magere jongeman die haar ooit een nieuw horlogebandje had verkocht. Ze hoopte maar dat hij pas na het overlijden van zijn vader had meegedeeld dat hij niet in het familiebedrijf geïnteresseerd was. Ondertussen vertelde Hercules haar dat zich boven de winkel een appartement met twee slaapkamers bevond, uitermate geschikt voor hen beiden en zijn moeder.

'En dan kunnen we de winkel verhuren,' zei ze enthousiast.

'Ik dacht eigenlijk dat we het uithangbord van de horlogemaker zouden kunnen vervangen door een ander. Hoe denk je dat het zou staan: "Modehuis Jabulani" in grote gouden letters?'

Francina slaakte een gilletje van opwinding, zodat een moeder en haar kind die net voorbijkwamen stokstijf bleven staan. Toen ze merkten dat er niets aan de hand was, liepen ze lachend door.

Op de terugweg naar Jabulani Cottage legde Francina Hercules uit dat ze alleen buiten kantooruren zou kunnen werken, omdat ze Mandla en Sipho uiteraard niet aan hun lot kon overlaten.

'Maar je zult minstens twee keer zoveel jurken moeten maken als nu, anders kunnen we de hypotheek niet betalen,' zei hij.

'Als dat een probleem is, kunnen we na ons huwelijk beter in mijn cottage blijven wonen,' meende Francina.

'Maar mijn moeder dan?'

'Hm, je moeder,' zei Francina die ineens een nieuw idee kreeg. 'Kan ze naaien?'

'Ja, maar ze heeft nooit van die prachtige dingen gemaakt zoals jij.'

'Maar denk je dat ze me zou willen helpen? Ze zou de patroondelen kunnen uitleggen en de patronen knippen, de stukken in elkaar spelden, de maten opnemen, de facturen uitschrijven. Misschien kan ze de zomen doen, die vreten tijd.'

Het was zo'n verregaand voorstel dat Francina niet naar Hercules durfde kijken. Omdat hij bleef zwijgen, was ze ervan overtuigd dat ze buiten haar boekje was gegaan. Je vroeg je schoonmoeder niet om voor je te werken, en zeker niet als je nog niet eens met haar zoon was getrouwd!

'Volgens mij zou ze het wel leuk vinden om een bijdrage te leveren,' zei Hercules echter. 'Ze heeft zo lang opgesloten gezeten in haar huis met haar zorgen over mij. Ik denk dat ze het heerlijk zou vinden om in een winkel in de Hoofd-straat te zitten waar de mensen in en uit lopen.' Hij nam haar hand. 'Zie je nu wel dat er voor alles een oplossing is?'

Tot januari, wanneer Mandla naar de kleuterschool zou gaan, zou Francina alleen in de weekenden in de winkel werken. Zodra Mandla aan school gewend was – en als Hercules' moeder met het plan instemde – zou Francina de scepter zwaaien tot halftwee 's middags, wanneer ze Sipho en Mandla uit school moest gaan halen. Mevrouw Shabalala zou vervolgens de winkel bemannen tot vijf uur. Op zaterdagen zou Francina de hele dag in de winkel werken en mevrouw Shabalala mocht dan zelf beslissen of ze haar gezelschap hield of niet. De enige taak van Francina die onder deze regeling te lijden zou hebben, was de schoonmaak, maar dat zou ze met Monica bespreken en dan vonden ze er wel wat op.

In het hele land was de lente definitief doorgebroken, maar in Lady Helen zaten ze nog steeds te wachten op de donkere wolk die de terugkeer van de trekvogels inluidde. Het was niets voor Sipho om kritiek te oefenen op de natuur, maar hun uitblijven zat hem dwars, vooral omdat hij het door het lekkere weer zo langzamerhand benauwd kreeg in zijn lange winterbroek.

Het was tijd voor de lunch en Monica zat op een bankje in het park haar boterhammen te eten, naast het standbeeld van Lady Helen. Een eindje verderop was James zijn boot te water aan het laten, onder het toeziend oog van een man in een glanzend zwart duikerspak. Aan boord van de boot bevond zich een grote, rechthoekige stalen kooi. Aan de horizon schoof als een glimmende slak een olietanker voorbij, waarschijnlijk onderweg naar de westkust, waar internationale bedrijven voortdurend nieuwe, rijke olievoorraden ontdekten. Monica hoopte maar dat de regeringsleiders van de betreffende landen geleerd hadden van gemaakte fouten en de opbrengst zouden delen met hun onderdanen.

'Lijkt je dat ook geen goed idee?' vroeg ze hardop aan Lady Helen.

'Dat hangt van het idee af,' klonk het antwoord en van schrik verslikte ze zich in haar lunch.

'Hé, voorzichtig!'

Het was Oscar. Hij zat gehurkt aan de andere kant van het

beeld, wat verklaarde dat ze hem niet had gezien, en was bezig de verf op het hek bij te werken.

'Het gaat alweer,' zei ze, nog steeds hoestend.

Hij gaf haar een flesje water en ze nam een slok.

'Dank je wel.' En met een knikje naar het beeld: 'Je zorgt goed voor haar, moet ik zeggen.'

'Ik zal je een geheimpje verklappen. Ze is nog steeds ergens hier in de stad. Haar man heeft haar nooit mee teruggenomen naar Kaapstad om haar daar in de wijnkelder op te sluiten.'

'Denk je dat hij haar hier vermoord heeft?'

Oscar haalde zijn schouders op. 'Misschien. Het kan ook zijn dat ze ontsnapt is en hier in haar eentje is blijven wonen tot ze een natuurlijke dood stierf. Op het kerkhof liggen een paar anonieme graven waar niemand iets over weet te vertellen.'

'Maar als alle slaven zijn afgevoerd naar Kaapstad, van wie kunnen die graven dan zijn?'

'Er leefden in die tijd nomaden in dit gebied, de San, dus het fijne ervan zullen we wel nooit te weten komen.'

Monica vroeg zich af of het op de een of andere manier nog uit te zoeken zou zijn, maar Oscar zei dat hij met haar over Daphne en meneer Yang wilde praten.

De Maleisische zakenman had blijkbaar onlangs een groot stuk grond bouwrijp gemaakt voor een ontziltingsinstallatie, die voldoende water zou leveren voor vier golfbanen en een tweede hotel. Zodra de installatie operationeel was, zou de aanleg van de tweede baan van start gaan. Oscar had het gehoord van een landmeter die hij tegen het lijf was gelopen toen hij naar oude Sankunstvoorwerpen liep te zoeken en hij had het sterke vermoeden dat de bewoners van Sandpiper Drift een dezer dagen opnieuw een uitzettingsbevel zouden krijgen.

'Ik maak me zorgen over Daphne,' zei Oscar. 'Een tweede teleurstelling komt altijd harder aan dan de eerste.'

Monica moest hem gelijk geven.

'Waar is die idioot eigenlijk mee bezig?' vroeg Oscar plotseling en Monica volgde zijn blik naar de boot van James, die met veel te grote snelheid kwam aanvaren. 'Als hij geen vaart mindert, verbrijzelt hij zo dadelijk de kiel.'

De boot liep met zo'n kracht op het strand dat de kooi voorover kantelde. Op een haartje na miste hij James' achterhoofd. De man in het duikerspak sprong uit de boot, schreeuwend en gesticulerend, maar door het gieren van de motor waren zijn woorden voor Oscar en Monica onverstaanbaar. De malende schroef groef een diep gat in het strand en het zand vloog alle kanten uit. De man pakte een stok uit de boot en leek toen te wachten tot James er ook uit klom. Die zette de motor af en toen hoorden ze hem zeggen: 'Het is niet mijn schuld. Ik heb hem gisteravond nog helemaal nagekeken.'

'Je had het nog eens moeten doen voor we uitvoeren,' brulde de man. 'Ik had wel dood kunnen zijn.' Hij sprong met de stok omhoog naar voren, maar James bleef wijselijk in de boot.

'Ik loop er even heen,' zei Oscar.

Monica wist dat hij zou protesteren als ze ook meeging, dus wachtte ze tot hij bij de mannen was en ging toen pas achter hem aan. Zo ving ze nog net het staartje van het verhaal op.

James en zijn klant hadden verwacht een aantal zandtijgerhaaien aan te treffen, maar het bloed van de dode tonijn die James in het water had gegooid, had ook een grote witte haai aangetrokken, die zich in de haast om de stukken vis voor zijn kleinere familieleden weg te snaaien met enorme kracht tegen de kooi had geworpen. Normaal gesproken gaf de ontmoeting met een van de grotere haaiensoorten de toeristen een extra kick. Vanuit de boot zag James dat deze man echter niet zijn camera pakte. In aanvulling op de lange speer waarmee hij de zandtijgerhaaien de stukken vis had toegestoken, had hij nog een ander wapen aan zijn gordel hangen: een stok waarmee hij stroomstoten kon toedienen die voldoende waren om een volwassen man voor twintig minuten buiten westen te krijgen, maar die een witte haai van meer dan drie meter alleen maar tot grotere razernij brachten. Dol van het bloed en van de irritante pijnscheuten in zijn neus gooide de haai zich steeds opnieuw tegen de kooi, net zo lang tot de deur opensprong. Op dat moment had James de motor alweer gestart om de kooi uit het water te hijsen en terwijl die langzaam maar zeker omhoogkwam, zag hij tot zijn ontzetting dat de haai zijn kop naar binnen probeerde te wringen. Hij kon niets anders doen dan de motor nog harder laten draaien en ondertussen hardop bidden of God het leven van de man wilde sparen.

'Het is een wonder dat hij er niet uit is gevallen en levend opgevreten,' zei James. Zo bleek had Monica hem nog nooit gezien.

'Het zal een wonder zijn als jij niet wordt vervolgd voor verwijtbare nalatigheid,' schreeuwde zijn klant.

'Zal ik u naar het ziekenhuis brengen, meneer?' vroeg Oscar.

'Ik mankeer niks,' snauwde de man terug.

'James wil u vast en zeker uw geld wel teruggeven,' zei Oscar.

James knikte hevig en grabbelde zijn portefeuille uit zijn zak.

'Hier, neem honderd rand extra,' zei hij.

'Als je maar niet denkt dat ik me laat omkopen,' zei de man, maar nam het geld toch aan.

'Ik geef u wel even een lift naar uw eigen auto,' bood Oscar aan.

De man was inmiddels een beetje gekalmeerd en huiverde nu over zijn hele lichaam. 'Ik had wel dood kunnen zijn,' zei hij nog eens, terwijl Oscar hem meetroonde.

'Het spijt me ontzettend,' riep James hem nog na. 'Maar echt, ik had de deur gecontroleerd.'

'Kan er vanochtend nog iemand anders aan hebben gezeten?' vroeg Monica. James schudde het hoofd.

Ze hielp hem de boot terug te duwen in het water, zodat hij kon terugvaren naar de plaats waar de trailer stond, en toen ze alweer naar de kant waadde, riep hij nog: 'Bedankt voor je hulp, Monica!' Daarna gaf hij gas en terwijl de boot zich door de golven verwijderde, drong het tot Monica door dat dit de eerste keer was dat hij haar bij haar naam had genoemd.

Langzaam kroop het licht langs de hellingen van de koppies omlaag, als een zwerfkat die een kippenhok besluipt. Hoewel het veel vroeger dag was dan een paar weken geleden, zat Francina toch alweer een uur te lezen in haar Engelse roman. Nu ze eenmaal gewend was aan de overbeleefde manier waarop de personages elkaar aanspraken, genoot ze van het verhaal. Ze koesterde vooral sympathie voor de knappe hoofdpersoon die haar uiterste best deed een echtgenoot te vinden voor haar arme vriendin. Uit de begeleidende aantekeningen begreep ze dat ze deze bemoeizucht eigenlijk diende af te keuren, maar diep in haar hart vroeg ze zich af of haar leven niet heel anders zou zijn verlopen als niet haar ouders, maar haar vriendinnen een man voor haar hadden gezocht.

Op de omslag zag je de heldin van het verhaal over een keurig grasveld wandelen, met een parasol in de ene en een boek in de andere hand. Ze droeg een japon, zo vrouwelijk als Francina nog nooit had gezien. Dat was het! Francina had haar trouwjurk gevonden. Voorzichtig gleed haar vinger langs de neoklassieke taille, de lange mouwen, sierlijk opgebonden bij de schouders, en de golvende rok. Deze trouwjurk zou haar mooiste creatie worden!

Wat werd ze toch overvloedig gezegend: eerst haar diploma, dan haar huwelijk en haar eigen zaak! Ze had nog maar één wens over, maar God had besloten haar die te onthouden en daar zou ze mee moeten leren leven.

De dag nadat Oscar haar over de ontziltingsinstallatie had verteld, reed Monica naar Miemps en Reg. Toen ze aankwam, hadden die het nieuws net gehoord.

'Die man weet wat hij wil,' zei Reg hoofdschuddend.

'En hij is hier zelf nog nooit geweest,' zei Miemps. Haar stem trilde. 'Hij heeft niet eens de moed het ons zelf te komen vertellen.' Ze zwaaide met een envelop. 'Dit heeft hij door een van zijn veiligheidsmensen laten bezorgen. Moet je zien – hij zit vol officiële stempels, alsof hij van de president zelf komt.' Ze begon zachtjes te snikken en verborg haar gezicht in een kanten zakdoek.

'Wat zei Daphne?' vroeg Monica.

Reg legde zijn arm om de schokkende schouders van zijn vrouw. 'Ze scheurde er met de auto vandoor. Ik hoop dat ze geen gekke dingen gaat doen.'

'Ik zal er nog een artikel over schrijven,' zei Monica, die zelf wel begreep hoe dwaas dat moest klinken.

Miemps liet haar zakdoek zakken. 'O, dank je wel, Monica. Je bent zo vriendelijk voor ons.'

Haar woorden maakten alleen dat Monica zich nog beroerder voelde dan eerst. Ze mocht er dan de vorige keer met een omzichtige manoeuvre in geslaagd zijn hen te helpen, maar die Yang bleek een geduchter tegenstander dan ze met elkaar hadden kunnen vermoeden.

'Zullen we een eindje lopen? Dan kun jij foto's nemen,' stelde Miemps voor.

Monica gaf haar een arm en Reg ging naar binnen om het middageten klaar te maken.

Het zand in de woonkamer van de familie DeVilliers lag al tot aan de vensterbank en de voordeur kon niet meer dicht.

'Het verbaasde ons niet dat ze niet terugkwamen toen Yang de uitzetting opschortte,' zei Miemps. 'Wist je dat Lizbet zelfs de vitrage voor de ramen heeft laten hangen? Die zijn inmiddels verdwenen, natuurlijk, maar kun jij je voorstellen dat je iets laat hangen waar je weken aan hebt gewerkt?'

Langs de gladde binnenmuur kroop een groene hagedis omhoog. Aan de zwart-witte vogelmest op de vensterbank te zien waren ook de zeemeeuwen op bezoek geweest.

'Als iemand slinkse streken uithaalt om vooruit te komen in het leven, dan is dat iets tussen hem en God,' ging Miemps verder. 'God heeft mij niet geroepen om over anderen te oordelen, alleen om te zorgen voor mijn gezin en voor iedereen die mijn hulp nodig heeft.'

In haar stem klonk geen wrok en evenmin achterdocht, alleen gekwetstheid. Haar vriendin was van het ene op het andere moment vertrokken, na een haastig afscheid en zonder verklaring hoe het kon dat ze zich ineens zo'n groot huis konden veroorloven. Net als Miemps geloofde iedereen in de stad dat meneer DeVilliers een groot geldbedrag had gewonnen en Monica vroeg zich af hoe ze zouden reageren als ze de waarheid ontdekten. Zou Miemps dan wel klaarstaan met een oordeel over de man wiens handelwijze zulke ingrijpende gevolgen had voor haar gezin, en zou ze Lizbet misschien niet langer als vriendin willen beschouwen?

Monica nam een foto van de woonkamer en daarna liepen ze door naar het volgende huis, waar de vrouw van de conciërge van het Groene Blok op een ladder stond die tegen het huis was geplaatst.

'Al die spullen' – en ze wees naar een hele berg deurklinken, gordijnroedes, keukenlades en gloeilampen – 'nemen zo veel ruimte in beslag in die schuur dat er voor ons haast geen plaats meer is. Maar ze zijn geld waard en als we ooit weer een huis kunnen laten bouwen…'

Haar ogen stonden vol tranen, maar toch lachte ze Monica ten behoeve van de foto dapper toe. Monica schoot een compleet rolletje vol met huizen die op het punt stonden verlaten te worden. Toen ze terugkwamen bij het huis van Miemps, kwam Daphne net thuis van haar werk en ze stond erop eveneens voor Monica te poseren. Met de handen op de heupen posteerde ze zich bij de voordeur en ze keek woedend in de lens, alsof ze de hele wereld uitdaagde haar haar huis te ontnemen. In haar witte verpleegstersuniform had ze een meelijwekkend figuur kunnen slaan, maar in plaats daarvan zag ze er ongenaakbaar officieel en ontzagwekkend uit.

Later die middag stopte Monica de foto's in een bruine envelop, adresseerde die aan mevrouw DeVilliers en liet hem in de brievenbus buiten haar kantoor glijden. Normaal gesproken gaf ze alle post aan Dudu, maar ze wilde niet dat iemand wist waar de foto's heen gingen. Als ze het met haar vermoedens bij het verkeerde eind had, was het beter dat niemand ervan op de hoogte was.

Net toen ze weer naar binnen wilde gaan, zag ze Kitty haastig aan komen lopen.

'Wat nu? Heb je geen gasten?' grapte Monica, toen Kitty haar had ingehaald.

'We zitten vol, maar James houdt vanmiddag de boel in de gaten, zodat ik naar de kapper kan. Ja, je hoort het goed,' zei ze, in reactie op Monica's opgetrokken wenkbrauwen, 'hij is vandaag geen haaien wezen voeren. Hij heeft erin toegestemd met mij mee te gaan naar het huwelijkspastoraat van de kerk en ik denk dat je hem zelfs op zondag daar zult zien. Hij gelooft oprecht dat het een wonder was dat die man niet gewond is geraakt of is omgekomen.'

'Ik ben ontzettend blij voor je,' zei Monica. 'Kom je even binnen voor een kop thee?'

Maar Kitty werd over tien minuten bij de kapper verwacht. 'Ik kom straks wel even. Eigenlijk moet ik ook nog een ernstige kwestie met je bespreken. Waarschijnlijk is er wel een aannemelijke verklaring voor, maar we dachten dat je wel zou willen weten dat James dit bij het botenhuis heeft gevonden.'

Ze gaf Monica een blikken potlodendoos. Op het deksel stond in vette letters: 'Eigendom van Sipho Nkhoma'.

'De jongens zijn gisteren met Francina in Abalone House

geweest,' zei Monica. 'Het is gewoon toeval.'

Kitty ontweek haar blik. 'James heeft het gistermiddag gevonden, net na het ongeluk. Volgens hem lag het er nog niet toen hij de avond ervoor het materieel controleerde. Het spijt me erg, Monica. Ik zou dit gesprek ook liever niet voeren.'

'Je bent er anders zelf mee begonnen,' zei Monica koeltjes.

'Toe, laat het nou niet tussen ons in komen staan.'

'Ik moet weer aan het werk. Geniet maar van je vrije middag.'

Monica opende de deur van haar kantoor, zich bewust van het feit dat Kitty haar nastaarde, maar ze kon het niet opbrengen zich om te draaien en gedag te zeggen alsof er niets aan de hand was.

Eenentwintig

oen Monica de volgende ochtend uit bed stapte, verwachtte ze niet anders dan dat ze de hele dag zou lopen gapen. Gedurende de nacht had ze tot twee keer toe Sipho's potlodendoos uit de la van haar nachtkastje gepakt, alsof een nadere bestudering ervan iets van het mysterie van zijn vermoedelijke betrokkenheid zou onthullen. Toen dat niet gebeurde, had ze nog uren wakker gelegen. Eerst bad ze, maar later probeerde ze alleen nog haar gedachten stop te zetten. Ze kon niet geloven dat een kind dat zijn naam met zulke keurige letters op het deksel had geschreven in staat was tot datgene waarvan Kitty hem nu beschuldigde, en ze vroeg zich vertwijfeld af hoe ze dit onderwerp bij Sipho ter sprake kon brengen. Pas toen het melkachtige licht van de dageraad al doorbrak, had God haar duidelijk gemaakt dat er geen vaste formules waren voor de omgang met een kind. Ze zou gewoon haar hart moeten volgen.

Mandla was als eerste wakker. Hij kwam haar slaapkamer in rennen en sprong op haar bed. Sinds de verhuizing van Francina naar Jabulani Cottage had hij nog maar een paar nachten in zijn eigen bed geslapen, maar hij was er in toenemende mate verrukt over.

'Gaan we vanmorgen naar het strand, asjebliiieeef?' bedelde

hij, terwijl hij op haar kussen neerplofte.

'Het is vrijdag, een schooldag, schatje. Sipho moet zijn natuurkundewerkstuk inleveren en ik moet naar mijn werk.'

Ze was van plan naar het golfcomplex te gaan en ook al zou Mandla dat geweldig vinden, het was heel goed mogelijk dat ze Yang zelf zou treffen en in dat geval was het niet verstandig een klein jongetje bij je te hebben.

'We gaan morgen naar het strand,' beloofde ze hem.

Mandla was hard toe aan meer interactie met andere kinderen. Het duurde nog drie maanden tot het januari was en hij naar de kleuterschool kon. Waar zouden Daphne, Reg en Miemps tegen die tijd zijn?

Later die morgen reed ze naar de golfbaan, waar ze haar auto in de ondergrondse parkeerplaats zette. Als schuilplaats was die niet erg geschikt, want haar auto paste absoluut niet tussen de luxe Duitse wagens, maar ze kon beter hier parkeren dan buiten bij het clubhuis, waar de auto zeker de aandacht van de bewaker zou trekken, mocht die besluiten eerder dan anders te gaan lunchen. Ze had de bewapende beveiligingsbeambte bij de hoofdingang verteld dat ze inlichtingen kwam inwinnen over de tarieven voor huwelijksrecepties en hij had voor haar gebeld om te kijken of het hoofd Evenementen aanwezig was. De betreffende dame had gezegd dat Monica meteen door kon lopen naar haar kantoor.

Ze stapte in de lift en hoopte maar dat ze niet per ongeluk langs dat kantoor zou komen, anders moest ze haar tijd nog verspillen aan de verschillende menukeuzes.

In het clubhuis was het drukker dan de vorige keer dat ze hier was, en daar was ze blij om. Tussen al die mensen kon ze rustig rondlopen zonder achterdocht te wekken. Ze had geprobeerd vanuit haar kantoor contact met Yang te leggen, maar kreeg te horen dat hij de hele dag in vergadering zou zijn. Blijkbaar wilde hij niet alleen geen vrouwelijke bezoekers, maar ook geen vrouwelijke bellers meer. Haar enige hoop was nu dat ze hem persoonlijk tegen het lijf zou lopen. Ze twijfelde even of ze niet beter op de golfbaan kon beginnen met zoeken, maar schrok toch terug voor de achttien holes. Ze stak haar hoofd om de deur van het restaurant, waar rond een grote ijssculptuur van een zonnebloem een ontbijtbuffet stond uitgestald. Een ober vroeg beleefd of hij haar een plaats kon wijzen, maar ze zei vlug dat ze niet kwam eten. Dat gold blijkbaar ook voor Yang. Het leek weinig zin te hebben hem hier tussen de hotelgasten te gaan zoeken.

Ze vervolgde haar weg door de gangen van de administratieve vleugel, waar het wat rustiger was, en ontdekte een deur met het opschrift 'Evenementen'. De deur stond op een kier. Daar zat ik nou net op te wachten, dacht ze bij zichzelf, zoekend naar een ontsnappingsmogelijkheid. Dichterbij gekomen merkte ze dat de dame in het kantoor aan het bellen was.

'Nee, hij is op het moment niet aanwezig,' zei ze net. 'Maar ik zal het tegen hem zeggen zodra hij terugkomt van de fitness.'

Vliegensvlug maakte Monica rechtsomkeert. Als de dame het niet over Yang had gehad, zat er straks niks anders op dan terug te gaan en haar tijd te verdoen met de verschillende opties voor recepties, in een laatste poging om uit te vinden waar hij zich precies bevond.

'Goedemorgen,' zei de receptioniste van het beautycenter. 'Wat kunnen wij vandaag voor u doen?' Ze keek naar Monica's handen. 'Een manicure misschien?'

'Nee, bedankt, ik ben alleen op zoek naar de fitnessruimte.'

Liever had ze die op eigen houtje willen vinden, maar een richtingaanwijzer vertelde haar dat ze langs de receptie zou moeten.

Met gefronste wenkbrauwen keek de dame naar Monica's capribroek en loshangende bloes.

'Het is alleen maar om even te kijken voor de volgende keer,' legde Monica haastig uit.

262

'O, dat is goed. Hier rechtdoor, door de klapdeuren.'

Monica wierp eerst een blik door het vierkante raampje in een van de deuren en zag tot haar teleurstelling dat de fitnessruimte verlaten was. Omdat ze dorst had, besloot ze toch maar naar binnen te gaan. Toen zag ze hem. Hij stond in een nis bij de waterkoeler, met zijn rug naar haar toe.

'Meneer Yang!' riep ze meteen en hij draaide zich met een ruk om. Op zijn gezicht lag de brede glimlach waarmee hij steevast zijn fors betalende gasten begroette, maar die verdween ogenblikkelijk zodra hij haar herkende.

'Wie heeft u binnengelaten?' snauwde hij. 'Die krijgt op staande voet ontslag.'

'Ik ben met een van uw gasten meegereden.' Ze vond het niet prettig om zo te liegen, maar ze meende dat God het haar wel zou willen vergeven, omdat ze zo voorkwam dat iemand zijn baan zou verliezen. 'Ik zou het graag met u over uw nieuwe plannen willen hebben.'

Hij kwam wat dichter naar haar toe. Pas nu viel haar op hoe vreemd hij zijn armen hield als hij liep, alsof hij iets heel groots met zich mee droeg. In zijn fitnesskleding leek hij minder kort en gedrongen dan in zijn driedelig pak. Zijn korte broek en T-shirt waren drijfnat van het zweet.

'Ik ben er nog niet achter welke rol u heeft gespeeld bij de uitslag van de stemming van de gemeenteraad, maar ik weet zeker dat u erachter zat.' Onder het praten droogde hij zichzelf af met een grote handdoek.

Het was duidelijk dat hij loog. Burgemeester Oupa had hem ongetwijfeld precies verteld hoe de vork in de steel zat. Maar hij beschermde zo niet alleen de burgemeester, hij beschermde ook zijn eigen reputatie; het zou immers niet verstandig zijn toe te geven dat hij geheime banden met een gekozen regeringsvertegenwoordiger onderhield.

'Ik zou het een goed idee vinden als u de families die door u zijn onteigend eens een bezoek zou brengen,' zei Monica. Door een beroep te doen op zijn inlevingsvermogen wilde ze hem een kans geven zich van zijn beste kant te laten zien, maar hij ging gewoon door met zijn oefeningen.

'Stelt u zich eens voor hoe u zich zult voelen als u een balletje slaat op de nieuwe golfbaan,' drong ze aan. 'Zult u zich dan niet schuldig voelen bij de gedachte aan de gezinnen die u uit hun huis hebt verjaagd?'

'Ik speel nooit golf,' mompelde hij, terwijl hij het gewicht boven zijn schouders tilde.

Monica was zo woedend dat ze wel had kunnen gillen. Of hij nu wel of geen golf speelde, maakte voor Daphne, Miemps en Reg natuurlijk geen verschil, maar voor haar zei deze ene simpele opmerking alles over zijn ambitie en hebzucht.

'Ik ben trouwens van plan een bezoekje te brengen aan het ministerie van Delfstoffen,' zei ze.

Met een klap viel het gewicht op de grond. 'Een goed idee,' zei hij, maar zijn gemaakte glimlach en afgemeten stem konden niet ongedaan maken dat hij zich had verraden.

In de hoop te ontdekken waarom het hem zo van zijn stuk bracht dat zij inzage zou krijgen in zijn deal met de overheid, bleef ze aanhouden: 'Het kan niet anders of zo'n belangrijke diamantvondst is goed gedocumenteerd. Iedereen wil graag weten waar de steen precies is gevonden en door wie.'

Voor zover ze wist, was zij de enige die vermoedde dat DeVilliers de vinder was. De rest van de stad geloofde nog steeds dat hij geld had gewonnen.

'Ik kan u de reis wel besparen,' zei Yang nu. 'De ambtenaar die de documenten heeft opgesteld, komt hier maandag langs.' Ze trok haar wenkbrauwen op en hij voegde er haastig aan toe: 'Om de puntjes op de i te zetten.'

Deze samenloop van omstandigheden was te toevallig om niet verdacht te zijn. Wilde hij soms niet dat ze bij het departement zou gaan rondneuzen? Was hij bang dat ze daar slapende honden wakker zou maken onder de medewerkers die niet in het complot zaten? Want dat er sprake was van een complot, daar was ze inmiddels wel zeker van.

'Goed, dan kom ik maandag terug,' zei ze. 'En ik reken erop dat ik dan zonder problemen wordt toegelaten.'

'Uiteraard. En als u zo dadelijk op weg naar de uitgang toch langs het restaurant komt, neem dan een ontbijt op mijn kosten.'

Met hernieuwde ijver wierp hij zich op een nog zwaarder gewicht. Zodra hij zijn armen boven zijn hoofd gestrekt had, ademde hij luidruchtig uit en liet toen het gewicht langzaam weer zakken. Dit herhaalde hij negen keer, voordat hij weer naar zijn handdoek greep.

'Overigens was het mij ernst met die uitnodiging om de gezinnen van Sandpiper Drift te bezoeken,' zei Monica.

Hij leek verbaasd dat ze er nog steeds stond. 'Ik vlieg er elke avond op de terugweg naar Kaapstad in mijn helikopter overheen. Dat lijkt mij voldoende.'

Zonder hem te groeten duwde Monica de klapdeuren open en liep weg.

Vanuit het raam van de woonkamer kon Francina nog net de toppen van de koppies zien. Ze staken boven de daken van de winkels en de galerieën aan de overkant van de Hoofd-straat uit. En als ze op het balkon ging staan had ze uitzicht op het park met daarachter de oceaan. Dat glinsterende lint in de verte was een acceptabele vergoeding voor het verlies van het onbelemmerde uitzicht op de koppies en van de mogelijkheid om in bad televisie te kijken.

Het was zaterdag en Francina was al vroeg naar Hercules' flat gegaan om die ter gelegenheid van de komst van zijn moeder een grote beurt te geven. Tegen de middag deed ze de laatste inspectieronde. De houten vloeren glommen als nieuw. Voordat Hercules in het appartement trok, had Francina op haar knieën de geelhouten planken geschuurd, net zo lang tot ze de laatste laag oude boenwas had verwij-derd en de vloer er weer naakt bij lag. Daarna had ze er een

dun laagje boenwas in gewreven en de planken stevig gepo-
lijst. Hercules had alle muren wit geschilderd en tegen zijn
advies in had zij nieuwe gordijnen genaaid. Zeker, ze had
haar tijd beter aan haar studie kunnen besteden, maar onder
geen beding wilde ze een van de oude gordijnen uit Dundee
in haar nieuwe huis.

Vanochtend had ze met bleekmiddel de hele badkamer
onder handen genomen. Het raam stond wijd open om de
sterke geur te laten vervliegen. Het bad was jammer genoeg
niet groot genoeg om languit in te kunnen liggen, maar ze
was al blij dat er een bad was. De moeder van Hercules sliep
licht en zou daarom de achterkamer krijgen aan de rustige
zijstraat, terwijl hijzelf de slaapkamer met het balkon aan de
Hoofdstraat zou nemen. Monica had gezegd dat Francina
rozen uit de tuin mocht plukken wanneer ze maar wilde, en
nu stond er een vaas vol met perzikkleurige knoppen op de
vloer van mevrouw Shabalala's kamer.

In het keukentje hing nog steeds een vage azijngeur, ook al
was het ruim een uur geleden dat Francina de kranen had
gewreven. Ze vulde een jampot met water en liep naar het
balkon om haar tomatenplanten te inspecteren. Ze gedijden
hier prima in de droge lucht en de warmte van de zon, dus
het zou niet lang meer duren of ze kon ze uitzetten in
Monica's tuin. Gelukkig hadden ze hier geen last van waterbesparende maatregelen. Terug in de keuken vulde ze een
kan met water en zette die in de koelkast, naast de kippenra-
gout die ze gisteren in Jabulani Cottage had gemaakt.
Reizigers kwamen altijd met een lege maag op de plaats van
bestemming aan.

Een zachte bries duwde tegen de vitrages die moesten verhinderen dat de overburen in de woonkamer zouden kijken.
Er was niets meer te doen, behalve wachten op Hercules en
zijn moeder. Het was aardig van mevrouw Shabalala om te
willen verhuizen. Heel wat moeders zouden dat geweigerd
hebben en alles in het werk hebben gesteld om hun zoon

weer naar huis terug te lokken. Dat was nou zo'n Zulu-gewoonte waar de blanken niets van begrepen. Je trouwde niet alleen met een man, je trouwde met een hele familie. Voor sommige jonge vrouwen was dat reden genoeg om 's nachts hun kussen nat te huilen, maar zelfs de vreselijkste schoonmoeder was een grote hulp als er kinderen kwamen. Francina had geen goed woord over voor de blanke groot-moeders van tegenwoordig, die alleen met de zorg voor de kleinkinderen wilden helpen als hun tennislessen, lunches buiten de deur en buitenlandse reisjes er niet onder leden. Nog nooit had ze een Zuluvrouw horen klagen dat haar moeder of schoonmoeder geen vinger uitstak. En wanneer de schoonmoeder oud werd, was het de beurt van de schoondochter om voor haar te zorgen. Het was al verdrietig genoeg dat er tegenwoordig schoondochters bestonden die hun plicht verzaakten en zo een schandvlek vormden voor het hele Zuluvolk. Hoe iemand een bejaard familielid in een ziekenhuis kon dumpen en nooit meer terugkomen, was iets wat Francina nooit zou kunnen begrijpen.

Beneden klingelde de winkelbel en even later klonken er voetstappen op de trap. Vlug haalde ze de ragout uit de koelkast en zette hem op het fornuis. Daarna streek ze haar jurk glad en wachtte op de binnenkomst van de vrouw met wie ze haar huis zou delen, al de jaren die God hun op aar-de nog geven zou.

'Welkom, Mama,' zei ze, toen mevrouw Shabalala boven aan de trap was gekomen. De oude dame was zo buiten adem dat ze even niets terug kon zeggen. Francina pakte haar han-den, kuste haar op beide wangen en schonk een glas water voor haar in, dat ze dankbaar in ontvangst nam.

Terwijl Hercules beneden het meubilair uit de aanhangwa-gen laadde, leidde Francina haar schoonmoeder in de flat rond.

'Het is overal zo schoon,' zei de oude vrouw. 'Ik zal mijn best doen om het zo te houden.'

Francina glimlachte haar toe. Het was heel begrijpelijk dat ze nerveus was, na zo veel jaren in een eigen huis te hebben gewoond, maar als ze zich allebei flexibel opstelden en hun gevoel voor humor bewaarden, kwam het allemaal prima in orde.

Tweeëntwintig

D e kinderen hoorden hen het eerst. Ze kwamen met fladderende armen de zondagsschool uit stormen en bootsten het vogelgekrijs na in een oorverdovende welkomstgroet.

Dominee Van Tonder onderbrak zijn preek. 'Is dat wat ik denk dat het is?'

Sipho, die direct naast het gangpad zat, kwam overeind en liep naar het raam. 'Ze zijn terug,' fluisterde hij duidelijk hoorbaar.

Monica beduidde hem dat hij weer moest gaan zitten en iedereen keek naar dominee Van Tonder om te zien of hij zijn preek zou voortzetten. De predikant glimlachte naar zijn gemeente. 'Volgens mij is dit een teken van de Heer dat wij Hem mogen danken voor het aanbreken van een nieuw seizoen.'

'Amen!' zei Francina hardop, waarmee ze alle ogen naar zich toe trok. De mensen hier zeiden alleen iets als ze aan de beurt waren, niet zomaar als ze er zin in hadden.

'Amen,' zei dominee Van Tonder echter ook, 'en dank je wel, Francina, voor het enthousiasme dat God meer dan toekomt voor zijn zegen.'

Er ging een gemompel door de rijen.

'Ik zie dat we een gast hebben vandaag. Francina, zou je je

vriendin aan ons willen voorstellen?'

Francina ging staan. 'Mag ik jullie voorstellen: mevrouw Ntombi Shabalala, mijn vriendin en binnenkort mijn geachte schoonmoeder.'

Iedereen klapte en Francina ging met een brede glimlach op haar gezicht weer zitten. Onmiddellijk kwam ze echter weer overeind en onder daverend applaus deelde ze mee dat iedereen voor de bruiloft was uitgenodigd.

Monica keek naar Hercules, die op de voorste rij zat in afwachting van het moment waarop hij als de nieuwe koordirigent zou worden voorgesteld. Hij had zijn ogen wijd opengesperd. Lieve help! Francina was blijkbaar voor de verleiding van de spotlights bezweken en had meer gezegd dan de bedoeling was.

Dominee Van Tonder ging hen voor in dankgebed voor de terugkeer van Lady Helens kleine zwervers. Daarna deelde hij mee dat hij de mededelingen vanochtend maar zou overslaan. Ze stonden toch allemaal in het kerkblad en dit was per slot van rekening het moment voor een welkomstfeest. Een feest op een later tijdstip zou mosterd na de maaltijd zijn.

'Maar voordat jullie naar buiten gaan,' vervolgde hij, 'wil ik jullie eerst nog Hercules Shabalala voorstellen. Sommigen van jullie kennen hem al als een prima geschiedenisleraar, maar vanaf nu is hij ook de man die hier het dirigeerstokje zwaait. Ik weet dat hij zijn debuut eigenlijk pas zou maken bij het lenteconcert, dat overigens volgende week gehouden zal worden nu onze gevederde vrienden zijn teruggekeerd, maar ik hoop dat we hem kunnen overhalen om het koor nu al een loflied te laten zingen op deze fantastische dag.'

Hercules stond op en dankte met een buiging voor het applaus. Daarna haalde hij iets uit zijn borstzakje wat eruitzag als een pen, en trok het net zo lang uit tot iedereen kon zien dat het een dirigeerstokje was. Op de gezichten van de dames van het koor verscheen een verwachtingsvolle glimlach. Hercules hief het stokje en het werd doodstil.

Zodra het stokje omlaag zwaaide, zette het orgel de openingsregels van 'Amazing Grace' in. Het was echter meteen duidelijk dat dit geen traditioneel arrangement was, maar een vlotte jazzversie. Het koor begon en de iele stemmen die in het verleden soms zelfs door de ventilator werden overstemd blaakten nu van zelfvertrouwen, wat resulteerde in een volle, rijpe klank. Ze hadden de afgelopen tijd geprobeerd een octaaf hoger te zingen dan eigenlijk paste bij hun stemmen, en nu iedereen zijn eigen register had gevonden, volgden klank, ritme en volume vanzelf. Ze begonnen heen en weer te wiegen en Monica zag met open mond hoe het ene na het andere gemeentelid hun voorbeeld volgde. Hercules knipte ritmisch met zijn vingers en de koorleden deden hem na. Francina zat te popelen om zich uit de rij te wringen en zich bij hen te voegen.

Achter uit de kerk klonk plotseling handgeklap op de maat van de muziek. Monica draaide zich om. Daar stond Gift, rechtop, met haar handen hoog boven haar hoofd, helemaal in vervoering. Naast haar, een beetje vermagerd maar verder weer de oude, stond David. Toen schoot ook Monica overeind en begon in haar handen te klappen. Daarna Francina, en toen alle anderen in hun rij, zelfs Sipho. En langzamerhand, als een vloedgolf die kwam aanrollen vanaf de achterste bank, kwam rij na rij overeind totdat de hele gemeente stond.

Sommigen klapten precies in de maat, anderen zaten er voortdurend naast, maar dat gaf allemaal niet. Het enige wat telde, was dat iedereen meedeed en ervan genoot, zonder zichzelf ook maar één moment te voelen staan. Zou Hercules dezelfde reactie hebben losgekregen als de vogels niet halverwege de zondagse eredienst waren teruggekomen? Ze zouden het nooit weten, maar iedereen zou zich deze dag blijven herinneren, de eerste lentedag waarop de mensen van het Kerkje aan de Lagune een uitlaatklep hadden gevonden voor de vreugde die ze altijd hadden gevoeld, maar nooit hadden kunnen uiten.

Dominee Van Tonder sprak de zegen uit en Sipho stormde naar buiten, sprong van de stoeptreden naar beneden en rende recht tegen de krachtige oceaanwind in. 'Hoera!' schreeuwde hij, breidde zijn armen uit en ademde diep de zilte lucht in.

Als een grote, donkere wolk verduisterden de vogels de zon. Monica bleef een beetje achter en vroeg zich af hoe ze op een dag als deze het onderwerp kon aansnijden dat ze nog steeds met Sipho moest bespreken. Ze had alles ervoor geregeld. Francina, Hercules en mevrouw Shabalala zouden Mandla uit de zondagsschool halen en zij zou wachten tot iedereen weg was en dan met Sipho praten. Voorlopig leek echter niemand aanstalten te maken om weg te gaan. De gemeente dromde in groepjes samen rond het kerkgebouw en iedereen tuurde naar de lucht en bewonderde luidruchtig de landingstechnieken van de verschillende vogelsoorten. En de vogels bleven maar komen, totdat op het laatst de donkere wolk zich oploste en verdween.

'Moet je de zeemeeuwen zien,' zei Sipho.

De meeuwen zaten dicht opeengepakt, met hun ruggen naar elkaar, en overzagen met waakzame blikken het territorium waarover zij een seizoen lang met ongerichte woede heerschappij hadden geoefend. Terwijl het uitgehongerde invasieleger met veel lawaai de oude visplekjes weer opzocht, vlogen de meeuwen op in de richting van het strand, hun eenparig gekrijs een laatste wanhopig vertoon van bravoure.

Ook de mensen begonnen nu hun lege magen te voelen en het duurde niet lang of Monica en Sipho waren de enige mensen tussen de duizenden vogels.

'Waar is Mandla?' vroeg Sipho, die zich plotseling weer bewust werd van de wereld buiten het kleine ecosysteem van de lagune.

'Met Francina mee naar Hercules' nieuwe huis. Wij gaan er

straks ook heen voor het middageten.'

Ze haalde diep adem. Nu moest het ervan komen.

'Sipho,' begon ze, 'ben jij je potlodendoos soms kwijt?'

Hij sloeg zijn ogen neer, maar ze had al gezien dat de geestdrift in zijn ogen plaatsmaakte voor paniek.

'Nee,' mompelde hij.

Nog nooit eerder had hij tegen haar gelogen en het deed haar verdriet dat hij er nu mee dacht te moeten beginnen. Maar liegen was nog niet hetzelfde als een misdaad begaan en ze weigerde te geloven dat hij met de haaienkooi had geknoeid, zoals Kitty had gesuggereerd. Pas als hij het met zoveel woorden toegaf, zou ze hem geloven, en dan nog zou ze zich afvragen of hij er misschien toe gedwongen was. Ze kon alleen maar proberen de ware toedracht te achterhalen.

Ze hield hem de potlodendoos voor die Kitty haar had gegeven.

'Volgens mij ben je deze verloren.'

'Hoe kom je daaraan?' vroeg hij. Het klonk benauwd.

'James heeft hem gevonden bij zijn botenhuis op de dag van het ongeluk met de kooi.'

Sipho barstte in tranen uit en Monica dacht dat haar hart stilstond.

'Het was niet de bedoeling,' snikte hij. 'Ik zei het alleen maar.'

'Die man had wel dood kunnen zijn,' zei Monica, die met moeite haar eigen tranen bedwong.

'Hij vroeg aan mij hoe we er een eind aan zouden kunnen maken en ik... O, Monica, ik wist niet dat hij het ook echt zou doen.'

Hij sloeg zijn armen om haar middel en ze voelde zijn lichaam schokken van het snikken.

'Wie is die hij?' vroeg ze. Ze pakte hem bij zijn schouders en duwde hem een beetje van zich af, zodat ze hem kon aankijken. 'Sipho, over wie heb je het?'

'Over Brian, je weet wel, die we in het ziekenhuis hebben gezien.'

Monica herinnerde zich de tiener met alcoholvergiftiging nog heel goed. Sipho was duidelijk geïntimideerd geweest. Ze had geen idee gehad dat ze tegenwoordig vrienden waren.

'Hij zit ook op de club van natuuronderzoekers. Op dinsdag heeft hij mijn potlodendoos afgepakt en hij zei dat ik hem pas terugkreeg als ik vertelde waar James de haaienkooi had staan. Dat heb ik verteld, maar hij gaf hem nog niet terug. De volgende dag vroeg ik er weer om en hij wilde hem uit zijn rugzak pakken, maar kon hem niet vinden. Hij was echt boos en zei een paar heel lelijke woorden. Ik denk dat hij al voor schooltijd naar het botenhuis is gegaan en dat de potlodendoos uit zijn tas is gevallen toen hij met de kooi aan het rommelen was.'

'Wat heeft hij tegen het voeren van de haaien?'

Sipho rilde onwillekeurig. 'Ik had aan de hele club uitgelegd waarom het verkeerd was. Maar ik heb nooit gezegd dat we er iets aan moesten doen. Ik zou er nooit over begonnen zijn als ik had geweten dat iemand zoiets zou uithalen, dat moet je geloven.'

Ze was zo opgelucht dat ze hem het liefst in haar armen had gesloten, maar ze wist dat ze hem eerst nog vanwege die leugen de mantel moest uitvegen. Hij hoorde haar met neergeslagen ogen aan en toen ze uitgesproken was, zei hij: 'Het spijt me dat ik over die potlodendoos heb gelogen. Ik was bang dat je boos zou zijn omdat ik hem had laten afpakken.'

'Sipho,' zei ze, 'er zijn allerlei soorten mensen op de wereld. Sommigen zijn lichamelijk heel sterk – zoals de jongen die je potlodendoos afpakte – en anderen, zoals jij, hebben weer een heel ander soort kracht.'

'Ik?' zei hij verbaasd.

'Je lijkt op je moeder, Sipho. Ze was intelligent en als zij iets zei, luisterde iedereen.'

Hij knikte, vol van het idee dat hij op zijn moeder leek. Tot

nu toe had hij altijd te horen gekregen dat Mandla het even-
beeld van zijn moeder was.

Monica omhelsde hem stevig. 'Dank U, God,' fluisterde ze,
'voor die lieve jongen van mij.'

'Hoe moet het nu met Brian?' vroeg Sipho, toen ze hem weer
losliet.

'Ik denk dat ik het beste alles aan meester D. kan vertellen.'

Sipho knikte. 'Hij weet wel wat er dan moet gebeuren.'

Hand in hand liepen ze over het wad. Het gesop van hun
laarzen werd overstemd door het vogelkoor.

De volgende ochtend belde Monica meester D. en die zei
dat hij om vijf uur wel even tijd voor haar had. Het kwam
haar goed uit, omdat ze ook nog naar het golfcomplex
moest voor haar afspraak met de ambtenaar van het ministerie. Ze verweet zichzelf dat ze niet naar het exacte tijdstip
van het bezoek had geïnformeerd. Haar telefoontjes naar het
kantoor van Yang hadden deze morgen niets opgeleverd. Als
ze daar de hele dag moest zitten wachten, zou ze dat doen,
maar er stond vandaag meer op het programma, zoals het
verslaan van de komst van de Amerikaanse directeur van
een reclamebureau. Zijn firma, die in Kaapstad gevestigd
was, had burgemeester Oupa benaderd met het verzoek in
de Hoofdstraat een reclamefilmpje voor een bepaald auto-
merk te mogen opnemen en, geloof het of niet, de burgemeester had over deze kwestie een publiek debat georganiseerd met aan het eind een informele stemming. Aangezien
de stad geld zou krijgen voor het beschikbaar stellen van de
locatie en met dat bedrag de beademingsapparatuur van het
ziekenhuis in één keer zou zijn afgelost, had iedereen bij
handopsteken voor gestemd. Politieke transparantie was pas
in een heel laat stadium in Zuid-Afrika geïntroduceerd, en in
Lady Helen het laatst van al, maar beter laat dan nooit.

Halverwege de ochtend smeekte Yangs secretaresse Monica
om niet meer te bellen.

'Ik heb me te houden aan wat hij zegt,' verklaarde ze, 'en hij wil nu eenmaal geen telefonisch contact met u.'

'Kunt u me dan misschien vertellen hoe laat zijn ontmoeting met de ambtenaar van het ministerie van Delfstoffen gepland staat?'

Het was even stil. De secretaresse bladerde in de agenda.

'Ik heb hier niet zo'n ontmoeting staan, maar' – ze dempte haar stem tot een fluistering – 'er is op dit moment wel iemand bij hem. Normaal gesproken maak ik al zijn afspraken voor hem, maar deze man kwam onaangekondigd binnen en meneer Yang heeft me nog steeds niet verteld wie hij is. Ze zijn samen vertrokken, maar ik weet niet waarheen.'

Vlug belde Monica Kitty op om door te geven dat ze later dan de bedoeling was naar Abalone House zou komen voor het geplande interview met de Amerikaan. De vijandige stemming die tussen hen beiden had geheerst was als sneeuw voor de zon verdwenen nadat Monica haar de vorige dag had verteld dat niet Sipho met de kooi had geknoeid.

'Ik stond net op het punt jou te bellen,' zei Kitty. 'Hij is naar zijn kamer gegaan om een dutje te doen en wil niet gestoord worden. Het is negentien uur vliegen van Atlanta naar Kaapstad en dat gaat een mens niet in de koude kleren zitten.'

'Dan kom ik morgenochtend wel.'

'Het kan best dat hij tot dan toe doorslaapt. Of anders' – Kitty kreunde even bij de gedachte – 'anders zul je zien dat hij rond middernacht wakker wordt en een maaltijd bestelt. Waarom heb je trouwens zo'n haast? Hij heeft voor een hele week geboekt.'

'Ik zou hem graag willen overtuigen van de voordelen van de inzet van lokale arbeidskrachten. We beschikken hier over mensen met allerlei talenten, het is helemaal niet nodig om die met busladingen vol uit Kaapstad aan te voeren.'

Kitty grinnikte zacht.

'Waar lach je nou om?'

'Ik had zojuist een toekomstvisioen. Jij zat aan het bureau van burgemeester Oupa – aan zijn kant welteverstaan.'

'Doe niet zo gek,' mopperde Monica.

'Ik doe helemaal niet gek. Zijn ambtstermijn loopt over een jaar af en dan komen er verkiezingen.'

Na het telefoongesprek met Kitty reed Monica opnieuw naar het golfcomplex. Yang had woord gehouden en de bewaker bij de poort liet haar ongehinderd passeren.

Ze vond hem op de plek die voor haar het minst geschikt was. Zodra ze de deur van de bar openduwde, draaiden alle hoofden zich in haar richting. Hoewel het amper elf uur was, waren de lampen in hun rijk bewerkte gietijzeren houders al aan, en het vertrek zag blauw van de rook. Meer dan twintig paar ogen keken eenparig naar de klok boven de lange, geboende bar. Bij haar eerste bezoek had de bewaker haar al gewaarschuwd deze bar te mijden, omdat tot aan het diner alleen mannen werden toegelaten. Na hun blik op de klok richtten de ogen zich weer dreigend op de indringster om te zien of die het zou wagen ook maar één voet over de drempel te zetten.

Je moet net doen alsof het kwaadaardige honden zijn, praatte ze zichzelf moed in. *De kunst is niet te laten merken hoe bang je bent, anders gaan ze juist bijten.*

Ze deed niet een, maar drie stappen. Twee mannen, die net bij de bar vandaan kwamen, versperden haar de weg en gingen geen centimeter opzij. Toen ze verder wilde lopen, maakten ze haar dat onmogelijk door hun glas aan de lippen te zetten en haar zo met hun ellebogen tegen te houden.

Als ze nou Yang maar ergens zag! Het zou al moeilijk genoeg zijn zich door deze vijandige mensenmenigte heen te werken, maar van haar gevoel van eigenwaarde zou weinig overblijven als ze zich ook nog eens al zoekend zigzaggend door de ruimte moest voortbewegen.

Ze ontweek de ellebogen door zich te bukken en zich langs de mannen te wringen, en herhaalde de manoeuvre nog eens bij de volgende onverbiddelijke kluwen.

'Je bent op de verkeerde plaats, meissie,' zei een potige kerel. Zijn gezicht was lelijk door de zon verbrand; of was hij misschien al verhit door de drank?

'Klopt,' viel zijn vriend hem bij. 'Voor een nagelbehandeling moet je die kant op.'

Beide mannen leken het een bijzonder geslaagd geintje te vinden en ze gierden als een stel hyena's.

'Bent u verdwaald?' vroeg de barman, een oudere man met een wit schort voor.

'Nee, hoor,' zei ze.

'Nou, het spijt me wel, maar ik kan u pas na het diner van dienst zijn.' Zijn verontschuldiging leek oprecht gemeend. 'De regels staan in het handboek voor de leden.'

Het is toch wel opvallend, dacht Monica, *dat zelfs de belachelijkste regels geloofwaardig worden als ze maar zwart op wit staan.* Neem bijvoorbeeld die kleinzielige regeltjes van de apartheid, die inbreuk maakten op alle aspecten van het gewone, alledaagse leven. Elk van die regels was in volle ernst in het parlement ter tafel geweest. Zwarten mochten alleen wonen, winkelen, eten en spelen op de plaatsen die daarvoor speciaal waren aangewezen. Als ze ooit in blanke wijken kwamen, dan was dat om er te werken, en dan nog alleen in dienende beroepen. Nooit en te nimmer, onder geen enkele omstandigheid, konden zij uitgaan met een blanke, laat staan met een blanke trouwen. Monica kon zich nog steeds niet voorstellen hoe ze ooit aan Sipho en Mandla had moeten vertellen dat ze niet met de andere kinderen in de speeltuin mochten spelen, omdat hun huid niet de juiste kleur had.

Ze stond op het punt de barman eens haarfijn te vertellen wat ze van de regels dacht, toen Yang opdook. Met een brede grijs op zijn gezicht breidde hij zijn armen uit in een gemaakt welkomstgebaar.

'Laten we maar gauw ergens anders heen gaan, voordat er

278

ongelukken gebeuren,' fluisterde hij in haar oor.

Vlak achter hem stond een kleine man met een aktetas; dat moest de ambtenaar zijn.

Yang ging hen voor naar de administratieve vleugel, langs zijn secretaresse, die het plotseling erg druk had en oogcontact met Monica vermeed.

'Drie koffie,' riep Yang haar toe, voordat hij de deur van zijn kantoor dichtdeed. Hij nam plaats achter een bureau van glas en metaal en begon door een stapel memo's te bladeren. Monica vroeg zich af of er misschien een bericht van Daphne tussen zat. Het viel haar op dat de andere man zonder toestemming af te wachten op de zwartleren sofa ging zitten, alsof hij hier helemaal thuis was.

'Ga zitten, alsjeblieft,' zei Yang toen tegen haar. 'Ik wil je graag voorstellen aan Pieter van Jaarsveld, beleidsmedewerker van de afdeling mijnbouw van het ministerie van Delfstoffen.'

De ambtenaar ging staan, maar stak zijn hand niet uit. Hij was blijkbaar nog van de oude stempel – uit de tijd dat alleen mannen elkaar een hand gaven en vrouwen slechts een knikje kregen wanneer ze werden voorgesteld. Hij had een dun snorretje en zijn haar was keurig opzij gekamd. Zijn pak was van dure makelij, maar weinig smaakvol, en het stonk naar rook.

'Heeft u bezwaar?' vroeg hij, terwijl hij een pakje sigaretten tevoorschijn haalde.

Ze wilde zeggen dat ze dat inderdaad had, maar Yang was haar voor. 'Ik wel, Pieter, en dat weet je heel goed.'

Van Jaarsveld keek eerder geërgerd dan beschaamd. Er was iets vreemds aan de verhouding tussen beide heren, vond Monica. Yang was duidelijk in het voordeel en eigenlijk zou je eerder andersom verwachten. Misschien was ze te naïef; het kwam overal ter wereld voor dat rijke mannen bijzondere relaties onderhielden met allerlei functionarissen uit de publieke sector.

Ze ging zitten in een van de leren fauteuils tegenover het bureau en verschoof die een beetje zodat ze beide mannen kon zien. Een kleurrijk abstract van reusachtige afmetingen domineerde de ene muur en aan de andere hing een vergrote luchtfoto van het hele terrein. De huizen van Sandpiper Drift stonden weggedoken aan de rand.

Ze haalde net haar notitieblok tevoorschijn toen de secretaresse met de koffie binnenkwam.

'O, nee, daar komt niks van in,' blafte Van Jaarsveld en hij zwaaide dreigend met zijn pakje sigaretten. Van schrik liet de secretaresse bijna het dienblad vallen.

'Maar meneer Yang zei...'

'Hij heeft het tegen Monica,' zei die en beduidde de vrouw dat ze de koffie op zijn bureau moest zetten.

'Deze ontmoeting is *off the record*,' zei Van Jaarsveld. Het klonk nog steeds ruw.

Monica keek naar Yang. Die knikte. De vergadering begon een vreemd verloop te krijgen.

'Alles wat u weten wilt, staat hierin,' zei de regeringsfunctionaris toen. Hij haalde een dossiermap uit zijn tas en overhandigde die aan haar. Ze bladerde erdoorheen. Er zaten kopieën in van de oorspronkelijke overeenkomst tussen de regering en de stad Lady Helen, plus het oude contract dat was opgesteld door Yang en het kunstenaarscollectief dat Lady Helen had herbouwd – ze herkende de handtekening van de jonge S.W. Ten slotte ontdekte ze de onder ede opgestelde verklaring van de diamantvondst die het balletje van de ontmanteling van Sandpiper Drift aan het rollen had gebracht. De handtekening en de naam waren echter met zwarte inkt onleesbaar gemaakt.

'Dat is om de identiteit van die persoon te beschermen,' zei Van Jaarsveld, toen hij haar opgetrokken wenkbrauwen zag. 'Hij heeft er geen zin in om door de media achterna te worden gezeten.' En haastig voegde hij eraan toe: 'Ik bedoel u natuurlijk niet, maar die kerels met hun grote flitsers, die in je persoonlijke leven gaan graven.'

Monica dwong zichzelf tot een glimlach bij dit indirecte compliment dat haar boven het niveau van de riooljournalistiek had verheven. Het was helemaal niet ondenkbaar dat iemand zijn identiteit liever verborgen wilde houden. Loterijwinnaars bijvoorbeeld deden dit vrijwel altijd, om te voorkomen dat ze belaagd werden door verloren gewaande verwanten en vrienden met allerlei dringende hulpvragen. Een man die een flink geldbedrag had gevangen voor het vinden van een diamant zou heel goed dezelfde behoefte kunnen hebben.

Volgens het verdrag tussen de regering en de stad had iemand die een diamant vond en netjes inleverde echter geen recht op compensatie, aangezien hij niet meer deed dan zijn burgerplicht. Dit moest ze onthouden.

Tot haar teleurstelling ontdekte ze nergens een bewijs voor haar vermoeden dat DeVilliers de zogenaamde gelukkige vinder was geweest. Ze zou het dus uit zijn eigen mond moeten horen, wat een probleem kon worden omdat haar eerdere ontmoeting met hem niet bepaald veelbelovend was verlopen.

'Mag ik een paar kopieën maken?' vroeg ze Van Jaarsveld.

Die aarzelde. Hoewel Monica niet naar Yang keek, kon ze in het grote, platte televisiescherm zijn spiegelbeeld zien. Hij knikte.

'Geen probleem,' zei Van Jaarsveld toen met een gulle lach.

Yang drukte op een knop op zijn bureau en binnen een paar seconden verscheen de secretaresse. 'Onze gast heeft een paar kopieën nodig.' De vrouw verdween met medeneming van het dossier.

Yang ging staan. 'Het was me een genoegen,' zei hij.

'Ik heb nog een vraag,' zei Monica. 'Hoeveel tijd hebben de inwoners nog voor ze hun huis uit moeten?'

'Wat mij betreft hoeft de overdracht pas over twee maanden plaats te vinden.'

Monica was stomverbaasd bij het horen van dit makelaarsjargon, dat de indruk wekte dat Yang in eigen persoon langs zou komen om de sleutels in ontvangst te nemen, terwijl hij in werkelijkheid de sloopploeg erop af zou sturen.
'Kunt u een datum noemen?'
'Een datum? Goed, laten we zeggen 7 december.'
Hij zei het zo luchtig alsof het over een afspraak bij de tandarts ging. Maar in ieder geval hadden ze dus nog twee maanden om te proberen Sandpiper Drift te redden. De genoemde datum viel precies een week na de bruiloft van Francina.
'Op die manier is het land voor de kerstvakantie bouwrijp,' zei Yang, die bijzonder in zijn nopjes leek met deze regeling. 'Als mijn mensen op 15 januari terugkomen van vakantie, kunnen ze meteen met de bouw beginnen.'
Monica kon haar oren niet geloven. Hij had het land pas in januari nodig, en toch was hij van plan de bewoners nog voor de kerst uit hun huizen te zetten! Kende zijn hardvochtigheid dan geen grenzen?
Ze had eigenlijk nog wel meer vragen, maar de mannen deden zo duidelijk hun best haar kwijt te raken dat ze wel begreep dat haar tijd om was.
Onderweg naar buiten ging ze nog even bij de secretaresse langs om haar kopieën op te halen en te bedanken voor de koffie.
'Hebben al die mensen al een ander huis gevonden?' fluisterde de vrouw tegen haar, met een blik naar de deur van het kantoor.
'Nee,' antwoordde Monica, 'maar het is attent dat u ernaar vraagt. Meneer Yang heeft dat nooit gedaan. Het probleem is dat het geboden bedrag niet voldoende is om een huis in de stad van te kopen.'
De secretaresse knikte. 'Het zit me echt dwars dat...' Ze brak meteen af toen de deur van Yangs kantoor openging en Van Jaarsveld naar buiten kwam. Monica voelde haar angst en zei: 'Bedankt voor de kopieën.'

'Graag gedaan,' zei de secretaresse met een geforceerde glimlach.

Monica zwaaide nog even naar Van Jaarsveld en liep toen de administratievleugel uit. Haar bezoek had dan wel geen definitieve antwoorden opgeleverd, maar ze had wel een luisterend oor gevonden – een bondgenoot zelfs – en dat midden in vijandelijk gebied.

Die middag schaafde ze een paar artikelen bij die ze al eerder had geschreven, selecteerde een aantal ingezonden brieven voor plaatsing en zat daarna nog een poos te piekeren over de ontmoeting van die ochtend. Ze ging een kwartiertje eerder weg dan anders en thuisgekomen vroeg ze of Francina iets langer wilde blijven, omdat zij nog iets belangrijks moest afhandelen. Sipho ving haar blik op en knikte ernstig. Francina zei dat ze nog wel een uur overhad, maar langer ook niet, want in Jabulani Cottage lag de *couture* op haar te wachten. Monica verbeet een glimlach. Francina's Engelse taalgebruik was een stuk complexer geworden en alsof dat nog niet genoeg was, begon ze nu ook al met Franse woorden te smijten!

Ze was nog maar net aan de korte wandeling naar het schoolgebouw begonnen, of de hemel begon dicht te trekken en toen ze bij de school aankwam, waren de koppies gesluierd met een zwaar wolkendek. Ze wachtte buiten tot meester D. beschikbaar zou zijn. Er kwam een vader langs die zijn zoontje aan een lange handel voortduwde op zijn driewielertje. Mandla kon inmiddels al zelf trappen, maar zo'n handige constructie zou haar een heleboel rugpijn bespaard hebben!

De werkplaats stond op dit ogenblik leeg, maar vanaf 7 december zou iedereen die in de namiddag bij het Groene Blok moest zijn de rook van achter het hoofdgebouw omhoog zien kringelen, als de vrouw van de conciërge bezig was met de maaltijd. Het zou vast niet lang duren of haar man en kinderen waren de kleine ruimte, waar ze voortdurend op elkaars lip zaten, meer dan zat.

Langs het pad naar de voordeur bevond zich een allegaartje van bloempotten met geraniums erin. Sipho had Monica verteld dat de gewone geranium, zoals je die over de hele wereld kon aantreffen in bloembakken en op vensterbanken, van oorsprong een inheemse Zuid-Afrikaanse plant was. Bovendien behoorde hij niet, zoals iedereen dacht, tot de soort Geranium, maar tot de soort Pelargonium. Ze glimlachte bij de herinnering. Ooit zou hij zijn steentje bijdragen aan een betere wereld, of dat nu in een onderzoekslaboratorium, in een plattelandskliniek of voor de klas zou zijn.

Ondanks de lente kroop er een frisse kilte in de lucht en Monica trok haar trui aan. Op dat moment ging de deur van de school open.

'O, sorry, ik wist niet dat je er al was. Waarom kwam je niet binnen?' vroeg meester D.

'Ik stond nog even van de buitenlucht te genieten,' zei Monica schouderophalend.

Meester D. knikte. 'Op zulke momenten vraag je je altijd af hoe je het ooit in een stad hebt uitgehouden. Kom binnen, of ga je liever een stukje lopen?' Hij keek vorsend naar de lucht.

'Volgens mij is dat allemaal voor de show,' zei ze. 'Het is veel te laat in het jaar voor regen. Laten we maar gaan lopen.'

Onwillekeurig glimlachte ze om zichzelf. Binnen het jaar was ze een echte deskundige geworden op het gebied van de weersomstandigheden aan de westkust. Dat dacht ze tenminste – de wolken werden plotseling wel erg zwart.

Tot haar opluchting koos hij de route naar haar huis en bovendien viel het haar op dat hij tussen haar en de weg in was gaan lopen. Op de middelbare school had ze geleerd dat een echte heer zoiets hoorde te doen, maar ze had nog nooit een man ontmoet die zich daar ook daadwerkelijk aan hield.

'Gaat het goed met Sipho?' vroeg ze, nadat ze al een halve straatlengte hadden afgelegd zonder een woord te wisselen.

'Zeg maar gerust geweldig!'

'Fijn,' zei Monica.

'Ik geniet er zelf ook altijd van als mijn leerlingen enthousiast zijn voor hun schoolwerk.'

'Ik moet je eigenlijk iets vertellen, maar het is nogal vervelend,' zei Monica.

Hij keek bezorgd. 'Je gaat me toch niet vertellen dat je Sipho naar kostschool wilt sturen?'

Ze schudde heftig het hoofd. 'Dat zou ik nooit doen. Maar het heeft indirect wel met Sipho te maken.'

Terwijl ze hem de hele geschiedenis van Brian en de haaienkooi uit de doeken deed, werden de rimpels in zijn voorhoofd hoe langer hoe dieper en toen ze klaar was, waren zijn ogen nog maar smalle spleetjes.

'Ik wilde liever niet naar de politie gaan,' zei ze. 'Het leek me beter om het er eerst met jou over te hebben.'

Hij streek nadenkend langs zijn baard. De wolken waren nu pikzwart en ze had flink de smoor in dat ze de voorkeur aan wandelen had gegeven. Hij zou doorweekt raken als hij straks terugliep, of ze moest hem binnen nodigen.

'Brian verdient straf,' zei hij uiteindelijk. 'Zijn daad heeft ernstige gevolgen gehad en het is billijk dat hij daarvan de consequenties ondervindt. Heb je dit al aan James verteld?'

'Ja, maar ik heb beloofd dat ik niets zou doen voor ik er met jou over had gesproken.'

'Ik zal met Brian praten. Als hij alles opbiecht en spijt heeft, zal ik proberen James over te halen om de politie erbuiten te laten. Maar als Brian de hakken in het zand zet, dan zal ik James niet tegenhouden als hij de politie erbij wil halen.'

Ze stonden nu aan het begin van haar straat.

'Bedankt voor je doordachte aanpak,' zei hij tegen haar. 'Je bent een goede moeder.'

'Dank je.' Hij zou nooit beseffen hoe goed die woorden haar deden. 'Wil je misschien even binnenkomen om de storm af te wachten?'

'Nee, hoor. Je had gelijk: het is alleen maar spierballenvertoon van de natuur.'

Ze keek hem na toen hij terugliep naar de school en moest onwillekeurig weer lachen om zijn felrode *velskoens*.

Ze had rustig bij haar oorspronkelijke inschatting kunnen blijven. De wind stak op en blies de wolken terug naar de oceaan, zonder dat er ook maar een druppel regen was gevallen.

Drieëntwintig

egen de tijd dat de zomer de West-Kaap stevig in zijn greep had gekregen, had Monica zes brieven aan mevrouw DeViliers gestuurd, met op alle enveloppen de aantekening 'Privé en vertrouwelijk'. Niet een ervan was beantwoord.

Op een woensdagochtend ging Monica te voet op pad voor een interview met een Italiaanse kunstschilder, die voor een maand in Lady Helen was neergestreken om te proberen het kuststadje vast te leggen op het doek. Hij had er een schilderij van zien hangen in een huis aan de rand van het Comomeer – een doek dat Gift tijdens het vorige kunstfestival had verkocht. Gift had iedereen die het maar horen wilde gewezen op de ironie van het feit dat Lady Helen te bewonderen was in een plaats die zelf wereldberoemd was om zijn huizen en idyllische panorama's.

Hoewel Monica een afspraak met de schilder had gemaakt, belde ze vergeefs aan bij de kleine studio boven het postkantoor, die hij voor de duur van zijn verblijf had gehuurd. Ze had op kantoor nog heel wat klussen liggen, vooral saaie administratieve karweitjes die ze al dagen liep uit te stellen, maar ze had geen zin om terug te gaan. Over zes weken zouden Daphne, Reg en Miemps bezig zijn met de inrichting van hun nieuwe huis – waar dat ook mocht zijn – als zij er tenminste niet in was geslaagd Yangs plannen te dwarsbomen. Ze had één keer geluk gehad, het moest raar lopen als dat nog een tweede keer gebeurde. De pogingen die ze tot nu toe had ondernomen beloofden weinig goeds: haar brieven naar mevrouw DeVilliers haalden niets uit.

Ze zou in afwachting van de Italiaan maar een wandeling in het park gaan maken.

Op haar gemak liep ze langs de bovenrand van het amfitheater, waar Mandla het afgelopen weekend nog had zitten schateren van pret om de poppenkast. Zelfs Sipho had een paar keer gegrinnikt, zij het vooral om het uitbundige vertoon van vrolijkheid van zijn broertje, maar hij had zich sportief gedragen en niet gezeurd of ze al bijna naar huis gingen.

Boven aan de trap lag een blauwe kindertrui. Monica raapte hem op om hem straks af te geven bij het postkantoor, waar de gevonden voorwerpen van het dorp werden verzameld. Ze liep verder in de richting van het standbeeld van Lady Helen, half in de hoop dat Oscar daar weer aan het werk zou zijn. Het lot van Sandpiper Drift begon zwaar op haar te drukken en het zou haar goed doen om bij Oscar haar hart te kunnen uitstorten. Francina had haar verteld hoe weinig formeel onderwijs hij had genoten, maar misschien kwam het juist wel daardoor dat hij over zo'n diepe levenswijsheid beschikte. Hij werd niet gehinderd door een academische manier van denken en kende evenmin de afgezaagde uitdrukkingen die slechts dienden om een discussie wat cachet te geven, maar er verder niets aan toevoegden.

Ja, Oscar was de aangewezen persoon om in vertrouwen te nemen. Jammer genoeg was hij er niet. Monica ging op het bankje zitten en keek omhoog in het stenen gezicht van Lady Helen. Het was onwaarschijnlijk dat ze in haar laatste levensjaren zo sereen had gekeken als de kunstenaar haar had weergegeven. Als haar man haar inderdaad had vermoord, hoopte Monica maar dat het snel was gegaan, zodat ze niet had hoeven lijden. En misschien had Oscar het wel bij het juiste eind, en had ze hier gewoon tot aan haar dood gewoond.

Op een dag zou ze proberen de ware toedracht te achterhalen, maar op ditzelfde moment, terwijl de pelikanen laag over het glinsterende water van de oceaan scheerden en de palmbladeren ritselden in de zachte bries, was Miemps bezig met het inpakken van de snuisterijen en prullaria die samen haar levensgeschiedenis vormden, terwijl Monica bij haar pogingen om de verhuizing te voorkomen nog geen stap verder was gekomen.

Niet alleen het standbeeld van lady Helen en mevrouw DeVilliers hielden zich stil; ook Yang liet niets van zich horen. Telkens als Monica hem belde, was hij in vergadering en kon niet gestoord worden. Monica had geprobeerd de secretaresse tot een gesprek te verleiden, maar tevergeefs. Of Yang stond ernaast, of de vrouw had inmiddels spijt gekregen van haar loslippigheid.

Van Jaarsveld, de regeringsvertegenwoordiger, had haar zijn visitekaartje gegeven en zoals ze al dacht, hield hij kantoor in Kaapstad. Het was misschien een goed idee om een afspraak met hem te maken, zodat ze met hem kon praten zonder Yangs intimiderende aanwezigheid. Ze wist alleen niet wat ze hem zou moeten vragen; ze had de documenten die ze van hem had gekregen door een notaris laten controleren, en die had ze allemaal legaal en in orde bevonden. Toch was er iets met die Van Jaarsveld wat aan haar bleef knagen. Het had niets te maken met zijn verzorgde en tegelijkertijd smakeloze verschijning, maar veeleer met de onevenwichtige verhouding tussen hem en Yang. Het leek of hij voortdurend zat te wachten tot Yang hem de woorden aanreikte die hij zeggen mocht. De meest voor de hand liggende verklaring was dat Van Jaarsveld door Yang werd betaald en die beschikte beslist over voldoende financiële middelen om een niet al te hooggeplaatste ambtenaar naar zijn pijpen te kunnen laten dansen.

Burgemeester Oupa had maar een klein duwtje van haar kant nodig gehad om zijn leven te beteren, maar ze besefte wel dat de regeringsvertegenwoordiger niet zo gemakkelijk te overtuigen zou zijn. Ze zou voorzichtig te werk moeten gaan. Ze had geen enkel bewijs en als hij haar hardnekkige gevraag opvatte als een dreigement dat ze hem zou ontmaskeren – wat het in feite ook was – ging hij misschien wel gekke dingen doen, of werd hij gewelddadig.

Mevrouw DeVilliers was echter een ander verhaal. Ze was zo van streek geweest door Monica's vraag hoe de familie zich dat huis had kunnen veroorloven, dat ze op dat moment beslist niets van de diamant af wist. Dat ze Monica's brieven nu niet beantwoordde, kon betekenen dat ze het verhaal inmiddels te horen had gekregen.

Er stond Monica dus maar één ding te doen: ze moest haar hoogstpersoonlijk gaan opzoeken.

Er ging een week voorbij voordat Monica in de gelegenheid was naar Kaapstad te gaan. Ze was per slot van rekening niet alleen de enige redacteur en verslaggever van de *Lady Helen Herald*, maar was ook in haar eentje verantwoordelijk voor de opmaak en de rest van het productieproces. Ze moest zich dus aan een bepaald tijdschema houden en kon niet op stel en sprong op stap gaan als ze er zin in had. Ze kende wel plaatselijke kranten die met onregelmatige tussenpozen verschenen, maar onder Max kwam de *Lady Helen Herald* altijd stipt op tijd uit en ze was vast van plan dat zo te houden.

Er stond een andere bewaker bij de slagboom naar de woonwijk van de familie DeVilliers, en deze liet haar niet zomaar met een armzwaai passeren.

'Bij wie gaat u op bezoek?' informeerde hij.

'Bij de familie DeVilliers,' zei ze, in de hoop dat hij niet naar haar naam zou vragen en vervolgens DeVilliers zou bellen.

De bewaker controleerde de lijst op zijn klembord. 'Aha,

hier staan ze,' zei hij. De slagboom ging omhoog en hij beduidde haar door te rijden. Hoe belachelijk het ook leek, blijkbaar was het opgeven van de naam van een bewoner voldoende om toegelaten te worden.

Als ze zich nu via de intercom aan het hek van de familie DeVilliers bekendmaakte, zou ze beslist minder geluk hebben. Waarschijnlijk zou de heer des huizes de beveiligingsdienst bellen en haar laten verwijderen. Ze had geen andere keus dan buiten te wachten en dan konden er twee dingen gebeuren: of DeVilliers ging weg, of een van de buren vertrouwde het niet, zo'n wildvreemde vrouw die daar maar in haar auto zat, en waarschuwde de beveiliging. In beide gevallen had ze een vervelende dag voor de boeg, en daarbij moest het toch rond halfvier wel gelukt zijn, anders was ze nooit om vijf uur thuis.

Tot haar teleurstelling ontdekte ze een tuinman, bezig met het bijwerken van de bloembedden langs de stoep. Die zou beslist zijn werkgever waarschuwen dat er een vrouw buiten het hek rondhing. Er zat niets anders op dan rondjes te blijven rijden tot hij klaar was, tenzij...

'Goedemorgen,' zei ze en de tuinman liet de lange schaar waarmee hij de randjes rechtknipte even rusten, maar stond niet op.

'Is meneer DeVilliers thuis?'

De tuinman keek haar even vorsend aan en concludeerde blijkbaar dat er van haar niets te vrezen viel. 'Nee, hij is met de jonge meneer DeVilliers uit vissen.'

'En mevrouw DeVilliers?'

'Die is er wel.'

Monica had wel een gat in de lucht kunnen springen van blijdschap. 'Bedankt,' zei ze en hij gromde iets.

Ze parkeerde haar auto op de oprit, stapte uit en drukte op de zoemer. Er ging een minuut voorbij, maar toen klonk er een stem. 'Wie is daar?'

'Mevrouw DeVilliers, hier is Monica Brunetti uit Lady Helen.

Ik heb u die foto's van Sandpiper Drift gestuurd.'
Stilte.
'Hebt u ze bekeken?'
Er klonk een vreemd gejammer uit de intercom en het duurde even voordat Monica zich realiseerde dat het geen storing was, maar mevrouw DeVilliers die stond te huilen.
'Huilt u nou niet,' zei ze. 'We vinden wel een oplossing. Als u me binnenlaat, kunnen we erover praten.'
Het bevreemdde de tuinman dat zijn werkgeefster het hek niet openmaakte en hij kwam dichterbij om te luisteren. Monica wist dat mevrouw DeVilliers nu moest opendoen, anders zou ze weer moeten vertrekken. Er naderde een bewakingsauto, vermoedelijk een reguliere controle, en als de tuinman zijn bazin hoorde huilen, zou hij vast en zeker een wenk geven.
Maak open, maak open, alsjeblieft, smeekte ze in stilte. Toen hoorde ze een klik en het hek schoof opzij, net op het moment dat de bewakingsauto passeerde.
Mevrouw DeVilliers stond bij de voordeur in een blauw, katoenen huispak op haar te wachten. Uit haar knot waren een paar lokken van het steile, grijze haar losgeraakt. In de hal stond een emmer met een mop erin.
'Dit is een groot huis om schoon te houden,' zei Monica.
Mevrouw DeVilliers schudde haar hoofd. Ze snikte nog wat na. 'Veel te groot. In ons vorige huis was ik altijd voor het middageten al klaar. Hier kost het me de hele dag.' Ze maakte een wegwerpgebaar naar de verlaagde woonkamer en de eetkamer met de gewelfde doorgangen.
'Ik heb uw oude huis gezien, mevrouw DeVilliers.'
Haar ogen vulden zich opnieuw met tranen. 'Mijn zoon is daar geboren, in de voorkamer. Het valt niet mee voor een vrouw om het huis achter te laten waar ze een kind ter wereld heeft gebracht.'
De ongebruikelijke formulering, die je eerder zou verwachten van een boerin dan van de vrouw van een automonteur,

trof Monica als een mokerslag. Tot op dit moment, hier in de smetteloze hal van mevrouw DeVilliers, had ze niet beseft hoe hevig ze naar een kind van zichzelf verlangde.

'Waar zijn mijn manieren?' zei mevrouw DeVilliers ondertussen en veegde haar ogen af met haar mouw. 'Kom binnen, dan zet ik thee.'

Monica keek op haar horloge.

'Maak je maar niet bezorgd, ze zijn niet voor de avond terug. Loop maar mee.'

Monica volgde haar naar de keuken, een lichte, rechthoekige ruimte met een kookeiland, lichte, houten keukenkastjes en een aanrechtblad van melamine. Op het fornuis stonden twee pannen. Mevrouw DeVilliers tilde een van de deksels op en roerde even door de inhoud van de pan.

'Ik moet koken en schoonmaken tegelijk,' legde ze uit. 'Als ik pas begin met koken na de schoonmaak, eten we niet voor tien uur 's avonds.'

Ze zette een ketel water op en pakte twee mokken. Monica stelde waarderend vast dat ze geen kop en schotels tevoorschijn haalde, en evenmin voor korte tijd verdween om haar huispak te verwisselen voor gewone kleren en haar kapsel te fatsoeneren. Voor deze vrouw waren mensen belangrijker dan het uiterlijk. Er waren veel te weinig mensen zoals zij.

'Ga zitten, alsjeblieft – en noem me ook geen mevrouw. Ik ben dan wel uit Lady Helen weg, maar ik ben nog steeds dezelfde Lizbet.'

Monica ging aan de ronde houten tafel zitten en nam een slokje thee. Het was rooibosthee. 'Hebt u de foto's gekregen?'

Lizbet knikte. 'Ik had mezelf in de badkamer opgesloten om ze te kunnen bekijken en toen ik weer naar buiten kwam, wilde mijn man weten waarom ik had gehuild. Ik zei dat ik last had van hooikoorts. Het was de eerste keer in al die vijfendertig jaar dat ik tegen mijn man heb gelogen.' Ze snikte. 'Ik voelde me er zo schuldig over.'

Uiteraard kon Monica niet rechtstreeks aan Lizbet vragen of

haar man soms degene was die de diamant had gevonden en daarom praatte ze maar wat verder over Sandpiper Drift, in de hoop dat ze een wat subtielere manier zou vinden om het onderwerp aan te snijden.

'Miemps en Reg zitten nog steeds in hun huis.'

Lizbet glimlachte. 'Ik mis mijn vriendin wel. Na het middageten wipte ik altijd even bij haar aan en dan zaten we een poosje samen in de schaduw met een kopje thee. In deze buurt hoef je dat niet te proberen, met al die beveiliging.'

Monica wist dat ze haar volgende vraag heel zorgvuldig zou moeten formuleren, wilde ze voorkomen dat de deur voor een zinvol gesprek over de handelwijze van DeVilliers meteen op slot ging.

'Volgens Miemps maakte je je zorgen over je man.'

Lizbet keek haar een ogenblik aan. Monica vermoedde dat ze probeerde in te schatten hoeveel Miemps tegenover een buitenstaander losgelaten kon hebben.

'Hij gokt,' zei ze toen zacht, alsof ze bang was dat de muren oren hadden.

'O,' zei Monica. Ze moest wel doen alsof dit nieuws voor haar was, omdat ze niet wilde dat Miemps de achting van haar vriendin zou verliezen. 'Hij moet wel heel veel geld hebben gewonnen om zich dit huis te kunnen veroorloven.'

Lizbet sloeg haar ogen neer. 'Hij ging altijd naar het casino in Kaapstad.'

Die arme Lizbet. Niet alleen het vertrouwen dat ze in haar vriendin stelde was misplaatst, ook haar man had haar om de tuin geleid, want als Monica iets zeker wist, dan was het dat DeVilliers niet op deze manier aan zijn geld was gekomen. Evenmin had hij van de overheid een tegemoetkoming gekregen, dus was het geld afkomstig van Yang, op grond van een overeenkomst die Monica nog niet had kunnen achterhalen. Dit was het moment om twijfel te zaaien bij Lizbet, want misschien kreeg ze nooit meer de kans om haar alleen te spreken.

'Het viel vast niet mee om dat aan mij te vertellen,' zei ze.
Lizbet knikte. 'Ik kon het niet over mijn hart verkrijgen om Miemps de waarheid te vertellen. Ik vond het verschrikkelijk zo overhaast afscheid te moeten nemen, maar mijn man kwam op een avond thuis met de mededeling dat we de volgende dag zouden vertrekken. Ik had niet eens meer de tijd om mijn vitrages af te halen.'
'Is het ooit bij je opgekomen dat je man misschien die diamant heeft gevonden?' vroeg Monica. Ze lette scherp op Lizbets reactie.
De ogen van de vrouw tegenover haar lichtten op, toen ze zich realiseerde dat haar huis ook met iets anders dan de winst uit een kansspel gefinancierd kon zijn. 'Denk jij dat hij dat kan zijn?'
Monica knikte.
'Maar waarom zou hij dat voor mij verborgen houden?' Lizbet schudde haar hoofd en er blonk nu boosheid in haar blik. 'Je hebt het vast mis. Als hij een diamant had gevonden, was hij onmiddellijk dansend en zingend naar huis gekomen.'
'Dat denk ik niet,' zei Monica. 'Zoals je je wel herinnert, luidt de afspraak tussen de regering en de stad dat iedere gevonden diamant onmiddellijk aan de overheid wordt overgedragen.'
'Dat is zo. Dan moet de regering hem voor die diamant veel geld hebben betaald.'
Monica schudde haar hoofd. 'Ze zijn niet wettelijk verplicht om hem wat dan ook te geven. Als ze hem al een vergoeding hadden gegeven, dan zou dat een symbolisch bedrag geweest zijn – beslist niet genoeg om dit huis van te bekostigen.'
'O,' zei Lizbet verslagen. Ze had zo gehoopt dat haar man het geld op een verantwoorde manier in zijn bezit had gekregen, en nu leek het erop dat hij niet alleen een gokker, maar ook een dief was, die een voorwerp dat rechtens

eigendom was van de overheid op de zwarte markt had verkocht. Geen wonder dat hij haar niets had verteld!

'Ik weet wat je denkt, en je zit ernaast,' zei Monica. 'De regering heeft de diamant gekregen – daarom willen ze het stuk grond terug. Maar meneer Yang is er op de een of andere manier in geslaagd de overheid ervan te overtuigen dat ze het land aan hem moeten verkopen.'

'Maar hoe komt mijn man dan aan het geld?'

'Ik hoopte dat jij me zou willen helpen daarachter te komen. Je man verbergt iets, maar ik weet niet wat.'

'Je weet niet wat?' Lizbet ging staan. 'Dus je beschuldigt mijn man van louche praktijken zonder te weten welke dat zijn?'

Deze wending had Monica niet voorzien. 'Ik probeer alleen de waarheid te achterhalen,' zei ze rustig.

'Nou, ik raad je aan daarbij iets meer rekening te houden met de gevoelens van anderen,' zei Lizbet. 'En nu moet je me maar verontschuldigen. Waar het ook van betaald is, dit reuzenhuis moet schoon.'

'Je vrienden staan op het punt hun huis te verliezen,' probeerde Monica met een laatste beroep op Lizbets geweten het gesprek nog een keer ten goede te geven.

Maar Lizbet liep naar de voordeur, deed die open zonder een woord te zeggen, opende het hek met de afstandsbediening en sloeg de voordeur dicht voordat Monica halverwege de oprit was.

Op de terugweg naar Lady Helen kon ze Lizbets woedende gezicht maar niet van zich af zetten. Ze had zo haar best gedaan om fijngevoelig te werk te gaan, maar het was mislukt en in plaats van zich van Lizbets medewerking te verzekeren was ze er alleen in geslaagd haar verder van zich te vervreemden.

Toch had ze wel begrip voor Lizbets reactie; het ging per slot van rekening over haar echtgenoot. Ze kon alleen maar bidden dat de boze bui zou overdrijven en dat Lizbet vervolgens serieus over haar woorden zou nadenken. DeVilliers zou nooit met haar willen spreken en daarom had ze Lizbets medewerking nodig. Als die weigerde de verschillende mogelijkheden onder ogen te zien en zichzelf bleef sussen met de gedachte dat haar man alleen een gokprobleem had, dan liep Monica's onderzoek dood en kon ze alleen nog maar hopen dat haar artikelen genoeg publieke verontwaardiging zouden wekken om de plannen van Yang te verijdelen.

Ze dacht aan de positie die ze inmiddels in het stadje had verworven. Miemps had haar Lizbets geheimen toevertrouwd. Betekende dat soms dat zij, Monica, niet langer als buitenstaander werd beschouwd en dat Lizbet, door Sandpiper Drift te verlaten, een buitenstaander was geworden?

Vierentwintig

e volgende dag stelde Monica een persbericht op, bestemd voor haar opvolgster bij het actualiteitenprogramma *Van dichtbij*. Hoewel het om een ernstige zaak ging, kon ze toch een glimlach niet onderdrukken bij de gedachte aan wat Ella gezegd zou hebben over het feit dat ze een concurrent inschakelde om een verhaal in de publiciteit te krijgen.

De foto's in de *Lady Helen Herald* hadden weliswaar enige onrust veroorzaakt, maar blijkbaar niet voldoende. Van de oppositiepartijen had niemand gereageerd, en van de vooraanstaande mensen uit de publieke sector evenmin. Niemand was op het idee gekomen een protestmars naar het regeringscentrum in Kaapstad te organiseren en daar te eisen dat voor dit onrecht een stokje werd gestoken. Hoe vervelend Monica het ook vond, er waren televisiecamera's nodig om het hartverscheurende karakter van de zaak onder de aandacht van het grote publiek te brengen.

Ze had de reportage uiteraard het liefst zelf gemaakt, maar dat kon niet, en daarom moest de rijzende ster van *Van dichtbij* het op zich nemen.

Nadat ze het bericht had gefaxt, kroop ze weer achter haar computer en tikte een brief naar Pieter van Jaarsveld, met een voorstel voor een ontmoeting bij hem op kantoor. Haar laatste klus voor die dag was een telefoontje naar burgemeester Oupa om hem ertoe te bewegen een publieke vergadering te organiseren. De inwoners van Lady Helen bleven veel te passief onder de verwoestende plannen van Yang en daar moest nodig verandering in komen.

Burgemeester Oupa nam al kauwend de telefoon op. 'Ah, Monica,' zei hij en ze moest een volle minuut wachten voor hij zijn mond leeg had.

'Zo, dat is beter,' zei hij toen. 'Ik zat net te eten. Heb jij de citroentaart van Mama Dlamini wel eens geprobeerd?'

Monica antwoordde bevestigend en ze wijdden een paar minuten aan de voortreffelijkheden op het menu van het eetcafé. Toen ze probeerde ter zake te komen, moest hij haar eerst nog dringend iets vertellen over een bepaald restaurant in Kaapstad en ze kreeg steeds sterker het gevoel dat hier meer achter zat dan zijn voorliefde voor eten. Met hun vorige afspraak had hij zich het ongenoegen van Yang op de hals gehaald en nu probeerde hij dus ieder zinvol gesprek met haar te vermijden – gewoon voor de zekerheid. Het stelde haar teleur. Ze had gehoopt dat hij het contact met de golfmagnaat had verbroken, maar uit zijn ontwijkende gedrag bleek wel dat dit niet het geval was. Maar misschien oordeelde ze te hard. Het kon best zijn dat hij zich aan de invloed van Yang had onttrokken en nu, net als elke politicus zou doen, zijn uiterste best deed om te voorkomen dat hij in zwaar weer belandde; een telefoontje van de plaatselijke pers was daar nu eenmaal bijna altijd een voorbode van.

'Ik zou graag uw medewerking hebben bij het organiseren van een openbare vergadering,' zei ze, dwars door zijn gebabbel heen.

Aan de andere kant viel een stilte. 'Waarover?' vroeg hij toen. Geduldig legde ze hem uit dat het van het grootste belang was om onder de bevolking van Lady Helen steun te verwerven voor de bewoners van Sandpiper Drift.

'Ik weet het niet, hoor, Monica,' zei hij. 'Mijn onderdanen

zijn gezagsgetrouwe burgers en de overeenkomst is door de overheid goedgekeurd. Heb je de officiële zegels niet gezien op het hek dat om de toekomstige mijn heen staat?'
Nu begon ze haar geduld te verliezen. 'Dan zal ik die vergadering zelf moeten organiseren. Ik wek echter niet graag de indruk dat ik geen vertrouwen meer heb in onze burgemeester.'
'Goed, goed,' zei hij kortaf. 'Ik ga even in de planning kijken en dan bel ik je terug.'

Een dag later had ze nog steeds niets van Van Jaarsveld gehoord en daarom belde ze naar zijn kantoor. De secretaresse noteerde haar naam, zette haar in de wacht en kwam even later weer aan de lijn met de mededeling dat de heer Van Jaarsveld in vergadering was en dat de rest van de dag zou blijven.
Monica belde opnieuw en vroeg naar de persoonlijk medewerker van de heer Van Jaarsveld. De stem die zich meldde aan de andere kant klonk jeugdig en zelfverzekerd.
'Inderdaad,' zei hij, 'de heer Van Jaarsveld behandelt de kwestie van Lady Helen.'
'Kunt u me misschien vertellen waarom de overheid het betreffende stuk grond grotendeels aan het golfcomplex heeft verkocht?' vroeg Monica.
'Dat is informatie die niet openbaar mag worden,' waarschuwde de jongeman. Voor zo'n jonge medewerker kwam hij wel erg assertief over en Monica vermoedde dat hij de afgelopen tijd razendsnel carrière had gemaakt.
'Akkoord,' zei ze.
'Het ministerie van Delfstoffen is niet meer zo rijk als vroeger,' legde hij haar vervolgens uit. 'Er is flink bezuinigd. Andere ministeries hebben het geld nodig voor projecten die men noodzakelijker vindt.' Uit de minachting in zijn stem bleek wel dat dit beleid zijn goedkeuring niet kon wegdragen. 'Uiteindelijk komt het erop neer dat mijnbouw veel geld

kost en daarom hebben we alleen het terrein aangekocht waar de diamant was gevonden en de rest verkocht.'

'Maar hoe moet het dan met de mensen die hun huis verliezen?'

'Die worden schadeloos gesteld door de eigenaar van het golfcomplex. Dat is een gunstiger regeling dan vroeger gebruikelijk was. Toen werden onze mensen door de blanken van hun land gejaagd, zonder er iets voor terug te krijgen. De inwoners van uw dorp zouden dankbaar moeten zijn. Ze hoeven zich niet door een papierwinkel aan bezwaarschriften heen te worstelen om te bewijzen dat ze recht hebben op dat land.'

Monica bedankte hem voor de moeite en hing terneergeslagen op. Het virus van de onverschilligheid leek de hele wereld geïnfecteerd te hebben.

Een week later had ze nog niets van Nomsa van *Van dichtbij* gehoord en burgemeester Oupa hulde zich eveneens in stilzwijgen. En over drie weken zouden de bulldozers komen. Er gingen nog eens drie dagen voorbij en toen besloot ze dat ze de burgemeester nog één kans zou geven, voordat ze zelf de mensen bijeen zou roepen. Hij nam de telefoon op met een opgewektheid die op slag verdween toen hij hoorde dat zij het was.

'Nee, ik was het niet vergeten,' zei hij, 'maar je moet bedenken dat een burgemeester het altijd druk heeft.'

'Ik begrijp het,' zei ze, hoewel dat niet waar was. 'Zal ik het dan maar doen?'

'Nee, nee, nee, liever niet. Ik bel je morgen wel terug.'

Monica wachtte de hele volgende dag, maar bellen deed hij niet. Op donderdagochtend wilde ze juist zelf naar zijn kantoor stampen, toen hij belde met de mededeling dat hij de aula van het Groene Blok had afgehuurd voor de avond van de dag erna. Het was te laat om de vergadering nog in de *Lady Helen Herald* aan te kondigen; dus ging ze opnieuw het hele dorp rond en plakte posters op lantaarnpalen, aan-plakborden en winkelruiten.

Toen ze die vrijdagavond in het Groene Blok arriveerde, zag ze tot haar ontzetting dat de aula maar half gevuld was. Op de voorste rij zaten Gift en David.

'Waar is iedereen?' vroeg ze.

Gift haalde haar schouders op. 'De mensen geloven niet dat ze het tegen de regering kunnen opnemen. Ik weet niet waarom. We hebben toch ook de vorige regering bestreden! Er is geen enkele reden waarom dat niet opnieuw zou kunnen.'

David leek oprecht van streek. 'Het spijt me erg, Monica, maar we zullen ons best doen je te helpen.'

'Bedankt, David. De burgemeester is in geen velden of wegen te bekennen, zie ik, dus ik kan het beste een dansje gaan opvoeren ofzo, om te zorgen dat iedereen blijft zitten.'

Ze klom het toneel op en begroette het kleine clubje aanwezigen. Zichzelf voorstellen was niet nodig, iets wat haar met voldoening vervuld zou hebben als de zaal afgeladen vol had gezeten, maar nu niet.

Er gingen tien minuten voorbij, waarin ze de mensen probeerde bezig te houden, terwijl ze ondertussen probeerde te kiezen tussen twee kwaden: ofwel gewoon beginnen zonder burgemeester Oupa, daarmee het risico lopend dat zijn ego gekwetst zou worden, ofwel op hem wachten en het risico lopen dat de mensen zouden vertrekken.

Er gingen nog eens vijf minuten voorbij en ze kwam tot de conclusie dat ze vooral moest zorgen dat de mensen bleven zitten. Daarom begon ze uit te leggen hoe belangrijk het was om Sandpiper Drift te behouden en op dat moment zag ze burgemeester Oupa onopvallend binnenkomen en op de achterste rij gaan zitten.

In een hartstochtelijk pleidooi probeerde ze de aanwezigen ervan te overtuigen dat het belangrijk was als inwoners van Lady Helen één front te vormen tegen Yang en zo nodig een protest in te dienen bij de regering in Kaapstad. Nadat ze haar betoog had beëindigd, vroeg ze de burgemeester of hij er nog iets aan had toe te voegen.

'Dank je,' zei hij en kwam naar voren. Wat volgde, was een toespraak zonder kop of staart, waarin hij de loftrompet stak op de kleine stad en het rustige leven dat een mens daar leidde. De mensen begonnen te schuiven op hun stoel en op hun horloge te kijken. Burgemeester Oupa zei niets zinnigs over de kwestie waar het om ging; kortom, hij gedroeg zich als een rasechte politicus.

Monica had met het publiek te doen. De mensen hier waren te fatsoenlijk om gewoon weg te lopen zolang burgemeester Oupa nog aan het woord was. Daarom schoof ze voorzichtig steeds dichter naar het podium toe, tot de burgemeester in de war raakte van haar nabijheid en de draad van zijn verhaal kwijtraakte. Ze maakte onmiddellijk van de gelegenheid gebruik en bedankte hem omstandig voor zijn verhelderende toelichting. De luisteraars klapten beleefd en verspreidden zich toen snel.

Thuisgekomen wenste Monica dat ze iemand had om mee te praten. Graag had ze even bij Francina aangeklopt, maar die zat beslist te studeren, nu de examentijd was aangebroken.

Ze ging op haar bed liggen en deed haar best om de onvriendelijke gedachten jegens degenen die niet waren komen opdagen uit te bannen. Waarom hadden ze toch geen vechtlust? Had het Zuid-Afrikaanse volk misschien de buik vol van vechten? Ze hadden hun portie meer dan gehad, dat was waar.

Ondanks haar zorgen was Monica toch ook zo uitgeput dat ze in een diepe slaap viel en de volgende ochtend uitgerust wakker werd. Als de inwoners van Lady Helen dan geen puf meer hadden om zich te verzetten, moest ze het maar in haar eentje doen. Het eerste actiepunt was Nomsa bellen en dat zou ze doen zodra ze maandag op kantoor was.

De zaterdag begon zonnig maar koel, zoals de meeste

zomerdagen, maar tegen het middaguur was de temperatuur als flink gestegen. Monica zette alle ventilatoren in huis aan en de jongens bleven de rest van de middag op de veranda in de schaduw spelen.

In de loop van de middag kwam Francina naar het huis om te vragen of ze een extra ventilator mocht lenen. De ene die ze had, was niet voldoende om haar atelier koel te houden. Haar gezicht glom van het zweet. Monica gaf haar de ventilator uit haar eigen slaapkamer.

'Dank je wel,' zei Francina. 'Ik ben bezig met de jurk die mijn schoonmoeder op de bruiloft zal dragen. O, Monica, ik wou maar dat ik al die oude, Engelse boeken nooit had gelezen. Als ik die lange mouwen van mijn jurk afhaal, is hij bedorven, en iedereen wil toch een bruid zien die straalt van geluk?'

'Die hittegolf houdt vast geen stand,' zei Monica, niet helemaal zeker van haar zaak.

'Ik hoop dat je gelijk hebt. Nog maar één examen – Engelse literatuur. Hercules zit me onder het naaien aldoor met vragen te bestoken.'

'Als je iets nodig hebt, zeg je het maar.'

'Je zou kunnen bidden dat die hitte voorbijgaat.'

'Dat zal ik doen,' zei Monica.

Toen Mandla die maandagmorgen ontdekte dat Francina nog een examen moest doen, werd hij nukkig.

'Ik wil met jou mee naar je werk,' zei hij tegen Monica. Hij had het niet zo op Trudy, Francina's tijdelijke vervangster.

'O, Mandla, je weet best dat dat niet kan,' zei Monica.

Hij begon te huilen. 'Aah, toe!' bedelde hij en ging aan haar been hangen. 'Ik zal heel stil zijn. Ik zal stilzitten en tekenen.'

Ze wist heel goed dat het beter was om niet toe te geven, maar omdat het de laatste examendag was en dus ook de laatste dag van Trudy's aanwezigheid, besloot ze hem toch maar zijn zin te geven.

Mandla was dolgelukkig. 'Dank je wel, Monica! Ik zal echt heel lief zijn.'

Ze hoopte maar dat ze in de onderhandelingen met Nomsa meer resultaat zou boeken.

Ze legde Trudy uit dat Mandla een beetje van streek was, maar dat dit niets met háár werk te maken had, zette toen Sipho bij school af en reed met Mandla naar kantoor. Hij hield woord, ging met zijn potloden en papier aan tafel zitten en begon te tekenen.

Na een halfuur vergeefse pogingen om Nomsa te bereiken, had ze haar eindelijk te pakken op haar mobiele telefoon.

'Het lijkt veel te veel op het verhaal waar ik al mee bezig ben, dat gaat over de illegale bezetting van een stuk grond door een groep krakers,' legde Nomsa uit.

'Het zal schitterende beelden opleveren,' drong Monica aan, 'en de mensen willen maar al te graag voor de camera verschijnen.'

Maar Nomsa liet zich niet ompraten. 'Jij hebt het over vijftien gezinnen. Hier zitten er vierhonderd. Je bent zelf ook journalist geweest, dus je weet wat het mooiste materiaal oplevert.'

Journalist geweest, wel ja. De verleiding was groot deze zelfverzekerde jongedame even onder de neus te wrijven dat ze haar baan bij *Van dichtbij* alleen aan haar familienaam te danken had, maar waarschijnlijk wist ze dat al en kon het haar niet schelen. In het oude Zuid-Afrika was dat de manier geweest om een baan te bemachtigen; waarom zou het in het nieuwe anders zijn?

Als beloning voor zijn goede gedrag nam Monica Mandla mee naar Mama Dlamini om een hapje te gaan eten. Het was laat in de ochtend en hoewel hij liever rond lunchtijd was gegaan omdat er dan zo veel mensen waren, was hij toch opgewonden over het uitje.

'Hier gaan we zitten,' zei hij, wijzend op een tafel in het midden van het café.

Monica had liever wat meer achteraf gezeten, maar hij wilde

er nu eenmaal altijd met zijn neus bovenop staan als er iets te beleven viel.

Aan de bar zat een echtpaar van de kerk een milkshake te drinken en toen ze klaar waren, kwamen ze Monica en Mandla even gedag zeggen. Mandla stak zijn hand uit als een zakenman die zijn klanten verwelkomt.

Op het menu stond verse snoek. Mama Dlamini maakte die altijd klaar op de manier zoals aan de westkust gebruikelijk was, door hem te roosteren boven een open vuur in een marinade van abrikozenjam en citroensap. Het was al een hele tijd geleden dat Moncia dit had gegeten en daarom bestelde ze het voor hen allebei.

Er waren maar twee andere tafeltjes bezet. Aan het ene zat een groepje dames die zo dadelijk onderweg naar buiten ongetwijfeld om de beurt in Mandla's wang zouden knijpen, en aan het andere zat een man die Monica nog nooit eerder gezien had. Het was in Lady Helen gebruikelijk dat je een vreemde even glimlachend toeknikte – in de meeste gevallen ging het om een sponsor van de kunst – maar pas na een paar ongemakkelijke seconden glimlachte hij gedwongen terug.

Zeker iemand uit de grote stad, dacht ze. Het leek jaren geleden dat ze in Johannesburg woonde, en toch waren er sinds de verhuizing nog maar elf maanden voorbijgegaan.

Mama Dlamini diende eigenhandig de snoek op.

'Ik hoorde dat mijn grote vriend er was,' zei ze. 'Wat heb je vandaag allemaal gedaan, zonnestraal?'

'Gewerkt!' zei Mandla trots. Hij lachte stralend en liet zonder mopperen toe dat ze een kus op zijn wang drukte.

'Nou, dan moet je zorgen dat je op krachten blijft, dus eet maar lekker op. Ik heb speciaal voor jou alle graten eruit gehaald en als je je bord nu netjes leeg eet, krijg je custardpudding toe.'

Toen ze klaar waren met eten, wilde Mandla blijven zitten, omdat het restaurant net vol begon te lopen, maar Monica moest terug naar kantoor. Het viel haar op dat de ontoe-schietelijke vreemdeling op hetzelfde moment vertrok als zij, ook al had hij zijn bord al lange tijd leeg.

Buiten bleef hij voor het raam van een galerie staan treuze-len. Monica nam de tegenstribbelende Mandla bij de hand en stak de straat over. Voordat ze de deur van haar kantoor opendeed, keek ze nog even achterom. De man stond er nog steeds, maar nu keek hij niet meer naar de uitstalling in de etalage, maar recht naar haar. Vlug loodste ze Mandla naar binnen en trok de deur achter hen beiden dicht.

Om één uur had Mandla genoeg van het werken en wilde hij naar huis. Normaal gesproken ging Monica nooit via de Hoofdstraat, maar vandaag voelde ze zich gedwongen dat wel te doen. Daar was de man weer. Hij zat op een bankje voor het warenhuis. Als hij een groot, plat pak in bruin papier bij zich had gehad, had ze zich niet ongerust gemaakt; er liepen hier voortdurend mensen uit Kaapstad rond die een kunstwerk wilden aanschaffen of de bougain-villea's kwamen fotograferen. Maar iets aan deze man maak-te haar zenuwachtig.

Mandla vond het niet erg om weer naar Trudy te gaan. Hij was net op tijd om met haar mee te gaan om Sipho uit school te halen. Niets vond hij zo heerlijk als een wandeling door de buurt wanneer de school net uit was. Francina klaagde altijd steen en been dat het eeuwen duurde voor ze thuis waren omdat Mandla met iedereen een praatje wilde maken.

De volgende ochtend was de man in geen velden of wegen te bekennen, maar toch sloot Monica voor de zekerheid de beveiligingscamera aan de buitenmuur van haar kantoor weer aan. Kort voor de middag wierp ze een blik op de monitor en ontdekte een tweede onbekende, die op het trot-toir aan de overkant liep te drentelen. Hij was lang en mager, en zag er vooral door zijn kortgeknipte haar uit als een militair. Hij rookte een sigaret en toen die op was, stak hij onmiddellijk een andere op.

Voordat ze zich voor de lunch naar buiten waagde, keek ze opnieuw op de monitor om zich ervan te vergewissen dat hij er niet langer stond. Toen hij inderdaad weg bleek te zijn, ging ze naar buiten, waar ze op de middenstreep van de weg tien sigarettenpeuken vond. De man was een goede schutter.

Ze liep bij Mama Dlamini naar binnen en daar zat hij, aan de bar. Hoewel hij niet omkeek, wist ze dat hij haar spiegelbeeld kon zien in de glazen deuren van de koelkast. Voor iemand die zo overduidelijk nicotineverslaafd was, bleef hij wel erg lang hangen in het rookvrije restaurant. Van tijd tot tijd draaide hij zich om en liet zijn blik door het vertrek dwalen, waarbij zijn ogen steevast op haar bleven rusten, een paar seconden langer dan de beleefdheid toeliet. Monica vroeg zich af of ze niet beter even langs het politiebureau kon gaan. Maar wat had ze te melden? Dat er een onbekende in het stadje rondliep die naar haar had zitten kijken? Hoewel ze het niet hard kon maken, was ze ervan overtuigd dat er een verband bestond tussen deze man, de man van gisteren en Yang. Ze wist dat de zakenman niet zou toestaan dat ze haar iets aandeden, omdat ze hem onmiddellijk als de schuldige zou aanwijzen. Misschien moest ze maar terugvallen op haar Johannesburgse gewoonte om alle sloten op deuren en ramen dubbel en dwars te controleren.

Die losse gedachte werd een vast voornemen toen ze de volgende ochtend op haar werk kwam en Dudu in tranen aantrof. Naast haar stond Max hevig te hyperventileren. De achterdeur was opengebroken met een koevoet en omgevouwen als het deksel van een sardineblikje.

'Er is niets weg,' zei Dudu, nadat Max eerst vruchteloos geprobeerd had iets te zeggen. 'Ik heb toch de politie maar gebeld. De inbreker heeft je dossierkast doorzocht.'

Alle vier de laden van de metalen kast stonden open, en de kamer lag bezaaid met knipsels, foto's en documenten.

De politie zocht naar vingerafdrukken, maar vond er geen. De indringer was blijkbaar zo slim geweest om handschoenen te dragen.

'Je kunt die deur beter meteen laten repareren,' zei de politieman. 'En dan moet jij mee naar het bureau om via de telefoon aan onze compositietekenaar in Kaapstad een beschrijving te geven van de onbekende die je gisteren hebt gezien.'

Na een telefoongesprek van een uur en de uitwisseling van maar liefst vier faxen had de tekenaar een redelijk lijkend portret van de vreemdeling gemaakt en kon Monica het politiebureau weer verlaten. Ze ging terug naar kantoor, regelde de reparatie van de kapotte achterdeur en reed toen naar het golfcomplex, wat ze zich onmiddellijk bij het ontdekken van de ravage had voorgenomen.

Deze keer weigerde de bewaker bij het toegangshek haar de doorgang.

'U staat niet op de bezoekerslijst voor vandaag,' legde hij uit.

'Heeft meneer Yang met zoveel woorden gezegd dat ik er vandaag niet in mocht?'

Uit zijn aarzeling leidde ze af dat ze het bij het rechte eind had. Yang had haar verwacht en dit kon maar één ding betekenen: hij was degene die achter de inbraak zat.

'Ik ga hier niet weg zonder dat ik binnen ben geweest.'

De bewaker gluurde zenuwachtig naar de camera boven de poort. 'U verspert de weg,' zei hij.

'Laat me dan doorrijden.'

Hij keek nog eens de lijst op zijn klembord door, alsof hij hoopte dat haar naam op wonderbaarlijke wijze alsnog was verschenen, zodat hij van dat vervelende mens af was.

Monica zette de motor af, pakte een tijdschrift en deed net of ze ging zitten lezen. Het duurde niet lang of achter haar kwam een volgende auto tot stilstand.

'Mevrouw, u moet uw auto echt verwijderen,' zei de bewa-

ker geagiteerd. Monica sloeg een bladzij om en las doodge-
moedereerd door.

De bewaker kwam uit zijn stoel en liep naar de andere auto
toe. In haar achteruitkijkspiegel zag Monica hem praten met
de chauffeur en naar haar wijzen. Daarna liep hij terug naar
het wachtgebouwtje en greep de telefoon. Hij merkte dat ze
van plan was het gesprek af te luisteren, sloot het loketraam-
pje en draaide haar de rug toe. Toen hij even later het raam
weer opende, deed Monica net of ze niets merkte.

'Meneer Yang heeft gezegd dat u er niet in mag,' zei hij met
agressieve voldoening. 'Hij wil niet dat u problemen veroorzaakt.'

De chauffeur van de andere auto leunde op zijn claxon.

De bewaker wierp haar een woedende blik toe. 'Meneer
Yang zegt dat u hen op het strand kunt vinden. U kunt uw
auto daar parkeren' – hij wees naar een geasfalteerde cirkel,
waar auto's die niet werden toegelaten konden keren – 'en
dan daarlangs lopen.' Door het *fynbos* liep een voetpad naar
de duinen.

De chauffeur van de andere auto reed maar al te graag een
stukje achteruit, zodat zij haar auto kon wegrijden, en zwaaide nog even vrolijk naar haar, voordat hij het hek door reed
voor zijn dagje golf. Ze parkeerde haar auto op de aangewezen plaats, maar stapte niet uit. Het pad leek vaak gebruikt
te worden – misschien namen de vissers van Sandpiper Drift
altijd deze weg naar de zee – maar op dit moment was het
verlaten. Zou Yang alleen zijn, of zou hij een van zijn mannen bij zich hebben? Voor het eerst sinds de verhuizing naar
Lady Helen was ze bang. Hoewel ze aannam dat hij haar
geen haar zou krenken, zag ze in een flits de gezichten van
haar twee jongens voor zich en op hetzelfde ogenblik was
haar besluit genomen.

Ze stapte uit en liep naar de bewaker toe.

'Zou je zo vriendelijk willen zijn meneer Yang te bellen en te
zeggen dat ik hier bij het hek op hem wacht?'

De man keek haar aan alsof ze hem had gevraagd een paar radslagen te maken.

'Nu meteen graag, voordat hij weg is.'

Hoofdschuddend pakte hij de telefoon en deed opnieuw het raampje dicht zodat ze niets kon horen, maar zijn wilde gebaren deden haar vermoeden dat Yangs secretaresse moeilijk deed. Hij hing op en deed het raam weer open.

'Wacht in uw auto,' blafte hij haar toe, sloot het raam weer en zette zijn draagbare televisie aan.

Ze ging terug naar haar auto en wachtte.

Een uur later kwam Yang in een dure sportauto van een buitenlands merk het terrein af rijden en parkeerde naast haar.

'Dank U, God,' fluisterde Monica, toen ze zag dat hij alleen was.

Hij draaide het portierraampje omlaag en schreeuwde: 'Stap in!'

Geen denken aan. Ze keek wel uit om zich in zo'n kwetsbare positie te manoeuvreren.

'U stapt bij mij in!' schreeuwde ze terug.

Hij schudde zijn hoofd, zette de motor af en schoof op de passagiersstoel naast haar.

'Juffrouw Brunetti, u hebt verschrikkelijke dingen over mij gezegd in uw krant. U hebt de gemeenteraad tegen mij opgestookt, zodat de stemming in mijn nadeel uitviel. Ik heb lang geduld met u gehad, maar dat begint nu op te raken.'

Zodanig dat hij haar uit de weg zou willen ruimen?

'Ik wens u niet op mijn terrein te zien. Als u een rel schopt en mijn gasten van streek maakt, zou ik wel eens heel erg boos kunnen worden.'

Was dat een dreigement?

Hij raapte een plastic speeltje op dat bij zijn voeten lag en glimlachte.

'Hoe gaat het met Sipho en Mandla?'

Een ijzige hand sloot zich om Monica's hart. Ze had hem nooit verteld dat ze twee zonen had. Die onbekende had haar echter wel met Mandla bij Mama Dlamini gezien en misschien had hij zelfs wel bij haar huis rondgehangen toen Trudy met Sipho uit school kwam. Maar wie had hem verteld hoe ze heetten?

Ze negeerde de vraag en vatte meteen de koe bij de horens. 'Er is ingebroken in mijn kantoor.'

Hij fronste zijn wenkbrauwen. 'Wat vervelend.'

'Er is niets weg, maar eigenlijk denk ik dat u dat al wist.'

'U denkt dat ik er iets mee te maken heb?'

Ze knikte.

'Juffrouw Brunetti, ik ben zakenman, geen schurk. Zelfs al had ik er tijd voor gehad, waarom zou ik in vredesnaam in uw kantoor willen inbreken?'

'U zelf niet,' zei ze. 'Een van uw ondergeschikten. U wilt me de stuipen op het lijf jagen, zodat u uw vurige wens van een tweede golfbaan kunt realiseren.'

Hij grinnikte gemaakt. 'Juffrouw Brunetti, u overschat uw eigen invloed. Vergeet niet dat ik een officieel contract met de overheid heb. Er is niets verdachts aan. En nu ik mijn eigen watervoorziening heb geregeld, is er niets wat me ervan kan weerhouden die extra achttien holes aan te leggen.'

Hij stapte uit en boog zich nog even door het raampje naar binnen. De mouwen van zijn kostuum spanden ongemakkelijk om zijn dikke armen.

'Nu moet u eens heel goed naar me luisteren. We zetten nu een punt achter dit verhaal. Begrepen? U gaat terug naar uw schattige stadje en schrijft een artikel over het zesduizend en eerste boek van de bibliotheek.'

Lachend stapte hij in zijn eigen auto en scheurde ervandoor naar het hek. De bewaker kon het nog net openen voordat de enorme SUV ertegenaan botste. Het kwam Monica voor dat Yang ervan genoot dit soort risico's te nemen en dat zijn uitbundige vrolijkheid de hele weg naar het clubhuis zou voortduren.

Zijn onverschilligheid jegens de inwoners van Sandpiper Drift maakte haar zo razend dat ze met haar vuisten op het stuur sloeg, waardoor ze per ongeluk de claxon in werking stelde.

'Wat moet dat?' schreeuwde de bewaker bij het hek.

Monica negeerde hem en startte de auto. Over precies tien dagen zouden Daphne, Reg en Miemps hun huis uit moeten, en toch was Yang van mening dat de hele geschiedenis achter de rug was. Net als zo veel andere projectontwikkelaars had hij een scherp oog voor de cijfertjes op de balans, maar als het ging om aandacht voor ontheemde mensen, omgehakte bomen of verjaagde vogels en dieren, was zijn blik ineens wonderlijk vertroebeld.

Vijfentwintig

De volgende ochtend werd Monica wakker met een hol gevoel in haar maag. Ze had slecht geslapen, niet alleen vanwege de meedogenloze hitte, maar ook vanwege het feit dat ze nog steeds geen millimeter was opgeschoten. Toen ze na lang wakker liggen eindelijk in slaap was gevallen, spookten in haar dromen felgele bulldozers rond die Sandpiper Drift platwalsden en daarna met Lady Helen korte metten maakten.

De hittegolf had niet ongelegener kunnen komen. Hij dreigde niet alleen Francina's trouwdag te bederven, maar ook had ze zich na de inbraak en de ontdekking dat Yang haar jongens kende, genoodzaakt gevoeld alle ramen vannacht dicht te houden. De jongens hadden grote ogen opgezet bij haar verklaring dat er de laatste tijd een troep apen in de buurt rondzwierf die al veel eten had gestolen.

Ze hadden voor het naar bed gaan allemaal een koude douche genomen en geslapen onder de nieuwe plafondventilatoren die Oscar in alle kamers had geïnstalleerd, maar nog steeds was het hele huis net een keuken waar de hele dag de oven heeft aangestaan. Tegen middernacht had ze Sipho's lakens natgesproeid met de plantenspuit die Francina altijd bij het strijken gebruikte. Mandla had nooit iets over zich heen als hij sliep, maar Sipho moest ergens onder kunnen kruipen, anders deed hij geen oog dicht.

De bruiloft zou overmorgen plaatsvinden en de familie van Francina werd morgen verwacht. Daarom had Monica vandaag een dag vrij genomen en voor Francina een soort vrijgezellenfeestje georganiseerd dat in Abalone House gegeven zou worden. Daar was natuurlijk geen denken aan geweest zolang Francina nog met haar examens bezig was, maar die waren achter de rug. Haar jurk was klaar en die van haar moeder hoefde alleen nog maar gezoomd te worden. Alles werkte mee, alles, behalve het weer.

Voor iemand die nog geen jaar in Lady Helen woonde, had Francina al een behoorlijke vriendenkring. Je had Monica natuurlijk, en Kitty, de leden van het koor, Gift, Ingrid, de vrouw van dominee Van Tonder en Evette, de vrouw van burgemeester Oupa. Dan was ze bevriend geraakt met nog vijf andere klanten en met een paar dames van de kerk, die aan het begin van het nieuwe seizoen allemaal auditie voor het koor hoopten te doen.

Terwijl Kitty de laatste hand legde aan het buffet, heette Monica iedereen welkom en vroeg ze Francina om een paar woordjes te zeggen. Francina stond op en breidde haar armen uit alsof ze al haar vriendinnen in één keer wilde omhelzen.

'Ik wil jullie bedanken omdat jullie vandaag allemaal gekomen zijn, maar meer nog omdat jullie mij hebben toegelaten in jullie stad en in jullie hart; en niet alleen mij' – ze glimlachte even naar Monica – 'maar ook mijn familie. Ik ben een gewoon dorpsmeisje uit de Vallei van Duizend Heuvels. Wie had kunnen denken dat ik ooit nog eens op de Kaap vlak bij de Atlantische Oceaan zou belanden? Maar ik ben hier erg gelukkig met jullie allemaal en ik voel me een bevoorrecht mens, omdat ik deze kans heb gekregen om een nieuw leven te beginnen. Ik wens jullie veel plezier, en als jullie een zweterige bruid geen prettig gezicht vinden, bid dan alsjeblieft om koeler weer.'

Aangezien Ingrid de vrouw van de dominee was, vroeg Monica haar om voor te gaan in gebed.

Ingrid ging staan. 'Ik zou eerst graag, namens al Francina's klanten, tegen haar willen zeggen: "Dank je wel voor ons nieuwe uiterlijk." Je denkt misschien dat het naaien van nieuwe jurken niet zo veel voorstelt, maar je doet het met zo'n optimisme en enthousiasme dat ik naar het passen uitkijk als een klein meisje naar een partijtje. Na een uur met jou kan ik de hele wereld weer aan. Je weet niet hoe vaak ik God gedankt heb omdat Hij jou hierheen heeft gebracht.'

Nog nooit had Monica Francina sprakeloos gezien. Ze zat breeduit te lachen, maar als Ingrid nu niet snel ging bidden, zou ze in tranen uitbarsten, dat voelde Monica wel.

'Heer, wij willen u danken voor iedereen die hier aanwezig is,' begon Ingrid. Francina kneep haar ogen stijf dicht en een dikke traan rolde langs haar wang.

Net toen iedereen in koor het 'Amen' van Ingrid had nagezegd, ging Monica's telefoon. In de veronderstelling dat het de school was, of David, die tijdens de lunch op Mandla paste, liep ze haastig naar buiten om hem te beantwoorden.

Het was Nomsa.

'De reportage over die bezetting schiet niet op,' zei ze. 'Ik haal de deadline van dinsdag nooit. Is dat verhaal van jou echt de moeite waard?'

'Zeker,' zei Monica, die zich afvroeg of Nomsa echt had gedacht dat er speciaal ten behoeve van haar programma een snelle oplossing geregeld zou worden voor een al eeuwenlang slepend conflict.

'Ik kan morgen om acht uur een vlucht naar Kaapstad nemen; dan ben ik er om tien uur. Ik zou het hele weekend kunnen blijven.'

Monica dacht aan Francina's bruiloft. Alle mensen die Nomsa moest interviewen zouden op het feest bij elkaar zijn.

'Ik moet wel van het vliegveld gehaald worden.'

'Ik zal er zijn,' zei Monica.

'Als het maar niet zo'n suf verhaal is als dat over die brand-wondenkliniek.'
God, geef mij geduld, bad Monica in stilte.
'Ik garandeer je van niet.'

Die avond smeekten de jongens of het raam open mocht, maar Monica hield voet bij stuk. Hoewel ze het belangrijk vond dat ze de wereld leerden kennen zoals hij was en niet zoals een ouder zou willen dat hij was, wilde ze hun ook geen angst aanjagen en daarom leek het haar beter de reden te verzwijgen. Als de hitte tot na het weekend voortduurde, zou ze Oscar vragen anti-inbraakstangen op de ramen te monteren, zodat die 's nachts weer open konden blijven. Maar dat dit nodig was, was toch wel treurig.
'Laten we buiten wat fruit neerleggen, dan hoeven de apen niet naar binnen,' bedacht Mandla.
'Op school heeft niemand het vandaag over apen gehad,' zei Sipho. Hij vertrouwde de zaak maar half.
'En wij kennen iedereen in de stad,' schetterde Mandla. 'Niemand slaapt met de ramen dicht.'
'We zien ook wel eens iemand die we niet kennen,' corrigeerde Sipho zijn broertje.
'Waar heb je het over?' vroeg Monica.
'Een paar dagen geleden zagen we onderweg van school naar huis een man in een auto en die vroeg ons de weg naar het ziekenhuis. Hij zei dat hij bij zijn zieke moeder op bezoek wilde gaan. Trudy heeft hem de weg gewezen.'
'Ja,' viel Mandla hem in de rede, 'en ik had mijn zwaard bij me en mijn ridderhelm op en toen zei hij: "Je lijkt wel een soldaat. Je heet vast Prins." En toen zei ik: "Nee, ik heet gewoon Mandla en hij daar heet Sipho."'
Sipho blies minachtend. 'Francina zou hem de weg gewezen hebben en dan snel doorgelopen zijn. Ze is bang voor vreemde mensen. Hij was een beetje ouder dan de meeste soldaten die ik gezien heb, maar ik denk wel dat hij in het

leger zat.'

'Waarom denk je dat?' vroeg Monica, met het akelige voorge-voel dat ze het antwoord al wist.

'Omdat hij zulk kort haar had.'

Er legde zich een strakke band om haar borst en het bloed trok weg uit haar gezicht.

'Nou, ik hoop maar dat hij zijn zieke moeder heeft kunnen vinden,' zei ze, zo luchtig als ze maar kon. 'Bedtijd, jongens. En het spijt me wel, maar de ramen blijven dicht totdat de apen besluiten te verhuizen.'

Toen ze Sipho toedekte, fluisterde hij: 'Er zijn helemaal geen apen, hè?'

Ze gaf hem een zoen. 'Nee, Sipho, dat klopt.'

'Zijn we in gevaar?'

Nu hij het zo direct vroeg, kon ze er niet om liegen. 'Ik weet het niet, maar we nemen het zekere voor het onzekere.' Ze legde haar hand tegen zijn wang.' Na volgende week woens-dag is het beslist voorbij.'

'Wat gebeurt er dan op woensdag?'

'Dan komt *Van dichtbij* op televisie en kan het hele land zien wat meneer Yang met Sandpiper Drift uitvoert. Er rijzen ongetwijfeld zo veel protesten dat hij gedwongen zal zijn zich terug te trekken.'

Zijn ogen begonnen te schitteren. 'Kom jij weer op tv?'

'Nee, lieverd. De reportage wordt door Nomsa gemaakt.'

'O,' zei hij mat. 'Jij zou het veel beter kunnen.'

'Dank je wel, lieverd.' Ze drukte een zoen op zijn hoofd. 'Ga nu maar lekker slapen. Weet je zeker dat je onder een laken wilt liggen?'

Hij knikte en deed zijn ogen dicht.

Ze sloot het huis af voor de nacht en ging in bed liggen, onder de sterke luchtstroom van de ventilator. Het kostte haar moeite de jongste ontwikkelingen niet als een brevet van onvermogen op te vatten. Als Sandpiper Drift werd gered door Nomsa's reportage, dan was dat alleen omdat in

318

deze moderne tijd het beeld meer invloed had dan het woord. Maar in de eenzame duisternis van haar slaapkamer gaf ze voor zichzelf toe dat ze Sandpiper Drift liever op eigen kracht had gered. Uiteindelijk echter stopte ze haar ego diep weg, alsof het een zakdoekje was dat je kon opbergen, en zakte in slaap bij de gedachte hoe blij Daphne, Reg en Miemps zouden zijn als ze hoorden dat hun huis niet afgebroken werd.

Toen Monica Sipho de volgende dag afzette bij school, was de temperatuur alweer tot onaangename hoogten gestegen. Ze was van plan meteen door te rijden naar Kaapstad. Hoewel Francina de dag voor de bruiloft niet hoefde te werken, had ze helemaal niet moeilijk gedaan toen Monica een beetje zenuwachtig had gevraagd of ze Mandla een dagje mocht brengen.

'Doe niet zo raar,' had ze gemopperd. 'Hij loopt niet in de weg, hoor. Mijn ouders zijn vast dol op hem.'

'Ik zal proberen om vijf uur terug te zijn.'

'Doe nou maar gewoon wat je moet doen,' zei Francina. 'Ik haal Sipho wel uit school, dan kan hij ook met mijn familie kennismaken. Mijn neven zijn wel een stuk ouder dan hij, maar je weet hoe onze Sipho is: hij is zijn leeftijd ver vooruit.'

'Onze Sipho'. Als iemand anders het had gezegd, zou Monica boos geweest zijn, maar ze moest toegeven dat zij met Francina een team vormde. En nu ging de helft van het team weg om te trouwen! Een team van één persoon was geen team meer. Ze voelde zich schuldig over deze gedachten, maar afgezien daarvan had ze er nu ook even geen tijd voor.

'Verlies de jongens niet uit het oog,' waarschuwde ze en nog voor ze uitgesproken was, wist ze al dat het een onnodige en zelfs beledigende opmerking was. Francina's gezicht sprak boekdelen.

Met de airconditioning op de hoogste stand zat ze kaarsrecht achter het stuur, met alle aandacht gericht op de weg. Ze zag niet eens dat de kwetsbare vegetatie langs de kant al begon te vergelen in de almaar voortdurende hitte.

Nomsa's vlucht had vertraging en tegen de tijd dat zij en de cameraman alle apparatuur in Monica's auto hadden geladen, was het smoorheet.

'Waar is nou die beroemde bries van Kaapstad?' klaagde Nomsa. 'Ik hoop maar dat het in Lady Frances een beetje koeler is.'

'Lady Helen,' verbeterde Monica.

'Ook goed. Het zijn toch allebei Europese namen. Ze zouden er een echte Afrikaanse naam van moeten maken. Alle andere kleinere steden in Zuid-Afrika hebben dat allang gedaan.'

Monica had graag iets onaardigs gezegd over de opleiding die Nomsa aan een Europese universiteit had gevolgd, maar ze hield zich in. Het kwam er nu alleen maar op aan dat ze zo snel mogelijk in Lady Helen waren, zodat Nomsa opnames kon maken bij Sandpiper Drift en de bewoners kon interviewen.

Plotseling kreeg ze een inval. Er waren ook bewoners die al vertrokken waren, en die nu hier in Kaapstad woonden. Als ze daar eerst eens naartoe gingen? Ze veranderde vlug van rijbaan en nam de afslag naar de haven. De auto die vlak achter hen reed, deed hetzelfde.

'Wat ga je doen?' vroeg Nomsa, die zich aan de portierhandel vastklemde alsof ze bang was dat ze elk moment uit de auto kon vallen.

'Het leek me een goed idee om eerst een piepjonge bewoonster van Sandpiper Drift te interviewen. Zij en haar ouders wonen nu vlak bij de haven.'

Nomsa controleerde even of de auto op slot zat.

'We zijn met ons drieën, er kan niks gebeuren,' zei Monica, niet alleen om haar reisgenoten, maar ook om zichzelf gerust te stellen.

Miemps had gelijk gehad: het was een slechte buurt. De meeste huizen waren ooit waarschijnlijk keurige cottages geweest, waar de vissersvrouwen hun erfje boenden, terwijl hun ogen ondertussen de zee afspeurden om te zien of de boot van hun man al in aantocht was. Nu misten de meeste huizen wel een of meer ramen, maar ook al zagen ze er verlaten uit, toch waren overal tekenen van menselijke aanwezigheid zichtbaar: stapels smoezelig beddengoed dat in de zon lag te luchten, gebroken ruiten afgeplakt met kranten, en op de stoffige erfjes omgekeerde verfblikken die rond de resten van kookvuurtjes waren gegroepeerd. Bij een huis dat overduidelijk in handen was gekomen van krakers die niets met de visserij te maken hadden, hing een rij grauwe luiers over het hek te drogen.

Monica haalde een kaart uit het handschoenenvakje en gaf die aan Nomsa. 'Wil jij even aangeven hoe ik moet rijden naar Orange Street?' Ze keek in de achteruitkijkspiegel. De auto die hen al vanaf de snelweg volgde, bleef in de buurt. Het was een witte sedan en er leek maar één persoon in te zitten.

Nomsa gooide de map naar achteren. 'Doe jij dat maar,' zei ze tegen de cameraman. 'Ik word niet goed van kaartlezen.'

Op aanwijzing van de cameraman vond Monica al vrij snel de straat waar Zukisa woonde en ze slaakte een zucht van opluchting toen ze die in reed: de huizen in deze straat zagen er goed uit. Er waren geen mensen op straat, wat gezien de toestand in de rest van de buurt wel begrijpelijk was, maar in ieder huis dat ze passeerden, zagen ze de gordijntjes opzij gaan. Zodra de glurende bewoner merkte dat er twee vrouwen in die onbekende auto zaten, gingen ze zelfs helemaal open. De auto, waarvan Monica had vermoed dat hij hen achtervolgde, was nergens meer te zien en ze moest toegeven dat ze te hard van stapel was gelopen met haar conclusies.

Het huis van Zukisa was het laatste van de doodlopende straat. Ze parkeerden voor het hek.

'Als we terugkomen, is je auto weg, hoor,' zei Nomsa.

'Ik zal vragen of ik binnen het hek kan parkeren,' zei Monica.

Terwijl de cameraman zijn apparatuur uitlaadde, kwamen overal nieuwsgierige bewoners naar buiten die op hun oprit gingen staan kijken. In Zukisa's huis verroerde zich echter niets of niemand.

Ze klopte aan. Toen er na dertig seconden geen reactie was, duwde Nomsa haar opzij en begon met haar vuist op de deur te bonzen.

'Je maakt ze aan het schrikken,' zei Monica.

'Als er tenminste iemand thuis is,' zei Nomsa hoofdschuddend. 'Dat heb je nou met die verrassingsbezoekjes.'

'Sst,' zei Monica, 'ik hoor iets.'

Er klonk geschuifel aan de andere kant van de deur.

'Zukisa!' riep Monica. 'Hier is Monica, de mevrouw die je gefilmd heeft voor de televisie.'

Een paar tellen later ging het gordijn van de voorkamer een beetje omhoog en daar stond Zukisa, in een van haar fleurige jurkjes, deze keer met een print van felrode kersen. Ze liet het gordijn weer vallen en even later hoorden ze de sleutels in de sloten van de voordeur knarsen, drie in totaal.

'Je ziet er geweldig uit,' zei Monica, toen het meisje eindelijk voor hen stond. 'Je bent gegroeid, zeg.' Ze merkte dat Zukisa naar de camera stond te staren. 'We zijn nog steeds aan het proberen om Sandpiper Drift te redden,' legde ze uit. 'Deze mensen zijn van het programma waar ik vroeger voor werkte' – het ontging haar niet dat Nomsa haar ogen ten hemel sloeg – 'en ze zouden jou en je ouders graag wat vragen willen stellen.'

Zukisa sloeg haar ogen neer. 'Mijn moeder is ziek. En mijn vader is laat.'

'Dat is naar,' zei Monica. 'Zou je moeder het goed vinden als we even op je vader wachten?'

Iemand porde haar met de elleboog in de ribben. Het was Nomsa, die haar woedend toesiste: 'Laat betekent dood.'

'O, Zukisa, wat erg,' zei Monica.

Het meisje probeerde te glimlachen, maar ze was duidelijk van streek en Monica kon zichzelf wel voor het hoofd slaan.

'Mogen we dan misschien je moeder interviewen?' vroeg Nomsa nu. Daarna fluisterde ze zijdelings tegen Monica: 'Ik ben toch blij dat je ons hier mee naartoe hebt genomen. Er zijn geen betere beelden te verzinnen dan die van een moeder op haar sterfbed.'

'Ze gaat helemaal niet dood,' zei Zukisa met vlammende ogen.

Aan welke ziekte haar moeder leed, vertelde ze niet, maar dat hadden ze allemaal al geraden. Het was werkelijk hartverscheurend, dat inmiddels alledaagse karakter van deze kwaal.

'Lieverd, kan ik soms iets voor je doen?' vroeg Monica.

Zukisa dacht even na, maar schudde toen haar hoofd. 'Nee, hoor, we redden ons wel. Ik ga niet meer naar school, dus heb ik tijd genoeg om voor mammie te zorgen. Ze zegt dat ik beter pap kan koken dan zij.'

'Hoe komen jullie aan geld voor eten?' vroeg Monica.

'Mijn mammie heeft geen familie meer, maar een zus van papa brengt ons elke week wat geld. Ze krijgt een pensioen van de regering.' Ze zei het met een zekere trots, als een moeder die aan vrienden vertelt dat haar kind een studiebeurs heeft gewonnen.

Monica pakte een visitekaartje en schreef vlug haar telefoonnummer op de achterkant. 'Als ik je ooit met iets kan helpen, dan moet je me bellen met een collect call, afgesproken?'

Zukisa knikte. 'In deze straat heeft niemand telefoon, maar de telefoon in het *kaffie* doet het wel eens.'

Monica hoopte maar dat Zukisa nooit in haar eentje door deze buurt naar het café hoefde te lopen. Ze hadden het zien staan, vlak bij de hoofdweg. Ze liet een rolletje bankbiljetten in Zukisa's hand glijden en fluisterde: 'Zoek er maar een goed verstopplekje voor.'

'Mogen we binnenkomen om met je moeder te praten?' vroeg Nomsa weer.

Zukisa keek Monica onzeker aan. Die nam de journaliste even apart en zei: 'Haar moeder is ziek. Ze kan niet geïnterviewd worden.'

Nomsa zuchtte. 'Ik wil haar ook helemaal niet interviewen, suffie. Ik wil alleen maar toestemming vragen om dit meisje te interviewen. Ze is een natuurtalent.'

Monica schudde haar hoofd. 'Dat kan ik niet toestaan. Ze heeft al genoeg meegemaakt.'

'Kom op, zeg! Je hebt haar zelf ook een keer gefilmd. En als we dan naar binnen gaan, laten we niet merken dat de camera draait. Op die manier krijgen we geweldige beelden van de zieke moeder en het hele interieur van dit armetierige huisje.'

'Vergeet het maar! We gaan,' snauwde Monica terug. Nomsa's voorstel vervulde haar met zo'n walging dat ze haar het liefst flink door elkaar had gerammeld. Nomsa zag echter niet in waarom ze zou doen wat Monica zei. Per slot van rekening functioneerde die op deze trip alleen maar als chauffeur.

'Je hebt totaal geen benul van goede journalistiek, geloof ik.' Ze deed niet eens moeite om haar stem te dempen. 'Geen wonder dat ik die baan kreeg en jij niet.'

'Als een mens zich moet gedragen zoals jij om een goede journalist te zijn, word ik nog liever typiste,' siste Monica terug.

'Neem me niet kwalijk,' klonk het stemmetje van Zukisa achter hen. 'Ik wil het interview wel doen.'

Monica legde haar hand op de schouder van het meisje. 'Je hoeft niets te doen wat je eigenlijk liever niet wilt, lieverd.'

Zukisa knikte. 'Maar zal het helpen om de huizen van al mijn tannies in Sandpiper Drift te redden?'

'Vast en zeker,' zei Nomsa, die in de gaten kreeg dat de zaak in haar voordeel begon uit te pakken.

Zukisa keek afwachtend naar Monica. 'We hopen van wel,' zei die.

'Dan zal ik eerst aan mammie vragen of het mag.'

Nomsa gaf de cameraman een wenk dat hij het kind naar binnen moest volgen, maar Monica legde haar hand op zijn arm om hem tegen te houden. 'Laat dat.'

De cameraman liet de camera zakken. 'Je hebt gelijk.'

'Schiet op, oen,' zei Nomsa. 'Zo'n kans krijgen we misschien niet nog eens.'

'Ik verzet geen voet,' zei de cameraman.

'Het heeft voor mij anders niet veel zin om naar binnen te gaan als ik niet eens beelden heb,' zei Nomsa, en peuterde een stukje kauwgom uit de verpakking.

Zukisa kwam weer naar buiten. Ze had zich snel verkleed en droeg nu een witte jurk met kantjes.

'Je lijkt wel een engel,' zei Monica.

Zukisa glimlachte. 'Zo noemt mijn moeder me altijd.'

Op de terugweg dacht Monica even dat ze opnieuw door een witte auto werden gevolgd, maar de wagen sloeg af bij Saldanha Bay. Terug in Lady Helen zette ze haar passagiers af bij Abalone House met de belofte dat ze binnen een half-uur terug zou zijn om hen naar Sandpiper Drift te brengen.

'Maak er anderhalf uur van,' zei Nomsa. 'Ik wil eerst even een dutje doen.'

'Maar het is al halfvijf,' zei Monica. 'Ben je niet bang dat je het niet voor het donker afkrijgt? Ik heb morgen door die bruiloft niet veel tijd om je rond te leiden.'

'Wind je niet op,' zei Nomsa. 'Jij maakt je altijd zo druk om niks.'

Toen Monica thuiskwam, zat Francina met de jongens in de tuin in de schaduw.

'Is je familie goed aangekomen?' vroeg ze.

Francina knikte. 'Ze zijn even gaan wandelen om de benen te strekken. Ze blijven niet lang weg.'

'Francina, het spijt me erg, maar ik moet zo weer aan het werk. Nomsa wilde even een poosje rusten.'

Francina schudde haar hoofd. 'Ik zal nooit begrijpen waarom ze die griet liever hadden dan jou.'

'Dank je,' zei Monica. Het was precies de gedachte waar ze zelf de hele dag tegen had lopen vechten.

'Aan de andere kant: als ze haar niet hadden gekozen, hadden wij nu niet hier gewoond, dus misschien is het toch maar goed zo.'

'Je hebt gelijk.'

Francina kwam overeind en wenkte Monica een eindje bij de jongens vandaan. Toen zei ze: 'Ik heb hem ook op de bruiloft genodigd.'

'Over wie heb je het?' vroeg Monica.

'Over de dokter, natuurlijk. Ik zei tegen hem dat jij nog geen introducé had.'

Monica voelde het bloed naar haar gezicht stijgen. 'Ben je gek geworden of zo?'

Francina grinnikte.

'Het is helemaal niet grappig, Francina. Hij is getrouwd.'

'Vanochtend is bekend geworden dat hij gaat scheiden. Zijn vrouw ging al een tijdje vreemd. Hij heeft zijn best gedaan om het huwelijk te redden, maar zij wil bij hem weg. Ze verhuist naar Kaapstad om bij die andere man in te trekken.' Ze keek Monica verwachtingsvol aan.

Monica's hoofd tolde. Die arme Zach! En dan te bedenken dat hij al die tijd, ondanks zijn verdriet, toch nog de kracht had gehad om voor zijn patiënten meer dan zijn plicht te doen. Hij zag er altijd moe uit, maar niet één keer had Monica hem kortaf horen doen, of gemerkt dat hij een praatziek familielid probeerde te ontlopen. En een mistroostige indruk had hij ook nooit gemaakt.

'Wat denk je ervan?' vroeg Francina.

'Nou, ik weet het niet, hoor.'

'Ik vertel je het nieuwtje van het jaar, en jij weet het niet?'

'Ik schrik er erg van.'

'Ik niet. Ik zei toch dat ik mijn ogen niet in mijn zak heb? Ik had helemaal gelijk, toen bij de kerk.'

Monica lachte, en trok toen schuldbewust haar gezicht in een bezorgde plooi. Het was ongepast dat zij de hoop in haar hart voelde opflakkeren op het moment dat Zach nog treurde om zijn stukgelopen huwelijk.

'Hij kan trouwens niet komen, hij moet werken,' zei Francina. 'Maar als je dan toch met een dokter wilt trouwen, kun je daar maar beter vast aan wennen.'

'Francina!' Vlug keek ze om, om te zien of haar uitroep soms de aandacht van de jongens had getrokken. Maar die lagen moe en loom van de hitte te soezen op de deken die Francina onder de boom had uitgespreid. 'Ik denk dat de zenuwen voor de bruiloft je in je bol zijn geslagen.'

'En het is jou in je bol geslagen als je niet ziet wat ik zie,' zei Francina. 'En nu ga ik de jongens eens in een lauw bad stoppen. Anders vallen ze nog in slaap en worden ze vanavond om acht uur wakker met zin om te gaan spelen.'

Om halfzes was Monica terug bij Abalone House. De cameraman stond klaar, maar Nomsa was aan het douchen. Ze hadden weliswaar nog drie uur tot het donker werd, maar Monica wist maar al te goed hoe het meestal ging: oponthoud en tegenslagen waren een normaal verschijnsel, en voor je het wist, viel de schemering in en had je niet genoeg op de band om de vastgestelde zendtijd te vullen. Ze hoopte nog dat dit gepieker haar gedachten van Zach zou afleiden, maar dat gebeurde niet.

Samen met de cameraman stond ze een poosje met Kitty te babbelen, die duidelijk popelde om het onderwerp Zach aan de orde te stellen, maar dat niet kon doen omdat er een vreemde bij was. Op de weg kwam een witte auto voorbij, die voor Abalone House vaart minderde, maar weer optrok toen de chauffeur zag dat er mensen op de veranda stonden. Monica verontschuldigde zich even en belde snel de politie om te vragen of ze wilden uitkijken naar een witte auto die in verband kon staan met de inbraak in het kantoor van de *Lady Helen Herald*. De politieman verzekerde haar dat hij dat hoogstpersoonlijk op zich zou nemen. Aangezien ze maar met zijn tweeën waren en zijn partner die middag vrij had, voelde Monica zich een beetje bezwaard, maar ze zou het niet gevraagd hebben als ze niet had gedacht dat het echt nodig was.

Miemps en Reg ontvingen hen in hun zondagse kleren. Daphne, die haar verpleegstersuniform had aangehouden, schonk thee. Haar handen beefden zo dat Monica de andere kant op keek om haar niet in verlegenheid te brengen. Miemps had haar verteld dat Daphne nooit meer dan drie uur achter elkaar sliep en dat ze 's nachts vaak in de keuken zat met haar hoofd in haar handen, of in de tuin naar de sterren stond te kijken.

Het huis stond vol bruine dozen en de meeste waren al dichtgeplakt. Op geen enkele doos stond een afleveradres – en dat een week voordat de bulldozers zouden komen.

De cameraman stelde zijn apparatuur op en begon zonder verdere waarschuwing te filmen. Miemps en Reg keken elkaar angstig aan, maar Nomsa zette het gesprek voort alsof er niets aan de hand was. Af en toe stelde ze eens een vraag, alsof ze gewoon een beetje zat bij te praten met oude vrienden. Al gauw kwamen Miemps en Reg los uit hun verstarring en gaven ze in hun antwoorden blijk van echte emoties. Op een gegeven moment haalde Miemps een zakdoek tevoorschijn en barstte in snikken uit. Reg sloeg zijn arm om haar heen en praatte recht in de camera.

'De vorige keer hebben ze ons ons huis uitgegooid om ruimte te maken voor een blanke wijk, en deze keer worden we eruit gesmeten voor kerels die een wit balletje in het rond willen slaan.' Hij schudde zijn hoofd.

Monica moest toegeven dat Nomsa's aanpak door en door professioneel was. Ze leek wel een oude, vertrouwde kennis, zo openhartig waren Miemps en Reg tegen haar.

Daphne had nog weinig meer gezegd dan haar naam, maar na de woorden van haar vader zochten alle opgekropte woede en frustratie ineens een uitweg.

'Mijn ouders zijn fijne mensen. Ze hebben zich hun leven lang alleen maar ingezet voor andere mensen. Ze verdienen meer respect. Een man die oudere mensen of gezinnen met jonge kinderen dwingt te verhuizen heeft geen geweten. Wist je dat een van de gezinnen moet verhuizen naar de werkplaats van de school? Alleen honden zouden hun jongen in een schuur mogen grootbrengen.' Ze boog zich dichter naar Nomsa toe. 'Die vent daar' – ze wees in de richting van het golfterrein – 'zal je vertellen dat hij ons een eerlijke prijs voor ons huis heeft betaald, maar ik zeg je: met het geld kunnen we hooguit een huis kopen in een achterbuurt van Kaapstad, of een stukje grond ergens in niemandsland.'

Monica had spijt als haren op haar hoofd dat ze bij haar eerste bezoek aan Lady Helen de kans op dit interview aan haar neus voorbij had laten gaan. Daar was echter niets meer aan te veranderen, en in ieder geval had Daphne nu haar moment voor de camera gekregen, ook al was het op het nippertje.

Nomsa werkte vervolgens in tomeloze vaart de rest van het programma af. Ze groepeerde de andere gezinnen stuk voor stuk bij hun eigen voordeur en interviewde alle afzonderlijke leden. De vrouwen lieten hun tranen de vrije loop, maar het waren vooral de hartverscheurende pogingen van de mannen om hun onverstoorbaarheid te bewaren die Monica door merg en been gingen. In de vakkundige handen van Nomsa ontspanden ze echter allemaal, net als Miemps en Reginald, en ze stortten hun hart bij haar uit alsof ze haar van kinds af aan al kenden.

Nomsa onderbrak de opnames niet één keer. Pas na een uur riep ze: 'Cut!' De mensen verdrongen zich om haar een hand te geven en haar te bedanken, maar ze wilde meteen weer vertrekken. Dat was natuurlijk omdat het al schemerig werd, meende iedereen, en omdat ze nog veel te doen had, maar Monica wist wel beter. Dit was nu eenmaal haar manier van doen. Ze had de mensen van Sandpiper Drift alleen maar gebruikt voor haar eigen doelen. Toen ze wegreden, renden de kinderen roepend en zwaaiend achter de auto aan, maar Nomsa zat alweer druk te bellen en gunde hun nog niet eens een glimlach.

De zon zakte al weg in de oceaan, toen Monica haar auto bij het golfcomplex parkeerde. Als drie legerspionnen kropen ze door het struikgewas naar het strand, waar de cameraman erin slaagde om met behulp van een krachtige lens opnamen van het terrein en de gebouwen te maken.

Toen het eindelijk te donker was om nog te kunnen filmen, baanden ze zich een weg terug naar de auto. Geen van hen had eraan gedacht een zaklantaarn mee te nemen, en hoewel de maan zijn best deed, hadden ze toch niet voldoende licht om met zekerheid te kunnen zeggen of ze op de goede weg waren.

Op een gegeven moment struikelde de cameraman over een grote steen. Bijna had hij zijn apparatuur laten vallen.

'Ik kan me deze steen van de heenweg helemaal niet herinneren,' zei hij.

Monica evenmin, en ze begon zich zorgen te maken. Ze moest nodig de jongens bij Francina gaan ophalen, want een aanstaande bruid moest op tijd naar bed om er op de grote dag op haar mooist uit te kunnen zien.

Tot nu toe was het windstil geweest, maar terwijl ze op het strand waren, was er een briesje opgestoken. Monica was dom genoeg vergeten haar zonnehoed af te zetten toen het donker inviel, en nu moest ze die met haar ene hand voortdurend vasthouden.

'Ik heb het koud,' klaagde Nomsa.

'Ik ook,' zei Monica zonder nadenken, en toen drong het ineens tot haar door: de zinderende warmte was verdwenen en de nacht was koel en winderig. De missie had haar zo in beslag genomen dat ze de verandering in het weer niet eens had opgemerkt.

'Dank U, Heer,' fluisterde ze voor zich heen. Wat zou Francina opgelucht zijn!

Recht voor hen kon ze nu de omtrekken van een auto onderscheiden.

'We zijn er bijna!' riep ze naar Nomsa en de cameraman. Die waren allebei wat achteropgeraakt; hij vanwege de zware apparatuur die hij moest meesjouwen en zij vanwege haar sandalen, die ongeschikt waren voor dit ruwe terrein.

Monica viste alvast haar sleuteltjes uit haar zak, stapte de weg op en bleef toen stokstijf staan. Het was haar auto helemaal niet. Het was een kleine, witte sedan en op de motorkap zat een man een sigaret te roken.

'Mooie avond voor een wandeling,' zei hij.

Ze knikte. De man kwam van de motorkap af, reikte door het open raampje naar het dashboard en schakelde de koplampen in. Op dat moment zag Monica dat zijn haar kortgeknipt was als dat van een soldaat. Dit was de onbekende die ze bij haar kantoor had zien rondhangen en die ze later in Mama Dlamini's Eetcafé opnieuw was tegengekomen. Haar instinctieve overtuiging dat hij eveneens degene was die in haar kantoor had ingebroken, zou voor de rechtbank uiteraard niet voldoende zijn, maar voor haarzelf was het genoeg. Achter zich hoorde ze Nomsa hijgen.

'O, hallo,' zei de vreemdeling toen Nomsa in de lichtbundel van de koplampen opdook. Hij schoot zijn peuk op de weg en stampte hem uit. 'Ik ben een van je grootste fans.'

Het viel Monica op dat hij de paar seconden die de mensen meestal nodig hadden voor ze haar herkenden, oversloeg – en dat terwijl het licht verre van ideaal was. Het leek wel alsof hij haar had verwacht.

Nomsa depte haar bezwete gezicht met een papieren zakdoekje. 'Dank u.'

'En dit is zeker uw collega,' zei de man, toen ook de cameraman op de weg verscheen. Die keek even naar Monica. Ze probeerde hem met de ogen te waarschuwen, maar hij pikte het niet op.

'Laat me eerst dat zware ding eens kwijt zien te raken,' zei hij en stak zijn hand naar Monica uit om de autosleutels.

'Doen jullie voor *Van dichtbij* een item over golf?' vroeg de onbekende. 'Of maken jullie een kunstprogramma over de galerieën hier?'

Monica was ervan overtuigd dat hij wel wist hoe de vork in de steel zat, maar Nomsa had niet in de gaten dat ze voor het lapje werd gehouden.

'Het is een item over de stad zelf,' legde ze uit, 'en over de golfmagnaat die zichzelf een deel van de grond heeft toegeëigend.'

'Laten we verdergaan,' zei Monica en stootte haar even aan. 'We moeten mijn auto zien te vinden.'

'Je zit er maar honderd meter naast,' zei de onbekende. Hij liep naar Nomsa en stak zijn hand uit. 'Ik heb nog nooit eerder een beroemdheid in levenden lijve ontmoet.'

Met een geforceerde glimlach raakte ze even zijn vingertoppen aan.

'Wanneer wordt het uitgezonden?' vroeg hij.

'Volgende week woensdag om halfnegen 's avonds,' zei Nomsa. 'Ik ben altijd het eerst aan de beurt.'

Dat was weer zo'n steek onder water, dacht Monica, die zelf maar één keer het hoofditem had mogen presenteren. Dit was echter niet het juiste moment om oud zeer te koesteren.

'Zo gauw al?' vroeg de vreemdeling. 'Ik zal eraan denken. Goedenavond.' Hij zwaaide even, stapte in zijn auto en reed weg in de richting van het golfterrein.

'Hij had ons wel even een lift naar jouw auto kunnen aanbieden,' mopperde Nomsa, die het zoveelste steentje uit haar sandalen peuterde.

Monica was blij dat de man was vertrokken zonder echt moeilijkheden te veroorzaken, maar ze was er akelig zeker van dat hij nu een woordelijk verslag aan Yang ging uitbrengen. Nog een week. Er kon zo veel gebeuren in een week!

Zesentwintig

*D*oor de geopende ramen van Jabulani Cottage dreef de geur van de brunfelsia naar binnen. Francina zat voor de spiegel, terwijl haar moeder de dikke lussen van de extensions, waartoe ze op het laatste nippertje had besloten, op haar hoofd stapelde. Monica had de brunfelsia geplant ter herinnering aan de geur van het huis waar ze als kind had gewoond, en de struik had het in de droge lucht en grond van Lady Helen vanaf het begin prima gedaan. Niet alle planten hadden de hittegolf overleefd. De rozen die David had geplant hadden zo langzamerhand het meest weg van dode kevers. De tomaten daarentegen gedijden uitstekend.

Ook de toeristen betoonden zich taai. Het zomerkunstfestival van het afgelopen weekend had meer bezoekers getrokken dan ooit. De meesten van hen waren speciaal gekomen voor het schilderij 'Gezicht van een vrouw,' van S.W. Greeff, dat de afgelopen zes maanden in een dure galerie in Parijs had gehangen en net op tijd voor het festival per vliegtuig was gearriveerd. Francina kon maar niet begrijpen waar al die drukte goed voor was; ze kon tekeningen van Mandla laten zien die meer gelijkenis met een vrouw vertoonden dan dit schilderij.

Tot gisteravond had Francina zich wanhopig afgevraagd of

ze de bruiloft zou doorstaan zonder dat haar jurk van zweet doordrenkt raakte. Nu hadden sterke windvlagen van de kant van de oceaan de hitte verdreven en toen ze vanochtend bij het wakker worden de koele lucht haar kamer voelde binnenstromen had ze hardop God gedankt.

'Je ziet er prachtig uit,' zei haar moeder, terwijl ze de laatste haarspeld vastzette. Francina had voor het eerst van haar leven haar gezicht opgemaakt.

'Dat is alleen aan u te danken, Mama,' zei Francina verlegen.

'Maar nu kunt u beter alvast naar de kerk gaan. Wilt u de broers er nog een keer aan herinneren dat ze iedereen hun laarzen laten uittrekken? Geen mens komt met modderlaarzen op mijn bruiloft.'

Haar moeder gaf haar een zoen, pakte de tas met turquoise kralen die ze had gekocht bij de jurk die Francina tussen de bedrijven door nog voor haar had weten te naaien, en repte zich naar buiten, waar haar oudste zoon in de ronkende auto zat te wachten.

'Hebben ze het naar hun zin in Abalone House?' vroeg Monica, die de auto nawuifde.

'Ja, hoor, prima,' antwoordde Francina.

Monica zou Francina naar de kerk begeleiden. Dominee Van Tonder was zo vriendelijk geweest de bruid de consistorie ter beschikking te stellen als kleedkamer, zodat ze met haar prachtige jurk niet door de modder hoefde te ploeteren. Het was de bedoeling geweest dat zij en Monica als eersten bij de kerk zouden arriveren, maar Mandla had vanmorgen over buikkramp geklaagd en Francina had erop gestaan haar speciale kruidenthee voor hem te maken. 'Hij moet ook van deze blijde dag kunnen genieten,' vond ze.

Nu liepen ze het risico dat ze bij de lange wandeling over het wad al gezelschap van de bruiloftsgasten zouden hebben. Dankzij Francina's impulsieve gulheid zou de hele gemeente van het Kerkje aan de Lagune aanwezig zijn, en dan nog dertig anderen, waaronder Francina's familie die de lange reis vanuit Kwazulu-Natal had gemaakt. Francina wist dat ze met veel minder gekomen zouden zijn als Kitty hun geen gratis logies had aangeboden. Het wildreservaat had tot nu toe nog niets opgeleverd, omdat de bouw van de rondavels langer duurde dan verwacht.

'De jongens zijn klaar,' zei Monica. 'Kan ik nog iets voor je doen?'

'Zou je mijn jurk willen dragen? Ik ben zo zenuwachtig dat ik hem vast in de modder laat vallen.'

Monica hing de kledingzak over haar arm en Francina maakte nog een keer de ronde door Jabulani Cottage om afscheid te nemen van haar badkuip, haar televisie, haar bed en haar uitzicht.

'Ik had toch gezegd dat je de meubels mee mocht nemen,' zei Monica.

Francina schudde haar hoofd. 'Dat was lief van je, maar Hercules heeft genoeg.'

Ze wist niet goed of ze Monica zou kunnen uitleggen hoe ze zich voelde. Op dit moment zette ze een streep onder alle jaren dat ze zich in haar eentje op de been had moeten houden. Vanaf nu mocht ze van een welverdiende rust gaan genieten. Na een laatste rondblik deed ze de deur dicht en het was maar goed dat ze werd afgeleid door de jongens in hun nieuwe colbertjes, anders had ze met een ferme huilbui al haar make-up bedorven.

'Kijk nou eens, wat een knappe jongens!' zei ze en Mandla keek voor het eerst van zijn leven verlegen.

Francina had eigenlijk liever gezien dat ook de jongens zich pas bij de kerk zouden omkleden, maar Monica vermoedde dat daar niet genoeg ruimte voor was. Ze had Mandla de belofte afgedwongen dat hij rustig zou lopen en zijn broer niet onder zou spatten door met twee voeten tegelijk in de modder te springen. De pijpen van hun marineblauwe broeken waren zorgvuldig in hun laarzen gestopt en hun glanzendnieuwe zwarte schoenen zaten in Monica's tas.

'Nog een extra voorzorgsmaatregel,' zei Francina en haalde twee plastic poncho's tevoorschijn uit haar tas met trouwbenodigdheden. De jongens trokken ze aan en daarna klommen ze allemaal in Monica's auto om naar de rand van het wad te rijden.

Na de eerste schrikreactie bij het zien van de vele gasten die al op weg waren naar de kerk grapte Francina tegen iedereen die ze tegenkwam dat ze nog even terug had gemoeten naar huis omdat ze vergeten was de strijkbout uit te schakelen.

Ingrid had de consistorie vol gezet met flessen water, een bord haverkoekjes, een verscheidenheid aan make-up, haarlak, borstels en kammen, met een felicitatiekaartje ernaast. Ze had het sportief opgevat dat Francina voor haar geen jurk meer had kunnen maken. Tot dan toe wisten alleen Monica, Hercules en Oscar van haar plan om haar schooldiploma te halen, maar nadat ze het aan Ingrid had verteld, was binnen een mum van tijd de hele stad op de hoogte. Was de spanning daarvoor al groot geweest, nu iedereen voor haar zat te duimen was ze bijna ondraaglijk geworden.

Na het eerste examen had ze uitgeroepen dat ze niet alleen als een baksteen was gezakt, maar dat haar stompzinnige antwoorden nog jarenlang als lachwekkend voorbeeld konden dienen. Hercules verzekerde haar dat dat laatste niet zou gebeuren, omdat alle antwoorden vertrouwelijk werden behandeld, maar ze was woedend geworden omdat hij haar niet wilde geloven en had hem de rug toegekeerd. Het was een zenuwslopende tijd voor hen allebei. Een man kon het nu eenmaal nooit goed doen bij een vrouw die zich tegelijkertijd op een examen en op een huwelijk moest voorbereiden.

Monica maakte net het laatste haakje van Francina's jurk vast, toen er zacht op de deur werd geklopt. Het was de vader van de bruid.

'Wees maar niet zenuwachtig, Baba,' zei Francina tegen hem.

Ze merkte wel dat hij wat onzeker was over zijn rol op deze trouwdag, die zo anders verliep dan de bruiloften in hun dorp. 'Dominee Van Tonder zal zeggen dat u mij weggeeft, maar dat is alleen maar een manier van zeggen. De mensen hier geloven niet dat een man zijn schoonvader een *lebola* moet betalen als vergoeding voor het verlies van een hardwerkende dochter.'

Haar vader groette Monica met een lichte hoofdknik. Het zat hem duidelijk niet lekker dat zijn dochter dergelijke privézaken besprak in aanwezigheid van haar werkgeefster. Francina stelde hem gerust: 'Tegen Monica kun je alles zeggen wat je wilt.' Hij bleef echter zwijgen tot Monica zich tactvol excuseerde met de opmerking dat ze even wilde controleren of de jongens al klaarstonden. Die zouden namelijk de fluwelen kussentjes met de trouwringen naar het altaar dragen. Sipho vond het een belachelijke vertoning en Mandla had al geprobeerd een van de ringen aan de vogels te voeren, en daarom hield Monica de sieraden zo lang mogelijk bij zich. Ze waren van zilver, niet van witgoud zoals de verlovingsring, maar Hercules had van Francina niet meer geld mogen uitgeven aan juwelen voor haar nederige vingers, vooral niet omdat toch niemand het verschil zou kunnen zien.

Zodra Francina aan de arm van haar vader de kleedkamer uit kwam, legde Monica de ringen op de kussentjes en gaf ze de organist een seintje dat hij kon inzetten. Bij de eerste noot ging iedereen staan, en de jongens begonnen aan de vooraf geoefende, plechtige wandeling over het gangpad naar de plaats waar dominee Van Tonder stond te wachten. Francina en haar vader volgden op vier passen afstand.

Monica glipte snel op haar plaats in de rij achter Francina's familie en hield de jongens in de gaten. Sipho keek strak voor zich uit, maar Mandla had voor iedereen die hij passeerde een glimlach of een gefluisterde groet. Ella zou zich slap gelachen hebben.

338

De cameraman had royaal aangeboden gratis een film van de dienst te maken. Ook Nomsa was uitgenodigd, maar die had bedankt omdat ze, zo had ze gezegd, haar rust meer dan nodig had.

De ramen van de kerk stonden tegen elkaar open, waardoor de enorme ventilator die de afgelopen zondagen verlichting had geboden, niet langer nodig was. Op het gezicht van de bruid was gelukkig geen spoortje zweet te zien. De zon stond hoog aan de hemel, waardoor je nauwelijks naar buiten kon kijken, zo fel waren het witte zand en de oceaan aan de ogen. Het was maar goed dat de foto's onder de bomen van Abalone House genomen zouden worden, want in dit onbarmhartige licht hadden ze beslist aan diepte en detail verloren.

Drie rijen achter Monica zaten Kitty en James. Omdat Francina meer mensen had uitgenodigd dan aanvankelijk de bedoeling was, had ze besloten van het diner in Abalone House af te zien en in plaats daarvan iedereen te trakteren op een glas punch met een stuk taart. De naaste familie zou daarna vertrekken om in de flat van Hercules en Francina te gaan eten.

De jongens boden de ringen aan dominee Van Tonder aan en schoven daarna op de plaatsen die Monica voor hen had vrijgehouden.

'Goed gedaan,' fluisterde ze tegen hen en ze lachten allebei breed.

Francina en Hercules gaven hun jawoord met luide, heldere stem, zodat zelfs de mensen op de achterste rij het goed konden verstaan.

'Dan verklaar ik u tot man en vrouw,' zei dominee Van Tonder. 'Bruidegom, u mag de bruid kussen.'

Monica wist dat Hercules tegen dit publieke liefdebetoon had opgezien als tegen een berg, maar nu het zover was, boog hij zich vastberaden naar Francina toe. Net toen hij zijn ogen dichtdeed voor het grote moment, vlogen de kerkdeuren open.

'De bulldozers zijn er!' schreeuwde Miemps naar binnen. 'Ze zijn een week eerder gekomen! En Daphne zit op het dak en vertikt het om naar beneden te komen!'

De kerkgangers kwamen als één man overeind en stormden naar de hal, die vol stond met bemodderde laarzen. Niemand had eraan gedacht de laarzen in een bepaalde volgorde neer te zetten, en dus werd het een gekkenhuis van mensen die het ene paar laarzen na het andere probeerden, net zo lang tot ze een passend paar hadden gevonden; of het hun eigen laarzen waren, deed niet ter zake. Een voor een, als triatlonatleten bij de wisseling, vlogen ze naar buiten, over het wad naar Sandpiper Drift, met de cameraman voortdurend filmend achter hen aan.

Monica rende meteen naar Francina, maar die bleek geen troost nodig te hebben.

'Het geeft niks; we hebben straks nog tijd zat om te zoenen. Ga jij Daphne maar helpen, ik houd de jongens wel bij me.'

Ze liet het aan de familie van de bruid over om met het pasgetrouwde paar naar Abalone House te gaan voor de fotosessie, greep het enig overgebleven paar laarzen – ze waren twee maten te klein – en holde achter de anderen aan.

Een van de bulldozers had het huis van de familie DeVilliers al geramd. Er zat een grote scheur in de muur. De chauffeur was net aan het keren om het nog eens te proberen, toen Monica kwam aanrennen. Het leek of hij er niet op had gerekend dat de stenen muren zo veel weerstand zouden bieden. Hij moest even stoppen om zijn nek te wrijven, voor hij de derde poging waagde. Een tweede bulldozer had de voordeur van Daphnes huis geramd, maar het bleef bij een enkele keer, omdat Miemps hem de weg versperde.

'Blijf van mijn dochter af!' krijste ze naar de chauffeur.

De man keek onzeker naar de pick-uptruck die hen bij deze missie begeleidde, en uiteindelijk stapte daar een man uit. Het was de bewaker die Monica al eerder bij het golfterrein had ontmoet.

'Meneer Yang heeft voor deze panden een goede prijs betaald,' zei hij.

'Niet waar,' schreeuwde Daphne vanaf het dak.

De bewaker keek in de papieren die hij in zijn hand had.

Alstublieft, God, bad Monica in stilte, *laat niemand iets ondoordachts doen en alstublieft, geef dat deze mensen hun huizen mogen houden.*

Met oorverdovend gekraak stortte op dat moment de muur van DeVilliers' huis in. De houten balken die het zinken dak hadden gestut versplinterden. Na nog drie manoeuvres van de bulldozer was er van het huis niets meer over dan een berg van stenen, brokken witkalk en verwrongen metaal.

'Waag het eens om dat met ons huis uit te halen!' gilde Daphne. 'Over mijn lijk!'

De bewaker tuurde weer in zijn papieren, alsof de kleine lettertjes uitsluitsel konden geven over wat hij moest doen als er toevallig iemand op een van de daken zat.

'Kom nou naar beneden, Daphne!' smeekte Miemps. 'Dit is het huis toch niet waard.'

'Ze willen niet alleen ons huis vernielen, ma, maar ook onze rechten en onze menselijke waardigheid.'

'Daphne, doe wat je moeder zegt,' beval Reg haar nu, maar ook zijn strenge optreden haalde niets uit.

Tevreden met het tot nu toe behaalde resultaat reed de chauffeur van de eerste bulldozer van het huis van DeVilliers naar het huis van de conciërge van het Groene Blok.

'Nee!' schreeuwde diens vrouw wanhopig. Ze verdween achterom en kwam met een ladder terug. Toen klom ook zij op het dak van haar woning.

De chauffeur keek geschrokken naar de bewaker.

'Kom eraf, dame!' schreeuwde die.

De vrouw van de conciërge schudde haar hoofd en ging zitten.

'Goed gedaan, zussie!' riep Daphne haar toe.

Door de mensenmassa ging een waarderend gegrinnik. De

bewaker zei iets in zijn walkietalkie.

'Wacht maar,' zei hij toen en hief waarschuwend zijn wijsvinger, eerst tegen Daphne en daarna tegen de andere vrouw.

Op dat moment begon de menigte te joelen. De bewaker keek wild om zich heen en wat hij zag, deed hem in zijn walkietalkie schreeuwen om bijstand. Een voor een hesen de vrouwen van Sandpiper Drift zich op de schouders van hun echtgenoten en klommen op het dak van hun huis. Het werd een echte, ouderwetse sit-in, alleen op een iets hoger niveau dan vroeger.

Nu kwam eindelijk Nomsa aanlopen, haar bezwete gezicht op zeven dagen slecht weer omdat alle actie tot nu toe aan haar neus voorbij was gegaan.

Even later kwam er een bedrijfstruck van het golfcomplex aanrijden met een stel veiligheidsmensen erin, die de vrouwen dreigden met arrestatie en geweld. Het enige antwoord was hoongelach, waarop ze verder hun mond hielden. De cameraman filmde maar door en Monica nam foto's met het toestel dat ze ter gelegenheid van de bruiloft bij zich had.

De bewakers trokken zich in hun voertuig terug, maar reden niet weg en na een poosje hoorden de mensen het ratelen van een naderende helikopter. Het zand dat door de zoevende wieken werd opgejaagd, prikte in hun ogen en veroorzaakte bij iedereen benauwde hoestbuien. Nog voor het toestel de grond raakte, sprong Yang er al uit.

'Kom van dat dak af, of ik rapporteer dit bij de overheid,' schreeuwde hij en hij zwaaide dreigend met een stapel papieren. Zodra hij Nomsa's microfoon ontdekte, pakte hij die af om zich beter verstaanbaar te maken. 'Afspraak is afspraak. Er is hier een diamant gevonden, dus het land valt weer aan de overheid toe. En als die het aan mij wil verkopen, moet zij dat weten. Ik ben deze mensen helemaal niets verplicht. Ze zouden dankbaar moeten zijn voor de royale schadeloosstelling.'

'Er zijn hier helemaal geen diamanten,' schreeuwde nu de

conciërge van het Groene Blok.
'Mis, vriend. Een van je eigen buren heeft er een gevonden, niet ver hiervandaan.'
Iedereen begon tegelijk te praten. *Alstublieft, God,* bad Monica weer. *Laat hem geen namen noemen.*
'En nou eraf, zodat mijn mannen hun werk kunnen doen!'
Iets trof Yang in zijn rug en hij kromp ineen. Het was een damesschoen. Een tweede raakte zijn arm en het duurde niet lang of alle vrouwen trokken hun schoenen uit en bekogelden de zakenman ermee. In plaats van zich uit de voeten te maken, beschermde hij zijn hoofd met zijn armen en liet de schoenenregen over zich heen komen. Toen er geen schoenen meer over waren, liet hij zijn armen weer zakken en zei hard: 'Morgen kom ik terug met de politie.'
Iedereen zocht in een van de huizen een schuilplaats tegen de opstijgende helikopter. Voor sommige inwoners van Lady Helen was dit de eerste keer dat ze in Sandpiper Drift waren en nu moesten ze zich tussen een douche en een toilet wringen om te schuilen voor een zandstorm.
Toen de lucht weer opgeklaard was, werd er een rooster opgesteld van mensen die voor de vrouwen op het dak wilden koken, terwijl Monica als een haas naar de fotowinkel ging voor de één-uurservice. In afwachting van de ontwikkeling van haar filmpje reed ze even naar Abalone House, waar Francina, Hercules en hun families zojuist de fotosessie hadden beëindigd. De punch stond warm te worden en het glazuur op de taart begon te smelten. Monica deed uitvoerig verslag van alle gebeurtenissen, en langzamerhand begonnen de verwaaide en stoffige gasten binnen te druppelen.
'Ik moet nog even ergens heen,' fluisterde ze tegen Francina. 'Het spijt me ontzettend. Ik zal Kitty vragen om op de jongens te passen tot ik terug ben, want ik zou het sneu vinden als ze het feest moeten missen.'
'Ze kunnen bij mij blijven – bij ons, bedoel ik,' zei Francina.
'Maar het kan laat worden.'

'Dat geeft niet.'

Monica gaf haar een zoen en Francina wapperde met haar hand, net zoals Ella altijd deed.

Gelukkig was het rustig op de weg en zo was ze binnen een uur in Bloubergstrand. Deze keer wilde de bewaker haar niet doorlaten.

'Ik heb mijn orders,' verklaarde hij.

Moest ze nu weggaan en wachten tot hij in slaap viel, of kon ze de envelop met foto's voor Lizbet aan hem afgeven? Even meende ze Gods stem te horen die haar zei dat ze deze man kon vertrouwen.

'Dat is goed,' zei hij, toen ze hem de foto's gaf. 'Ik geef ze wel aan haar als ze vanavond thuiskomt.'

'Als je ze maar niet aan haar man geeft,' waarschuwde Monica hem.

Ze reed terug naar Lady Helen, en vond Kitty bezig met de bediening van twee tafels vol Franse toeristen. Uit niets bleek dat er die middag in Abalone House een huwelijksreceptie had plaatsgevonden.

'Ze zijn naar Hercules' flat gegaan,' vertelde Kitty. 'Naar de flat van Hercules en Francina, bedoel ik.'

Door Monica's hart ging een steek van weemoed. Francina en zij hadden tweeëntwintig jaar onder een dak verkeerd, en nu was Francina vertrokken. Nooit zou ze meer binnen handbereik zijn.

In de flat zat iedereen te smullen van de rundvleesragout en de ratatouille die mevrouw Shabalala de vorige dag had klaargemaakt. Mandla en Sipho zwaaiden even naar Monica toen die binnenkwam, maar waren daarna meteen weer een en al oor voor het verhaal van een van Francina's neven.

'Ga zitten,' zei Francina. Hercules bood haar zijn eigen stoel en haalde voor zichzelf een krukje uit de keuken. Francina's ouders glimlachten haar beleefd toe, Dingane schudde haar de hand en de andere broer hief vrolijk zijn hand naar haar op.

'Hoe bevalt het onderkomen u?' vroeg Monica. Het klonk formeel en ze voelde zich plotseling een storende factor in dit gelukkige gezelschap.

'Prima,' zei Francina's schoonzusje. 'We doen allerlei ideeën op voor ons eigen park.'

'Mijn vrouw gaat het restaurant beheren,' vertelde Dingane. 'De vrouwen kibbelen nog steeds over wie hoofd van de huishouding mag worden. Ik heb de baan aan mijn zus aangeboden, maar die heeft geweigerd – en met een goede reden, wat mij betreft.' Hij gaf zijn kersverse zwager een klap op de schouder en iedereen barstte in lachen uit, ook Sipho en Mandla.

Monica bekeek haar jongens eens goed. Ze zaten zo op hun gemak tussen deze mensen, en ineens drong het tot haar door dat ze hier de enige blanke was. Ontnam ze Sipho en Mandla niet hun eigen cultuur? Ze had hun vader Thembla op zijn sterfbed beloofd dat ze hun eigen taal zouden bijhouden, maar die spraken ze tegenwoordig nauwelijks meer. Bovendien waren ze altijd onderworpen aan haar smaak, of het nu ging om muziek, boeken, eten of televisie. Zouden ze het haar op een dag niet gaan verwijten? Misschien was het de hoogste tijd dat zij eens Sotho ging leren.

Om de beurt klommen de mensen op de daken om over de slapende vrouwen te waken. Een val van die hoogte leverde minstens een gebroken enkel op. Midden op de weg legden ze een groot vuur aan, op de plek waar een van de bulldozers uit pesterij een groot gat had gemaakt, en de hele nacht door bleven er mensen komen met dekens, gitaren, koekjes en thermosflessen hete thee.

Toen de ochtend aanbrak, poetsten de vrouwen hun tanden, wasten hun gezicht in een emmer water en genoten onder luid heen en weer geroep van een stevig ontbijt: pannenkoeken, eigengemaakte muesli, muffins en versgeperst sinaasappelsap, verzorgd door niemand anders dan Kitty en met de truck gebracht door James. Toen die weer wegliep met de lege dienbladen, merkte hij dat er iemand achter hem aan kwam. Uit de verte keek Monica toe, terwijl Sipho deed wat hem gezegd was. Na een paar zenuwslopende minuten zag ze tot haar opluchting dat James hem een hand gaf. Het was precies de goede reactie; een omhelzing had Sipho eerder als een straf ervaren dan als een begin van wat hopelijk een goede vriendschap kon worden.

De beide politiemannen van Lady Helen arriveerden net toen de theeboel van tien uur werd opgeruimd. Ze stonden wat te schuifelen en samen te smoezen en waren duidelijk hoogstongelukkig met de hele situatie.

'Meneer Yang moet afzien van zijn geplande diefstal van onze huizen,' riep Daphne hun toe. 'En anders klimmen jullie zelf maar op het dak om ons eraf te halen.'

Ze waren dat overduidelijk niet van plan en maakten zich haastig weer uit de voeten om Yang te gaan raadplegen.

De rest van die dag bleven de vrouwen op het dak zitten. Ze beschermden zichzelf met paraplu's tegen de felle zomerzon en zongen protestliederen uit de tijd van de apartheid. Nomsa klom ook op het dak om Daphne te interviewen, maar ze had duidelijk last van hoogtevrees en liet het daarom bij dat ene vraaggesprek.

Om vijf uur begon Daphne over duizeligheid te klagen.

'Jij komt nu onmiddellijk naar beneden,' commandeerde haar vader en toen ze nog steeds geen krimp gaf, haastte hij zich naar het ziekenhuis om Zach te gaan halen. Die onderzocht haar en constateerde een zonnesteek. Ze moest meer drinken en koel gehouden worden.

'Hoor je dat, meid?' vroeg Reg. 'Hij zegt dat je van dat dak af moet.'

'Ik koel wel af als de zon ondergaat,' zei Daphne.

Monica speurde Zachs gezicht af, maar dat stond net als anders. Hij merkte dat ze naar hem staarde en glimlachte naar haar. Ze kon wel door de grond zakken omdat hij haar had betrapt, en de blos die zich over haar gezicht verspreidde, maakte het nog erger. Ze had het plotseling erg druk met emmers water sjouwen.

Zach beloofde Daphne later die dag nog een keer te komen onderzoeken en verdween weer naar het ziekenhuis.

Daphne ging slapen en Monica klom op het dak om op haar te passen. Reg en Miemps hadden de nacht ervoor om beurten gewaakt, maar op hun leeftijd waren zulke klimpartijen niet verstandig meer.

Om acht uur kwam Max en die vroeg of Monica zich wel had gerealiseerd dat ze door die ladder op te klimmen onderdeel van het nieuws was geworden in plaats van een objectieve toeschouwer te blijven.

'Ik weet het, Max,' zei ze.

Zijn nek ging pijn doen van het omhoogkijken, dus hij bleef maar even. Monica wist niet of de gang van zaken hem beviel of niet, maar voor het eerst sinds hun kennismaking liet het haar koud. Ze wist dat ze de goede keuze had gemaakt.

Om negen uur kwam Zach naar boven geklommen en controleerde Daphnes vitale functies, zonder haar wakker te maken. Volgens hem ging het al beter met haar en diende ze verder met rust gelaten te worden.

'Ik wil je nog even spreken,' fluisterde hij toen tegen Monica. Bij het vuur pakte iemand een gitaar en de vrouwen op het dak zetten zachtjes een lied in. Alles was zo volmaakt dat Monica zin had om te gaan lachen. Ze keek naar Daphne; die lag met haar hoofd op het kussen dat haar moeder naar boven had gesjouwd. Ze had er zolang Monica haar kende nog nooit zo vredig uitgezien.

'Ik ben erg blij met je komst naar Lady Helen,' zei Zach nu. 'Wij allemaal, trouwens. Je bent hier helemaal op je plek, maar het is meer dan dat. Je bent echt een aanwinst voor de stad.'

'Ik ben ook blij dat we hierheen gekomen zijn. Nog bedankt

voor het opsturen van de advertentie.'

'Je bazen in Johannesburg hebben een grote fout gemaakt.'

Moncia was even van haar stuk gebracht. Ze had hem of anderen hier nooit verteld dat ze een vaste baan bij *Van dichtbij* was misgelopen omdat de producer haar reportage over de brandwondenkliniek niet goed genoeg had gevonden. Misschien was het nu haar beurt om te bekennen dat zij van zijn geheim op de hoogte was.

'Wat een prachtige nacht is het,' zei hij.

Hij had gelijk; de nacht was veel te mooi om met een gesprek over ontrouw en echtscheiding te bederven.

'Ben je ooit langs het golfcomplex gewandeld?' vroeg hij haar.

'Nee, ik ben er altijd wat huiverig voor geweest om op hun gedeelte van het strand te komen.'

'Het is niet van hen, en dat wordt het ook niet. Het strand is van iedereen. Een mijl verderop ligt een scheepswrak heel dicht bij de kust. Bij eb kun je er gewoon naartoe lopen.'

Ze wachtte of hij haar zou uitnodigen er eens samen naartoe te gaan en probeerde vast een bedachtzaam antwoord klaar te hebben, maar het bleek niet nodig.

'Pas goed op jezelf,' zei hij vriendelijk, terwijl hij overeind kwam.

'Dat zal ik doen.'

Ze keek hem na toen hij de ladder afklom en de laatste tree met een sprongetje oversloeg. Hij wisselde nog een paar woorden met de gitarist en weg was hij.

Het was te snel, besefte ze. Maar ooit zou het juiste moment komen.

De buren hielden het vuur de hele nacht brandend, niet omdat de vrouwen iets aan de warmte hadden, maar als teken van solidariteit. Monica ging tussen Daphne en de dakrand liggen en keek op naar de sterren. Rond middernacht begon een uil te roepen, laag en droevig. Er waren geen bomen in de buurt en nadat ze even zoekend had rondgekeken, concludeerde Monica dat hij naast een van de slapende vrouwen moest zitten.

Ze bad dat de bewaker haar foto's aan Lizbet had kunnen geven en dat die erdoor geraakt zou zijn.

Telkens als ze in slaap dreigde te zakken, ging ze rechtop zitten en ademde diep de zilte oceaanbries in. Ze hoopte dat Sipho en Mandla inmiddels diep in slaap zouden zijn op de sofa in Hercules' en Francina's flat.

Toen de hemel boven de koppies lichter begon te kleuren, ontdekte ze op de kronkelende weg naar Lady Helen een zwarte auto, die met grote snelheid dichterbij kwam. *Alstublieft, God, laat het zijn wie ik denk dat het is,* bad ze in stilte.

Tien minuten later kwam de auto tot stilstand vlak bij het vuur waar Miemps net in een driepotige kookpot pap stond te roeren.

'Het is Lizbet!' riep ze uit. Van de daken klonken slaperige begroetingen.

'Dank je,' zei Lizbet, toen haar vriendin haar een mok koffie aanreikte.

De mannen en kinderen van de buurt kwamen naar buiten om te zien wie de bezoeker was. Vanaf haar uitkijkpunt op het dak zag Monica een processie aankomen met dominee Van Tonder aan het hoofd. Hij zou de ochtendwijding verzorgen.

Lizbet ontweek alle vragen over haar nieuwe huis in Bloubergstrand en informeerde uitvoerig naar de jongste gebeurtenissen. Toen ze alles had gehoord, liep ze naar de plaats waar haar oude huis had gestaan en bukte zich om een handvol kalkgruis op te rapen. Toen ze zich weer oprichtte, stonden er tranen in haar ogen.

'Vrienden,' zei ze, 'ik ben gekomen om jullie iets op te biechten.'

Op dat moment arriveerden dominee Van Tonder en de mensen uit de stad bij het kampvuur. Nomsa haastte zich

met haar microfoon naar voren. Even leek het of Lizbet geen woord meer zou zeggen, met de microfoon zo pal onder haar neus, maar toen keek ze er langsheen, naar de verwachtingsvolle gezichten van al haar bekenden, en begon: 'Ik dacht dat mijn man het geld voor ons nieuwe huis had gewonnen. Ik weet dat gokken zondig is, maar God zegt dat we de zonde moeten haten en de zondaar liefhebben. En ik houd van mijn man. Maar ik had geen huis mogen accepteren dat met zondegeld was betaald.' Ze begon te huilen en Miemps wilde de armen om haar heen slaan, maar Lizbet weerde haar af. 'Gisteravond heeft mijn man mij echter de werkelijke gang van zaken verteld, en die is nog veel erger.'
Ze kon even niet verder, zo hevig stond ze te snikken. Iedereen stond doodstil te wachten. Na een poosje snoot ze haar neus en zei: 'Meneer Yang heeft mijn man een diamant gegeven en hem veel geld geboden als hij maar wilde zeggen dat hij de diamant hier in het zand had gevonden.'
De menigte hapte eenparig naar adem. Monica klom moeizaam naar beneden en ging naast Lizbet staan.
'Ik hoop dat jullie mijn man willen vergeven. Hij is geen slecht mens, hij had alleen een zwak moment,' pleitte Lizbet.
'Hij keek gewoon toe terwijl wij ons huis kwijtraakten!' schreeuwde een van de mannen.
Lizbet was te erg van streek om te reageren, zo ze al had geweten wat ze hierop kon zeggen. Monica legde een arm om haar schouders. 'Ik vind je ontzettend moedig,' fluisterde ze haar in het oor. Miemps legde een arm om Lizbets middel en samen ondersteunden ze de vrouw tot het ergste snikken voorbij was.
'Staat er een gevangenisstraf op liegen tegen een ambtenaar?' vroeg Lizbet fluisterend.
Monica wist niet goed hoeveel ze op dit moment kon zeggen. Het antwoord was natuurlijk ja, want in dit geval was er veel meer aan de hand dan een leugen; het was regelrechte fraude. In plaats van antwoord te geven vroeg ze Lizbet of

die een plek nodig had om een poosje tot rust te komen. Maar Lizbet wilde het liefst weer naar huis om te proberen haar man aan zijn verstand te brengen dat ze het enig juiste had gedaan. De mensen klopten haar op de rug en bedankten haar, maar op haar gezicht stond geen opluchting te lezen. Ze zag er nog steeds ellendig uit.

Nadat Lizbets auto achter de koppies was verdwenen, nagestaard door iedereen, opende dominee Van Tonder de samenkomst. Hij dankte God voor het behoud van Sandpiper Drift en vroeg Hem het hart van DeVilliers te openen voor wat zijn vrouw te zeggen had. Daarna zette hij een lied in: 'God is goed...'

De gitarist viel in en algauw was iedereen aan het zingen. Een voor een klommen de vrouwen naar beneden en vielen hun wachtende familieleden in de armen.

'Genoeg geknuffeld,' zei Daphne na een poosje. 'We hebben nog een appeltje met iemand te schillen.' Ze wees met haar duim in de richting van het golfterrein.

'O, Daphne, alsjeblieft niet,' smeekte Miemps. 'Veel te gevaarlijk!'

Daphne sloeg een arm om haar heen. 'Wat kan die vent ons nou doen, ma? Zijn boevenbende opdracht geven ons neer te schieten?' En met stemverheffing: 'Jullie gaan toch zeker allemaal mee?'

De mensen joelden instemmend.

'En alles wordt toch opgenomen?' Daphne keek Nomsa aan, die al hevig stond te knikken.

'Wij gaan ook mee,' zei Reg en greep zijn vrouw bij de hand. Die keek hem bewonderend aan en knikte toen vastberaden.

'Vooruit dan,' riep Daphne en de menigte juichte.

Met haar kreupele been kon Monica Daphne niet bijhouden en daarom voegde ze zich bij Reg en Miemps.

Toen het golfcomplex in zicht kwam, draaide Daphne zich om en legde een vinger op haar lippen.

'Nu stil allemaal,' commandeerde ze.

'Hoe denk je langs die bewaker te komen?' vroeg Monica. 'Ik heb eerder een hoop last met hem gehad.'

'Volg mij maar,' beval Daphne en ze leidde de mensen bij de hoofdingang vandaan. Nu liepen ze in de beschutting van de hoge muur. Niemand zei iets, ook al deed Nomsa nog zo haar best om iemand zover te krijgen dat hij de situatie voor haar wilde beschrijven. Daphne had gezegd dat ze stil moesten zijn en Daphne was nu de baas.

Ze volgden de muur totdat die omboog in noordelijke richting. De oudere mensen in het gezelschap begonnen tekenen van vermoeidheid te vertonen en iedereen had dorst. Maar toen Daphne zei dat ze nog een eindje verder moesten, klaagde niemand.

Twintig minuten later bleef Daphne staan.

'Hier is het,' zei ze. 'We moeten Yang verrassen; anders gaat hij er in zijn helikopter vandoor, armzalige gier die hij is.'

Ze pakte een houten krat dat achter een groot rotsblok verborgen lag, zette het tegen de muur als opstapje en hees zichzelf omhoog. Monica had het met haar vermoedens bij het rechte eind gehad: Yangs ongenode gast van de afgelopen weken was inderdaad Daphne geweest.

Daphne ging schrijlings op de muur zitten en zei gedempt: 'We zitten recht tegenover de administratieve vleugel van het gebouw. Als jullie achter me aan komen, kunnen we via de achterdeur naar binnen. Niemand zal ons opmerken voor het te laat is.'

Een paar mannen gingen als eersten de muur over om te zien of de kust veilig was, anderen bleven op de muur zitten om de vrouwen een handje toe te steken. Miemps, die tot dan toe geen woord van protest had laten horen, liet haar man nu weten dat ze het welletjes vond. Ook twee andere oudere vrouwen waren niet in staat over de muur te klimmen en dus werd besloten dat zij op de uitkijk zouden gaan staan om te waarschuwen als de mannen van Yang in aantocht waren.

'Ga jij nou maar mee en houd een oogje op je dochter,' zei Miemps, toen haar man aankondigde dat hij bij haar wilde blijven. 'Ik heb haar nog nooit zo meegemaakt.'

Eenmaal op het terrein voerde Daphne de inwoners van Sandpiper Drift naar een groep palmbomen die diende als camouflage voor een stel elektriciteitshuisjes en airconditioning-units.

'Ons volgende doel wordt gevormd door de stafverblijven hier recht voor ons,' deelde ze mee, wijzend op een gebouw van twee verdiepingen met balkons. 'Er zullen een paar vrouwen van werknemers rondlopen, maar die zullen ons niet tegenhouden; ze staan aan onze kant.'

Ze had helemaal gelijk. Een vrouw die net een stel kraakheldere witte luiers aan de waslijn hing, zwaaide hen vrolijk toe en een andere, die haar peuter op een driewielertje leerde rijden, stak haar duim op.

Zo'n dertig meter voor hen lag nu de achteringang van de administratievleugel.

'Voorwaarts, mars, vrienden,' zei Daphne. Haar stem was onnatuurlijk hoog.

Bij het gebouw gekomen wachtte ze tot Nomsa en de cameraman haar hadden ingehaald. Toen gooide ze de glazen deuren open en marcheerde naar binnen. Achter haar perste de hele groep zich door de deuropening, totdat de hal stampvol was. Boven hoorden ze Daphne schreeuwen: 'Daar heb je hem! Houd hem tegen!' en de mensen stoven naar voren. Yang, die probeerde te ontkomen naar het clubhuis, zag zich aan alle kanten omsingeld. De cameraman zoomde onmiddellijk in op zijn beduusde gezicht en Nomsa duwde hem haar microfoon onder de neus. Wanhopig keek hij om zich heen.

'We weten alles van die diamant,' zei Daphne triomfantelijk. 'Het staat allemaal op de band ook.'

'Waarschuw de beveiliging!' schreeuwde Yang naar zijn

secretaresse, die achter haar bureau was weggedoken.

De vrouw ving Monica's blik op.

'Schiet op, dan!' schreeuwde Yang, maar hoewel de vrouw doodsbang keek, schudde ze toch haar hoofd.

'Je kunt jezelf net zo goed meteen aangeven bij de politie,' schreeuwde Daphne nu. 'Woensdagavond weet het hele land dat je onze grond wilde stelen.'

Yang probeerde zich een weg door de menigte te banen, maar de rijen sloten zich aaneen en zelfs zijn brede schouders en gespierde armen waren niet opgewassen tegen zo veel vastberadenheid. De woede van de mensen gaf hun een kracht waar ze zelf van stonden te kijken.

Aan de rand van de mensenmassa klonken plotseling kreten van woede en pijn. Monica keek om. De beveiligingsmensen van Yang probeerden met behulp van hun gummiknuppels hun werkgever te bereiken.

'Hou op!' gilde ze. De cameraman draaide zich met een ruk om om de hele scène vast te leggen. Dat leidde de algemene aandacht af van Yang die daarvan handig gebruikmaakte door te proberen via de achterdeur te ontsnappen. Daar versperde Daphne hem echter de weg.

'Je zult me met je blote handen moeten vermoorden, als je wilt dat ik opzij ga,' snauwde ze hem toe.

Yang deed een uitval naar haar, maar ze klemde zich met beide handen aan de deurklink vast alsof haar leven er van afhing.

Plotseling daverde de hal van het lawaai van een naderende helikopter. Het vooruitzicht van een mogelijke ontsnapping vervulde Yang met nieuwe moed en hij gaf Daphne zo'n enorme duw dat ze plat op de grond viel. Meteen scharrelde ze weer overeind, maar toen ze naar buiten rende, zwaaide Yang zichzelf net de helikopter in.

'Ja, vlieg maar op,' schreeuwde ze hem na en schudde haar vuist. 'Woensdagavond zit je in *Van dichtbij* en dan zal iedereen de waarheid horen.'

354

Zevenentwintig

Francina was haar onbelemmerde uitzicht op de koppies dan wel kwijt, maar de bries die door haar appartement woei als de ramen tegen elkaar openstonden, was een redelijke compensatie, evenals het driehoekje oceaan dat ze aan het eind van de straat nog net kon zien wanneer ze de tomatenplanten op haar balkon water gaf.

Er was sinds de bruiloft nog geen week verstreken en nu al had de kleine familie een natuurlijk ritme gevonden, dat zo goed beviel dat elk van de afzonderlijke leden altijd weer zin had om naar huis te gaan. Telkens wanneer Francina haar schoonmoeder aantrof bij het fornuis, roerend in een pan, moest ze terugdenken aan haar jeugd en de voortdurende aanwezigheid van haar moeder die ze veel te lang had moeten missen. Ze voelde zich bij haar schoonmoeder op haar gemak en Hercules leek er blij mee te zijn dat de twee vrouwen in zijn leven zo goed met elkaar overweg konden.

Mevrouw Shabalala mocht dan een goede kokkin zijn en een betere schoonmaakster dan Francina zelf, aan haar talenten op de begane grond mankeerde wel het een en ander. Francina maakte er nooit een opmerking over, maar het kwam regelmatig voor dat ze de zomen die haar schoonmoeder had genaaid weer moest lostornen, omdat ze met zulk slordig werk niet bij haar klanten kon aankomen. Als ze een jurk in elkaar wilde gaan zetten waarvoor haar schoonmoeder de patroondelen had geknipt, ontdekte ze soms dat ze twee voorkanten had en geen achterkant, of een wijd model rok, terwijl de klant een strakke had besteld. Op dit moment bespaarde de hulp van haar schoonmoeder haar geen tijd, en omdat ze af en toe extra stof moest kopen als er bij het patroonknippen weer iets mis was gegaan, kostte ze haar eigenlijk alleen maar extra geld.

Monica zou met de kerst de jongens weer meenemen naar haar ouders in Italië. Francina was van plan haar drie vrije weken te gebruiken om haar schoonmoeder in te wijden in de kunst van het jurken naaien. Je kon haar die fouten per slot van rekening niet kwalijk nemen: ze had haar hele leven nog nooit een jurk genaaid. Het was ook niet reëel om van iemand met een nieuwe baan te verwachten dat hij binnen een dag alles onder de knie had.

Francina's klanten gaven ondertussen hoog op van mevrouw Shabalala's vriendelijkheid. Ze nam de maten dan wel niet altijd even accuraat, maar als je klanten het gezellig vonden, was de helft van de strijd al gewonnen. De rest zou ze er mettertijd wel bij leren.

Deze morgen echter was Francina ontevreden over haar eigen werk. De zomen waren onregelmatig; de steekjes waren of te grof, waardoor je ze aan de goede zijde van de stof kon zien, of ze waren te strak aangetrokken, waardoor de stof was gaan rimpelen. Haar vingers voelden aan als plompe bananen en ze slaagde er niet in zich te concentreren op de zwartzijden jurk voor Doreen Olifant, die op het bal van de vereniging voor bibliothecarissen in Kaapstad een medaille uitgereikt zou krijgen voor de beste bibliotheek in de categorie kleine steden. Francina werkte niet graag met zwart, maar het heldere, natuurlijke licht van Lady Helen was niet alleen goed voor kunstenaars, maar stelde ook een halfblinde naaister in staat haar kleurpalet uit te breiden met pikzwart, diepzwart en – haar eigen favoriet – zwarter dan zwart.

Het was de laatste schooldag en Monica had Mandla meegenomen naar haar werk, zodat Francina een dagje vrij had. Vandaag, rond het middaguur, zou meester D. de lijst met examenresultaten aanplakken op de deur van zijn kantoor. Hercules was van plan met haar mee te gaan, voor de morele ondersteuning, zoals hij zei. De geuren van de feestlunch die haar schoonmoeder aan het bereiden was, dreven al de hele ochtend langs het trapgat naar beneden. Het was onmiskenbaar rundvlees, dat lag te sudderen in een saus die gekruid was met kardemom, saffraan, rode paprika, koriander, komijn en kruidnagel. Het was dezelfde stoofschotel die zij en Hercules hadden gegeten bij hun eerste afspraakje in het restaurantje van Pongola. Francina hoopte dat haar schoonmoeder ook nog saffraan bij de rijst zou doen, zodat die een mooie, gele kleur kreeg.

Anders dan Monica, die het zichzelf altijd kwalijk nam dat ze niet volmaakt was, was Francina niet bang om fouten te maken. Ze had zich vaak afgevraagd hoe het kwam dat ze in dit opzicht zo van elkaar verschilden en haar conclusie was dat het een kwestie van ego's was. Dat van Monica was zo groot en majesteitelijk als een olifant, maar als die viel, maakte hij ook een enorme smak. Haar eigen ego was maar klein en gewoontjes, zoals een impala. Wie had ooit kunnen denken dat zij, de dochter van een kleine boer, nog eens medelijden zou hebben met een rijke, blanke, hoogopgeleide vrouw?

Onder de kassa had ze een prachtige tinnen lijst verstopt, die ze op de rommelmarkt van de kerk op de kop had getikt. Hoe onverstoorbaar ze zich ook voordeed, stiekem stelde ze zich toch al voor hoe mooi haar ingelijste schooldiploma zou staan aan de muur van de winkel, zodat alle klanten het konden zien.

Of ze nu slaagde of niet, toch was dit een dag om feest te

vieren en God te danken. Vroeg in de ochtend, toen alleen de boeren, de vrachtwagenchauffeurs en de haveloze krantenjongens nog maar wakker waren, was het gaan regenen – weliswaar niet hier aan de West-Kaap, waar het alleen in de winter regende, maar wel in de rest van het land.

Francina legde Doreens jurk neer, ruimde de winkel op en riep naar haar schoonmoeder dat ze wegging. Voordat ze vertrok, keek ze nog eens naar de letters die de schilder al met tape had afgeplakt op haar winkelruit. Ze waren recht en stoer – net als zijzelf – met een golvende lijn eronder voor een elegante uitstraling. Elders in de wereld liepen zakenmensen rond die zich eigenaar mochten noemen van reusachtige wolkenkrabbers, maar ze wist zeker dat die niet voldaner konden zijn dan zij. De Heer had haar rijk gezegend!

Als ze niet was geslaagd, zou er eigenlijk niets veranderen, maar Hercules en Oscar zouden het gevoel hebben dat ze tegenover haar tekort waren geschoten, ook al was dat absoluut niet het geval. Hoe verschillend hun aanpak ook was, ze had van allebei meer geleerd dan ze ooit voor mogelijk had gehouden.

Toen ze bij de school aankwam, stond Hercules net met een groepje leerlingen te praten. Ze keken vol respect naar hem op en dat vervulde haar met trots en blijdschap. De intelligente kinderen hadden al ontdekt dat hij wijs en betrouwbaar was, hun vertrouwen waard. De rest zou er nog wel achterkomen dat er belangrijker eigenschappen voor een leraar waren dan acteerkunst en malle fratsen.

Zodra Hercules merkte dat ze er was, verontschuldigde hij zich bij de kinderen en liep naar haar toe. Francina voelde de ogen van de leerlingen op zich gericht toen hij haar een arm gaf, maar ze kon het nu eenmaal niet helpen dat er een verdwaasde grijns op haar gezicht verscheen, telkens als ze hem zag.

Bij het kantoor stond een menigte mensen te wachten. Toen

meester D. om precies twaalf uur naar buiten kwam, werd het doodstil.

'Kom, mensen, zo erg is het nou ook weer niet,' zei hij.

De vijftienjarigen begonnen zenuwachtig te giechelen. Van hen zou niemand van school gaan, ook al mocht het officieel wel als ze geslaagd waren. Francina en Hercules wachtten tot iedereen de lijst had bestudeerd, en toen kwamen ze pas naar voren.

'Kijk jij maar,' zei Francina.

Hercules schudde zijn hoofd. 'Jij hebt al het werk gedaan.'

Francina ontdekte haar naam en liet haar vingers langs de cijferlijst glijden. Bij elk van de zes vakken stond een voldoende, geen dikke, maar toch een degelijk cijfer. Hercules sloeg zijn arm om haar middel en drukte haar stevig tegen zich aan.

'Gefeliciteerd!' zei hij. 'Ik wist wel dat je het zou halen.'

Hoewel ze niet kon zeggen waarom, keek Francina bij het weggaan even achterom naar de school. Bij het mededelingenbord stond een eenzame man. Ze kon zijn gezicht niet zien, maar ze herkende Oscar aan zijn lengte en zijn kleren. Na de feestlunch zou ze hem thuis opzoeken om hem te bedanken. Dat was misschien niet voldoende om de verhouding te herstellen, maar het was in elk geval een begin.

Het was Sipho's laatste schooldag. Met een beker in haar hand liep Monica te ijsberen voor de vergaderruimte waar Max nu al bijna een jaar had zitten werken. Ze wilde hem haar kopij laten zien en toen Dudu haar bij het langslopen had gevraagd of ze zin had in thee, had ze dat dankbaar aanvaard.

Na de uitzending van Nomsa's reportage waren Yang en DeVilliers beiden door de Kaapstadse politie gearresteerd. Na een ondervraging van drie uur waren de agenten opnieuw op pad gegaan, deze keer om Pieter van Jaarsveld op te pakken. Uit de informatie die Monica stukje bij beetje uit de agenten van Lady Helen had losgepeuterd, had ze begrepen dat Yang de ambtenaar smeergeld had betaald, op voorwaarde dat die hem net zo veel land zou verkopen als hij voor zijn golfbaan nodig had. Hoewel de details pas tijdens het proces naar buiten zouden komen, achtte Monica het waarschijnlijk dat Yang niet de enige actieve partij in deze overeenkomst was en dat Van Jaarsveld zichzelf een fors deel van het geld dat Yang aan de overheid had betaald had toegeëigend.

'Hou eens op met dat gedribbel, je maakt me zenuwachtig,' riep Max vanuit zijn kantoor. 'Kom binnen en ga zitten.'

Wat was het eenvoudig om terug te keren naar de oude status-quo! Eigenlijk kon hij net zo goed weer in zijn oude kantoor gaan zitten. Haar artikel lag op zijn bureau.

'Je hebt een interessante aanpak,' zei hij.

'Met interessant bedoel je zeker ondeugdelijk?'

'Je hebt een belangrijke journalistieke grondregel overtreden – die van de objectiviteit.'

'Ondeugdelijk dus.' Had ze hem maar nooit van haar ritjes naar Bloubergstrand verteld.

'Monica, laten we nou eens gewoon de feiten onder ogen zien.'

Kon hij haar eigenlijk nog wel ontslaan? Officieel was hij met pensioen.

Max schoof een beetje naar voren en hees zich met behulp van zijn wandelstok overeind. Monica keek toe en wachtte. Ze had inmiddels wel geleerd dat hij van niemand hulp accepteerde. Toen hij zijn evenwicht had hervonden, liep hij naar het raam en liet zijn ogen dwalen over de lunchdrukte op de Hoofdstraat. Alle tafeltjes op het terras van Mama Dlamini's Eetcafé waren al bezet.

'Het is hier Johannesburg of Kaapstad niet – de hemel zij dank. De journalistieke wetten die je op de universiteit zijn bijgebracht, kun je hier rustig een beetje naar je hand zetten. Het gaat om ménsen, beste meid, en eerlijk gezegd weet ik niet wat er gebeurd zou zijn als jij niet had ingegrepen.'

Monica wist niets anders uit te brengen dan: 'Dus ik word niet ontslagen?'

Max schoot in de lach. 'Hoe zou ik je nou kunnen ontslaan? Jij bent de baas. En je hebt bijzonder veel geduld gehad met een oude man die maar niet lijkt te kunnen loslaten.'

Ze voelde een brok in haar keel. 'Ik heb je nodig, Max.'

Hij glimlachte. 'Welnee. Het is de hoogste tijd dat ik daadwerkelijk met pensioen ga. Sipho is een bekwaam onderwijzer. Zo langzamerhand kan ik aardig met de computer overweg en dus zal het wel lukken met die memoires.'

'Maar je hoeft toch niet weg te gaan.'

'Je bent een best mens, Monica, maar dat moet wel. Ik heb er alle vertrouwen in dat ik de krant in goede handen achterlaat.'

'Mag ik nog eens langskomen voor advies, als dat nodig is?'

'Je blijft je best doen om me het gevoel te geven dat ik nog ergens voor dien, geloof ik. En nu wegwezen. Ga vanmiddag maar iets leuks met je jongens doen. Dat is mijn laatste advies.'

Monica pakte haar artikel en ging nog even naast hem staan. 'Bedankt voor alles, Max.'

'We mogen ons gelukkig prijzen hier in Lady Helen, dat we jou hebben. Dat meen ik echt, Monica.'

Het was erg warm op het strand, dus gingen ze in de schaduw van een palmboom op het gras zitten smullen van de sandwiches die Monica die ochtend had ingepakt. Sipho had vanaf vandaag een hele maand vrij.

Een eenzame surfer scheerde over het water en Mandla sprong overeind om hem toe te juichen. Het was moeilijk voorstelbaar dat ze binnenkort in dikke winterjassen gehuld zouden zijn. Monica's ouders hadden hun vliegtickets gestuurd en het plan was om als familie gezamenlijk de kerstdagen en oud en nieuw te vieren. Sipho en Mandla baden hartstochtelijk om sneeuw.

Ook andere gezinnen waren op het idee gekomen om in het park een eindejaarspicknick te houden. Al gauw wandelde Mandla van het ene groepje naar het andere om gedag te zeggen en te kijken wat iedereen voor eten bij zich had.

'Kom eens terug!' riep Monica hem achterna, maar de andere moeders, die ze allemaal kende van school of van de kerk, zwaaiden naar haar en riepen: 'Laat hem maar!'

Toen hij klaar was met zijn onderzoek, kwam hij terug en kondigde aan dat hij ook naar school wilde.

'Ik ben blij dat te horen, want als we terugkomen uit Italië ga je naar de kleuterschool.'

'Kunnen Nonno en Nonna niet met ons mee naar huis?'

Het was een onschuldige opmerking, echt iets voor een vierjarige, en toch was het een briljant idee. Jabulani Cottage stond leeg. Als zij haar ouders kon overhalen om een paar maanden te komen logeren – en zo moeilijk zou dat niet zijn – had je kans dat ze niet meer weg wilden. Wat had Gift ook alweer gezegd op de dag dat ze elkaar leerden kennen? 'Als je Lady Helen eenmaal hebt ontdekt, kom je er steeds weer terug.'

Er was nog iemand die terug zou komen, zij het niet geheel uit vrije wil. Meneer DeVilliers zou zijn villa in Bloubergstrand moeten opgeven en zijn oude huis herbouwen. In ruil voor zijn medewerking aan het proces hoefde hij niet de gevangenis in, maar de bewoners van Sandpiper Drift zouden van nu af aan zijn doen en laten met argusogen in de gaten houden; late bezoekers zouden niet meer worden toegelaten.

Zukisa's familie kwam niet terug, en dat was ook wel begrijpelijk. Monica was van plan voor haar vertrek naar Italië nog een keer naar Kaapstad te rijden om te kijken hoe het met hen ging.

'We zullen zien wat Nonno en Nonna van dat plan vinden,' zei ze tegen Mandla.

Samen met de jongens wandelde ze terug naar het stadje om een ijsje te gaan kopen. Bij Modehuis Jabulani wipten ze even aan. Francina stond Hercules aanwijzingen te geven waar de spijker moest komen voor haar ingelijste diploma.

'Hiernaast,' stelde Mandla voor en wees naar de groepsfoto van Francina's familie, genomen bij de voltooide rondavels van Safaripark Jabulani.

'Volgens mij is daar geen ruimte genoeg, schatje,' zei Francina en ze stopte hem een van de chocolaatjes toe die eigenlijk voor haar klanten bestemd waren.

'Wat dacht je hiervan, direct naast de paskamer?' vroeg Sipho. 'Als er dan mensen komen om hun maten op te laten nemen, weten ze meteen dat ze in goede handen zijn.'

Hercules hield het certificaat naast de deur van de paskamer.

'Perfect,' zei Francina.

'We waren op weg om een ijsje te halen,' zei Monica. 'Hebben jullie zin om mee te gaan?'

Francina keek van de half afgenaaide jurk naar het verwachtingsvolle snuitje van Mandla.

'Wat een geweldig idee!' zei ze toen en legde de jurk neer. 'Mama!' riep ze naar boven. 'Kom ook, dan gaan we met z'n allen een ijsje eten!'

Ze liepen gezamenlijk naar de ijscowinkel en onderweg ving Monica in een galerieruit hun spiegelbeeld op. Gods wegen waren inderdaad ondoorgrondelijk. Een en hetzelfde verhaal had ertoe geleid dat zij haar baan verloor en dat tegelijkertijd het inwoneraantal van Lady Helen met zes personen was toegenomen. Voor een klein stadje als dit betekenden zes mensenlevens heel veel. Ze zag hoe Francina en Hercules Mandla tussen zich in heen en weer zwaaiden en Sipho nam mevrouw Shabalala's arm toen ze moesten oversteken. Bij haar expeditie op zoek naar een beter leven voor haar jongens had ze nieuwe reisgenoten gekregen. Deze mensen hadden elk hun geliefde huis achtergelaten om samen te kunnen zijn. Onder andere omstandigheden was hun contact waarschijnlijk nooit dieper gegaan dan een simpele groet of een opmerking over het weer, maar nu waren ze met elkaar verbonden geraakt en daarom zouden ze er voor elkaar zijn, in het gewone, dagelijkse leven, maar ook in moeilijke tijden. Daar had je immers familie voor? En de jongens zouden er wél bij varen.

Over de koppies in de verte lag een roze waas van trompetlelies die allemaal van de ene op de andere dag waren gaan bloeien. Een auto met een zilverkleurige aanhanger was halverwege de kronkelweg gestopt, zodat de inzittenden het uitzicht konden bewonderen. Monica dacht aan de stormachtige dag waarop zij dezelfde reis hadden gemaakt en Francina zich had afgevraagd in wat voor moddergat ze in vredesnaam terecht zouden komen. Ze hadden op dezelfde plaats gestaan als die auto nu en helemaal niets gezien. Ook haar toekomst had er ooit zo uitgezien, maar inmiddels lag de weg duidelijk zichtbaar voor haar en ook zij bleef graag eens even staan om van het uitzicht te genieten.

Dankwoord

Mijn dank gaat uit naar mijn agent Helen Breitwieser voor haar enthousiasme en haar steun, en naar mijn redacteuren Joan Marlow Golan en Melissa Endlich voor hun wijze suggesties. Ik wil ook Joyce Zulu bedanken, die mij gediend heeft met haar kennis van de Zulugebruiken. Zoals altijd bedank ik mijn man omdat hij achter me staat en mijn dochter omdat ze het liefste apekoppie van de hele wereld is.

Van dezelfde auteur verscheen bij Mozaïek:

De weg naar huis

De Zuid-Afrikaanse journaliste
Monica Brunetti belandt, na een
traumatische gebeurtenis, in een
ziekenhuis in het township
Soweto. Ze is in het hele ziekenhuis de enige blanke. In het
bed naast haar ligt Ella Nkhoma,
een inspirerende vrouw die met
haar humor en zorgzaamheid
gaandeweg Monica's vertrouwen weet te winnen.
Als dochter van welgestelde
ouders is Monica beschermd op-
gevoed. De opmerkelijke vriendschap met Ella brengt haar ech-
ter ver buiten de afgesloten blanke wijken. Daar maken de
vrouwen iets mee dat hun levens voorgoed en ingrijpend
verandert.

De weg naar huis speelt zich af in het kleurrijke Zuid-Afrika.
Het is een inspirerend verhaal over liefde, moed en alledaagse wonderen.

Deze roman won in Amerika de prestigieuze Christy Award.

ISBN 978 90 239 9221 9
328 pag.
€ 19,90